SUPER UE FELTRINELLI

SUPER UE

FEDERICO MOCCIA
TRE METRI
SOPRA IL CIELO

FELTRINELLI

© Giangiacomo Feltrinelli Editore Milano
Prima edizione nell'"Universale Economica" – SUPER UE
febbraio 2004
Ventesima edizione aprile 2005

ISBN 88-07-84039-1

A mio padre, un grande amico,
che mi ha insegnato molto.
A mia madre, bellissima,
che mi ha insegnato a ridere.

1.

"Cathia ha il più bel culo d'Europa." Il rosso graffito splende in tutta la sua sfacciataggine su una colonna del ponte di corso Francia.

Vicino, un'aquila reale, scolpita tanto tempo fa, ha sicuramente visto il colpevole, ma non parlerà mai. Poco più sotto, come un piccolo aquilotto protetto dai rapaci artigli di marmo, c'è seduto lui.

Capelli corti, quasi a spazzola, sfumatura dietro il collo alta come quella di un marine, un giubbotto Levi's scuro.

Il colletto tirato su, una Marlboro in bocca, i Ray-Ban agli occhi. Ha un'aria da duro, anche se non ne ha bisogno. Un sorriso bellissimo, ma sono pochi quelli che hanno avuto la fortuna di apprezzarlo.

Alcune macchine in fondo al cavalcavia si sono fermate minacciose al semaforo. Eccole lì, in riga come in una gara, se non fosse per la loro diversità. Una Cinquecento, una New Beatle, una Micra, una macchina americana non meglio identificata, una vecchia Punto.

In una Mercedes 200, un esile dito dalle piccole unghie mangiucchiate dà una lieve spinta a un cd. Dalle casse Pioneer laterali la voce di un gruppo rock prende improvvisamente vita.

La macchina riparte seguendo il flusso. Lei vorrebbe sapere "Where is the love...". Ma esiste davvero? Di una cosa è sicura, farebbe volentieri a meno di sua sorella che da dietro continua insistente a ripetere: "Metti Eros, dai, voglio sentire Eros".

La Mercedes passa proprio mentre quella sigaretta, ormai finita, cade a terra, spinta da una schicchera precisa e aiutata da un po' di vento. Lui scende dai gradini di marmo, si sistema i suoi 501 e poi sale sull'Honda blu VF 750 Custom. Come per incanto si ritrova fra le macchine. La sua Adidas destra cambia le marce, richiama o lascia andare il motore, che, potente, lo spinge come un'onda nel traffico.

Il sole sta salendo, è una bella mattinata. Lei sta andando a scuola, lui non è ancora andato a dormire dalla notte prima. Un giorno come un altro. Ma al semaforo si trovano uno accanto all'altra. E allora quello non sarà un giorno come tutti gli altri.

Rosso.

Lui la guarda. Il finestrino è abbassato. Una ciocca di capelli biondo cenere scopre a tratti il suo collo morbido. Un profilo leggero ma deciso, gli occhi azzurri, dolci e sereni, ascoltano sognanti e socchiusi quella canzone. Tanta calma lo colpisce.

"Ehi!"

Lei si volta verso di lui, sorpresa. Lui sorride, fermo vicino a lei, su quella moto, le spalle larghe, le mani già troppo presto abbronzate per quella metà di aprile.

"Ti va di venire a fare un giro con me?"

"No, sto andando a scuola."

"E non ci andare, fai finta, no? Ti vengo a prendere lì davanti."

"Scusami." Lei fa un sorriso forzato e falso: "Ho sbagliato risposta, non mi va di venire a fare un giro con te".

"Guarda che con me ti diverti..."

"Ne dubito."

"Risolverei tutti i tuoi problemi."

"Non ho problemi."

"Questa volta sono io a dubitarne."

Verde.

La Mercedes 200 scatta in avanti lasciando spegnersi il sorriso sicuro di lui. Il padre si gira verso di lei: "Ma chi era quello? Un tuo amico?".

"No, papà, solo un cretino..."

Qualche secondo dopo l'Honda affianca di nuovo. Lui attacca la mano al finestrino e con la destra dà un filo di gas, tanto per non fare troppo sforzo, anche se con quel quaranta di braccio non avrebbe poi tanti problemi.

L'unico che sembra avere qualche problema è il padre.

"Ma che fa questo incosciente? Perché viene così vicino?"

"Stai tranquillo papà, me ne occupo io..."

Si volta decisa verso di lui.

"Senti, ma non hai proprio niente di meglio da fare?"

"No."

"Be', trovatelo."

"Ho già trovato qualcosa che mi piace."

"E cioè?"

"Andare a fare un giro con te. Dai, ti porto sull'Olimpica, corriamo forte con la moto, poi ti offro la colazione e ti riporto per l'uscita di scuola. Te lo giuro."

"Credo che i tuoi giuramenti valgano ben poco."

"Vero," sorride, "vedi, già conosci tante cose di me, di' la verità, già ti piaccio, eh?"

Lei ride e scuote la testa.

"Be', ora basta," e apre un libro che tira fuori dalla sua borsa Nike in pelle, "devo pensare al mio vero e unico problema."

"Cioè?"

"L'interrogazione di latino."

"Credevo fosse il sesso."

Lei si gira scocciata. Questa volta non sorride più, neanche per finta.

"Leva la mano dal finestrino."

"E dove vuoi che la metta?"

Lei preme un pulsante. "Non posso dirtelo, c'è mio padre."

Il finestrino elettrico comincia a salire. Lui aspetta fino all'ultimo istante, poi toglie la mano.

"Ci vediamo."

Non fa in tempo a sentire il suo secco "No". Piega leggermente verso destra. Imbocca la curva, scala e acquista potenza scomparendo veloce tra le macchine. La Mercedes continua il suo viaggio, ora più tranquillo, verso la scuola.

"Ma lo sai chi è quello?" La testa della sorella spunta improvvisamente tra i due sedili. "Lo chiamano 10 e lode."

"Per me è solo un idiota."

Poi apre il libro di latino e comincia a ripassare l'ablativo assoluto. A un tratto smette di leggere e guarda fuori. È veramente quello il suo unico problema? Certo, non quello che dice quel tipo. E comunque non l'avrebbe rivisto mai più. Riprende a leggere decisa. La macchina svolta a sinistra, verso la Falconieri.

"Sì, io non ho problemi e non lo rivedrò mai più."

Non sa, in realtà, di quanto si stia sbagliando. Su tutte e due le cose.

2.

La luna è alta e pallida fra gli ultimi rami di un albero fronduto. I rumori stranamente lontani. Da una finestra arrivano alcune note di una musica lenta e piacevole. Poco più sotto, le linee bianche del campo da tennis risplendono dritte sotto il pallore lunare e il fondo della piscina vuota aspetta triste l'estate. A un primo piano del comprensorio una ragazza bionda, non molto alta, con gli occhi azzurri e la pelle vellutata, si guarda indecisa allo specchio.

"Ti serve la maglietta nera, elasticizzata della Onyx?"

"Non lo so."

"E i pantaloni blu?" urla Daniela dalla sua camera.

"Non lo so."

"E i fuseaux, te li metti?"

Daniela ora è ferma sulla porta, guarda Babi con i cassetti del letto aperti e la roba sparsa un po' ovunque.

"Allora prendo questo..."

Daniela avanza fra alcune Superga di vari colori sparse per terra, tutte trentasette.

"No! Quello non te lo metti perché ci tengo."

"Io me lo prendo lo stesso."

Babi si tira su di scatto con le mani sui fianchi: "Scusa, ma non me lo sono mai messo...".

"Potevi mettertelo prima!"

"Sì, e se poi me lo slarghi tutto?"

Daniela guarda ironica la sorella.

"Cosa? Stai scherzando? Guarda che sei tu che ti sei messa la mia gonna blu elasticizzata l'altro giorno e ora per vedere le mie belle curve devi essere un indovino."

"Che c'entra? Quella l'ha slargata Chicco Brandelli."

"Cosa? Chicco ci ha provato e tu non mi hai detto nulla?"

"C'è poco da raccontare."

"Non credo, a giudicare dalla mia gonna."

"È solo apparenza. Che ne dici di questa giacca blu con sotto la camicia rosa pesca?"

"Non cambiare discorso. Dimmi com'è andata."

"Oh, lo sai come vanno queste cose."

"No."

Babi guarda la sorella più piccola. È vero, non lo sa. Ancora non può saperlo. È troppo rotonda e non c'è niente di abbastanza bello in lei per convincere qualcuno a slargarle una gonna.

"Niente. Ti ricordi che l'altro pomeriggio avevo detto a mamma che andavo a studiare da Pallina?"

"Sì, e allora?"

"E allora sono andata al cinema con Chicco Brandelli."

"Be'?"

"Il film non era niente di che, e guardandolo meglio, neanche lui."

"Sì, ma arriviamo al punto. Com'è che s'è slargata la gonna?"

"Be', il film era iniziato da dieci minuti e lui si agitava continuamente sulla sedia. Ho pensato: è vero che questo cinema è proprio scomodo, ma secondo me Chicco ci vuole provare. E infatti dopo poco, ecco che si sposta un po' laterale e passa il braccio dietro la mia spalliera. Senti, che ne dici se mi metto il completo, quello verde con i bottoncini davanti?"

"Continua!"

"Insomma, dalla spalliera è sceso, piano piano, sulla spalla."

"E tu?"

"Io... niente. Fingevo quasi di non essermi accorta di lui. Guardavo il film, come presissima. E poi mi ha tirata a sé e mi ha baciata."

"Ti ha baciata Chicco Brandelli? Uau!"

"Perché ti scaldi tanto?"

"Be', è un bel ragazzo."

"Sì, ma ci crede troppo... Sta sempre a controllarsi, a specchiarsi... Be', insomma, al secondo tempo ha riconquistato quasi subito la sua posizione. Mi ha comprato un cornetto Algida. Il film era nettamente migliorato, forse anche un po' per merito della parte sopra del cornetto, quella con le noccioline. Era favolosa. Così mi sono distratta e l'ho ritrovato con le mani un po' troppo in basso per i miei gusti. Ho tentato di allontanarlo e lui niente, si è aggrappato alla tua gonna blu. È lì che si è slargata."

"Che porco!"

"Già, pensa che non voleva saperne di mollare. E poi sai che ha fatto?"

"No, che ha fatto?"

"Si è slacciato i pantaloni, mi ha preso la mano e me la spingeva in basso. Sì, insomma, verso il suo coso..."

"No! Allora è veramente un porco! E poi?"

"Allora io per calmarlo ho dovuto sacrificare il mio cornetto. L'ho preso e gliel'ho infilato nei pantaloni aperti. Vedessi che salto ha fatto!"

"Brava sorella! Altro che cuore di panna..."

Scoppiano a ridere. Poi Daniela, approfittando dell'allegria che si è creata, si allontana con il completo verde della sorella.

Poco più in là, nello studio, su un morbido divano a disegni cachemire, Claudio si prepara la pipa. Lo diverte quel gran da fare con il tabacco, ma in realtà è solo un compromesso. A casa non gli permettono più di fumare le sue Marlboro. La moglie, accanita giocatrice di tennis, e le figlie, fin troppo salutiste, lo riprendono a ogni sigaretta accesa, così è passato alla pipa. "Ti dà più classe, ti fa sembrare più riflessivo!" aveva detto Raffaella. E infatti lui c'ha riflettuto bene. Meglio tenersi quel pezzo di legno fra le labbra e un pacchetto di Marlboro nascosto nella tasca della giacca piuttosto che discutere con lei.

Dà un tiro alla pipa mentre fa una panoramica dei canali televisivi. Sa già dove fermarsi. Alcune ragazze scendono da una scala laterale canticchiando una stupida canzoncina e mostrando i loro sodissimi seni.

"Claudio, sei pronto?"

Cambia subito canale. "Certo tesoro."

Raffaella lo guarda. Claudio rimane seduto sul divano, perdendo un po' della sua sicurezza.

"Tieni, cambiati cravatta, mettiti questa bordeaux."

Raffaella lascia la stanza senza possibilità di discussione. Claudio si scioglie il nodo della sua cravatta preferita. Poi preme sul telecomando il tasto numero cinque. Ma al posto di quelle belle ragazze si deve accontentare di una povera casalinga che, incorniciata dentro un alfabeto, tenta di diventare ricca. Claudio si mette al collo la cravatta bordeaux e dedica al nuovo nodo tutta la sua attenzione.

Nel piccolo bagno che separa le camere delle due sorelle, Daniela sta esagerando con l'eye liner.

Babi compare vicino a lei.

"Che te ne sembra?"

Indossa un vestito a fiori, rosato e leggero. La stringe delicatamente in vita, lasciando il resto libero di scendere, come meglio crede, sui suoi fianchi morbidi.

"Allora, come sto?"

"Bene."

"Ma non benissimo?"

"Molto bene."

"Sì, ma perché non dici benissimo?"

Daniela continua a cercare di fare dritta la linea che dovrebbe allungarle un po' gli occhi.

"Be', a me non piace il colore."

"Sì, ma a parte il colore..."

"Non mi piacciono molto le spalline così grosse."

"Sì, ma a parte le spalline..."

"Be', tu lo sai, a me non piacciono i fiori."

"No, ma tu non li considerare."

"Allora sì, stai benissimo."

Babi, per niente soddisfatta e senza sapere neanche lei cosa avrebbe voluto sentirsi dire, prende la boccetta di Caronne comprata con i suoi a un duty-free di ritorno dalle Maldive. Uscendo urta Daniela.

"Ehi, stai attenta!"

"Stai attenta tu! Ci metto molto meno io a farti un occhio nero. Guarda come ti stai truccando!"

"Lo faccio per Andrea."

"Andrea chi?"

"Palombi. L'ho conosciuto fuori dalla Falconieri. Stava parlando con Mara e Francesca, quelle del quarto. Quando se ne sono andate, gli ho detto che anch'io stavo in classe loro. Truccata così, quanti anni mi daresti?"

"Be', sì, sembri più grande. Almeno quindici."

"Ma io ho quindici anni!"

"Sfuma un po' qui..." Babi si mette l'indice in bocca bagnandoselo, e poi lo porta sulle palpebre della sorella massaggiandole.

"Ecco fatto!"

"E ora?"

Babi guarda la sorella alzando il sopracciglio.

"Stai per farne sedici."

"Ancora troppo poco."

"Ragazze, siete pronte?"

Raffaella, sulla porta di casa, inserisce l'allarme. Claudio e Daniela passano veloci davanti a lei, per ultima arriva Babi. Entrano tutti nell'ascensore. La serata sta per iniziare. Claudio si sistema meglio il nodo della cravatta. Raffaella si passa veloce più volte la mano destra sotto i capelli. Babi si sistema la giacca scura dalle ampie spalle. Daniela si guarda semplicemente allo specchio, già sapendo di incontrare lo sguardo della madre.

"Non sarai troppo truccata, tu?"

Daniela prova a rispondere.

"Lascia perdere, siamo in ritardo come al solito." E questa volta Raffaella incrocia allo specchio lo sguardo di Claudio.

"Ma io stavo aspettando voi, ero pronto dalle otto!"

Passano in silenzio attraverso gli ultimi piani. Nell'ascensore entra l'odore dello stufato della moglie del portiere. Quel sapore di Sicilia si mischia per un attimo con quella strana compagnia francese di Caronne, Drakkar e Opium. Claudio sorride. "È la signora Terranova. Fa uno spezzatino favoloso."

"Ci mette troppa cipolla" è il giudizio sicuro di Raffaella, che da un po' di tempo ha optato per la cucina francese, con la sincera preoccupazione di tutti e la disperazione della cameriera sarda.

La Mercedes si ferma davanti al portone.

Raffaella, con un rumore dorato di gioie, segno di ricorrenze e Natali più o meno felici, quasi sempre molto costosi, sale davanti, le due figlie dietro.

"Si può sapere perché non accostate di più la Vespa al muro?"

"Ancora più incollata al muro? Papà, ma sei negato..."

"Daniela, non ti permettere di parlare così a tuo padre."

"Senti mamma, domani possiamo andare in Vespa a scuola?"

"No, Babi, fa ancora troppo freddo."

"Ma abbiamo il parabrezza."

"Daniela..."

"Ma mamma, tutte le nostre amiche..."

"Le devo ancora vedere tutte queste vostre amiche con la Vespa."

"Se è per questo, a Daniela le hanno fatto il Peugeot nuovo che tra l'altro, visto che ti preoccupi tanto, corre anche di più."

Fiore, il portiere, alza la sbarra. La Mercedes aspetta, come ogni sera, il lento salire di quel lungo ferro a strisce rosse. Claudio accenna a un saluto. Raffaella si preoccupa solo di chiudere la discussione.

"Se la prossima settimana farà più caldo, vedremo."

La Mercedes parte con un briciolo di speranza in più tra i

sedili posteriori, e un graffio sullo specchietto laterale destro. Il portiere riprende a guardare la sua piccola tivù.

"Allora, non mi hai detto come sto vestita così."

Daniela guarda la sorella. Ha le spalline un po' troppo larghe e per i suoi gusti è un po' troppo seriosa.

"Benissimo." Ha capito perfettamente come prenderla.

"Non è vero, ho le spalline troppo larghe e sono troppo perfettina, come dici tu. Sei una bugiarda, e sai che ti dico? Per questo sarai punita. Andrea neanche ti guarderà in faccia. Anzi, lo farà, ma con tutto quell'eye liner non ti riconoscerà e se ne andrà con Giulia."

Daniela prova a rispondere, soprattutto riguardo a Giulia, la sua peggiore amica. Ma Raffaella mette la questione a tacere.

"Ragazze, smettetela, sennò vi riporto a casa."

"Giro?" Claudio sorride alla moglie, facendo finta di muovere il volante. Ma gli basta uno sguardo per capire che non è aria.

3.

Agile e veloce, scuro come la notte. Luce e riflessi vanno e vengono nei piccoli specchietti della sua moto. Arriva alla piazza, rallenta appena per vedere che da destra non arrivi nessuno, poi imbocca via di Vigna Stelluti a tutta velocità.

"Ho una voglia di vederlo, sono due giorni che non ci sentiamo."

Una bella ragazza mora, dagli occhi verdi e un bel sedere imprigionato in crudeli Miss Sixty, sorride all'amica, una biondina alta come lei ma un po' più tonda.

"A Madda', sai com'è fatto, anche se c'è stato mica vuol di' che ora avete una storia."

Sedute sui loro motorini, fumano sigarette troppo forti, cercando di darsi un tono e qualche anno in più.

"Che c'entra, i suoi amici mi hanno detto che lui non chiama mai di solito."

"Perché, a te ti ha chiamata?"

"Sì!"

"Be', magari ha sbagliato numero."

"Due volte?"

Sorride, felice di aver messo a tacere l'amica dalla battuta facile, che comunque non si perde d'animo.

"Degli amici non ti puoi mai fidare. Hai visto che facce?"

Vicino a loro, con le moto potenti come i loro muscoli, Pollo, Lucone, Hook, il Siciliano, Bunny, Schello e tanti altri ancora. Nomi improbabili dalle storie difficili. Non hanno un lavoro fisso. Alcuni neanche troppi soldi in tasca, ma si divertono e sono amici. Questo basta. In più amano litigare, e quello non manca mai. Fermi lì, a piazza Jacini, seduti sulle loro Harley, su vecchie 350 Four dalle quattro marmitte originali, o con la classica quattro in uno, dal rumore più potente. Sognate, sospirate e infine ottenute, grazie a estenuanti preghiere, dai loro genitori. Oppure con il sacrificio delle tasche sfortunate di un giovane farlocco che ha lasciato il portafoglio nel cassettino di qualche Scarabeo o nella tasca interna di un Henri Lloyd fin troppo facile da ripulire durante la ricreazione.

Statuari e sorridenti, la battuta facile, le mani tozze con qualche segno, ricordo di una rissa. John Milius sarebbe andato pazzo per loro.

Le ragazze, più silenziose, sorridono, quasi tutte scappate da casa, inventando un dormire tranquillo da un'amica, che invece siede lì vicino a loro, figlia della stessa bugia.

Gloria, una ragazza con i fuseaux blu e la maglietta dello stesso colore con piccoli cuoricini celesti, mostra uno splendido sorriso.

"Ieri mi sono divertita un mondo con Dario. Abbiamo festeggiato sei mesi che stiamo insieme."

Sei mesi, pensa Maddalena. A me ne basterebbe uno solo...

Madda sospira, poi riprende a sognare nelle parole dell'amica.

"Siamo stati a mangiare una pizza da Baffetto."

"Ma dai, ci sono andata pure io."

"A che ora?"

"Mah... saranno state le undici."

Odia quell'amica che interrompe il racconto. C'è sempre qualcuno o qualcosa che disturba i tuoi sogni.

"Ah, no, eravamo già andati via."

"Insomma, volete stare a sentire?"

Un unico "sì" esce da quelle bocche dagli strani sapori di lucidalabbra alla frutta o rossetti rubati a commessi distratti, a bagni materni più ricchi di tante piccole profumerie.

"A un certo punto arriva il cameriere e mi porta un mazzo di rose rosse enorme. Dario sorride, mentre tutte le ragazze lì in pizzeria mi guardano commosse e anche un po' invidiose."

Quasi si pente di quella frase, accorgendosi di rivedere intorno a lei quegli stessi sguardi.

"Mica per Dario... Per le rose!"

Una sciocca risata le unisce di nuovo tutte.

"Poi mi ha dato un bacio sulle labbra, mi ha preso la mano e mi ha infilato questo."

Mostra alle amiche un sottile anello con una piccola pietra celeste, dai riflessi allegri quasi come quelli dei suoi occhi innamorati. Versi di stupore e un "Bellissimo!" accolgono quel semplice anello.

"Poi siamo andati a casa mia e siamo stati insieme. I miei non c'erano, è stato favoloso. Ha messo il cd di Cremonini, mi fa impazzire. Poi ci siamo stesi in terrazzo sotto il piumone a guardare le stelle."

"Ce n'erano tante?" Maddalena è senz'altro la più romantica del gruppo.

"Tantissime!"

Poco più in là, una diversa versione.

"Hei, ma ieri sera eri sempre staccato..."

Hook. Una benda sull'occhio, fissa. I capelli boccoluti e lunghi, leggermente sbionditi in punta, gli danno un'aria da angioletto, se non fosse per la sua fama, roba da inferno.

"Allora, si può sapere cosa hai fatto ieri sera?"

"Ma niente. Sono andato a mangiare da Baffetto con Gloria e poi, siccome non c'erano i suoi, siamo andati a casa sua e abbiamo fatto roba. Al solito, niente di speciale... Piuttosto avete visto come hanno rifatto il Panda?"

Dario cerca di cambiare discorso. Ma Hook non molla.

"Ogni tre, quattro anni li rifanno tutti i locali... Piuttosto, come mai non ci avete chiamato?"

"Siamo usciti senza pensarci, così, all'improvviso."

"Che strano, tu non fai quasi mai nulla così all'improvviso."

Il tono non promette niente di buono. Gli altri se ne accorgono. Pollo e Lucone smettono di giocare a calcio con una lattina acciaccata. Si avvicinano sorridenti. Schello dà un tiro più lungo alla sigaretta, e fa il suo solito ghigno.

"Sapete ragazzi, ieri Gloria e Dario facevano sei mesi e lui ha voluto festeggiare da solo."

"Non è vero."

"Come no? Ti hanno visto a mangiare la pizzetta. Ma è vero che vuoi metterti in proprio?"

"Sì, dicono che vuoi fare il fioraio."

"Uau!" Tutti cominciano a dargli pacche e botte sulla schiena, mentre Hook lo prende con il braccio intorno al collo e con il pugno chiuso gli friziona forte la testa.

"Tenerone lui..."

"Ahia! Lasciatemi..."

E tutti gli altri addosso, ridendo come matti, soffocandolo quasi con i loro muscoli anabolizzati. Poi Bunny, mostrando i due grossi denti davanti che gli hanno regalato quel soprannome, grida senza smentirsi: "Prendiamo Gloria".

Le All Star celesti, con la piccola stella rossa che centra il rotondo di gomma sulla caviglia, scendono dalla Vespa e toccano agilmente terra. Gloria fa solo due passi di corsa, ma viene subito sollevata dalla presa del Siciliano. I capelli biondi di lei fanno uno strano contrasto con l'occhio scuro del Sicilia-

20

no, con il suo sopracciglio cucito malamente, con quel naso schiacciato e morbido, privato del fragile osso da un bel diretto, qualche mese prima, nella cantina della Fiermonti.

"Lasciami, dai, smettila."

Subito Schello, Pollo e Bunny gli sono intorno e fingono di aiutarlo a lanciare in aria quei cinquantacinque chili ben distribuiti, stando attenti a mettere le mani nei posti giusti.

"Smettetela, dai."

Anche le altre ragazze si avvicinano al gruppo.

"Lasciatela stare."

"Hanno fatto gli infamoni, invece di festeggiare con noi? Be', li festeggiamo adesso, a modo nostro."

Lanciano Gloria di nuovo in alto, ridendo e scherzando.

Dario, anche se è un po' più piccolo degli altri e regala rose, si fa largo a spintoni. Prende per mano Gloria proprio mentre ridiscende, portandosela dietro le spalle.

"Adesso basta, piantatela."

"Perché sennò?"

Il Siciliano sorride e si piazza davanti a lui allargando le gambe. I jeans leggermente più chiari sui grossi quadricipiti si tendono. Gloria, appoggiata alla spalla di Dario, spunta per metà. Fino a quel momento ha trattenuto le lacrime, ora trattiene anche il fiato.

"Sennò che fai?"

Dario guarda il Siciliano negli occhi.

"Levati, che cazzo vuoi, stai sempre a fare il coglione."

Dalle labbra del Siciliano scompare il sorriso.

"Che hai detto?"

La rabbia gli fa muovere i pettorali. Dario stringe i pugni. Un dito nascosto fra gli altri scrocchia con un rumore sordo. Gloria socchiude gli occhi, Schello rimane con la sigaretta penzolante nella bocca aperta. Silenzio. Improvvisamente un ruggito rompe l'aria. La moto di Step arriva rumorosa. Piega in fondo alla curva e si tira su veloce, frenando poco dopo in mezzo al gruppo.

"Be', che si fa di bello?"

Gloria finalmente sospira. Il Siciliano guarda Dario.

Un leggero sorriso sposta ad altro tempo la questione.

"Niente, Step, si chiacchiera troppo e non si fa mai un po' di movimento."

"Hai voglia di sgranchirti un po'?"

Il cavalletto scatta come un coltello a serramanico e si pianta in terra. Step salta giù e si sfila il giubbotto.

"Si accettano concorrenti."

Passa vicino a Schello e, abbracciandolo, gli toglie di mano la Heineken che ha appena aperto.

"Ciao, Sche'."

"Ciao."

Schello sorride, felice di essere suo amico, un po' meno di non avere più la birra.

Quando il viso di Step torna giù da un lungo sorso, i suoi occhi incontrano Maddalena.

"Ciao."

Le morbide labbra di lei, leggermente rosate e pallide, si muovono appena, pronunciando quel saluto a bassa voce. I piccoli denti bianchi, tutti pari, si illuminano, mentre gli occhi verdi, bellissimi, cercano di trasmettere tutto il suo amore, inutilmente. È troppo. Step le si avvicina, guardandola negli occhi. Maddalena lo fissa, incapace di abbassare lo sguardo, di muoversi, di fare qualunque cosa, di fermare quel piccolo cuore, che, come impazzito, suona un "a solo" alla Clapton.

"Tienimi questo."

Si sfila il Daytona con il cinturino d'acciaio e lo lascia nelle sue mani. Maddalena lo guarda allontanarsi, poi stringe l'orologio portandoselo vicino all'orecchio. Sente quel leggero ronzio, lo stesso che ha ascoltato qualche giorno prima sotto il suo cuscino, mentre lui dormiva e lei ha vissuto, passando minuti in silenzio, a fissarlo. Allora però, il tempo era sembrato fermarsi.

Step si arrampica agilmente sulla tettoia sopra Lazzareschi passando sul cancello del cinema Odeon.

"Allora, chi viene? Che, vi ci vogliono gli inviti scritti?"

Il Siciliano, Lucone e Pollo non si fanno pregare. Uno dopo l'altro, come scimmie con al posto del pelo giubbotti Avirex, scalano con facilità il cancello. Arrivano tutti sulla tettoia, per ultimo Schello, già piegato in due per riprendere fiato.

"Oh, io sono già distrutto, faccio l'arbitro" e dà un sorso alla Heineken che è miracolosamente riuscito a non rovesciare nella faticosa salita, per gli altri un gioco da ragazzi, per lui un'impresa alla Messner.

Le sagome si stagliano nella penombra della notte.

"Pronti?" Schello urla alzando la mano veloce. Uno schizzo di birra raggiunge lì sotto Valentina, una bella brunetta con la coda alta, che si è messa da poco con Gianlu, un tipo basso figlio di un ricco cravattaio.

"Cazzo!" le esce, creando un buffo controsenso con il suo viso elegante. "Stai attento, no?"

22

Le altre ridono, asciugandosi gli spruzzi che le hanno raggiunte.

Quasi tutti insieme, una decina di corpi muscolosi e allenati si preparano sulla tettoia. Le mani avanti e parallele, le facce tese, i petti gonfi.

"Via! Uno!" urla Schello, e tutte le braccia si piegano, senza fatica. Silenziosi e ancora freschi, raggiungono il freddo marmo, non fanno in tempo a tornare su. "Due!" Giù di nuovo, più veloci e decisi. "Tre!"

Ancora, come prima, più forte di prima. "Quattro!" Le loro facce, smorfie quasi surreali, i loro nasi, con delle piccole grinze, vanno giù contemporaneamente. Scendono veloci, con facilità, raggiungono quasi terra e poi di nuovo su. "Cinque!" urla Schello dando un ultimo sorso alla lattina e lanciandola in aria. "Sei!" Con una sforbiciata precisa la colpisce. "Sette!" La lattina vola in alto. Poi, come lenta palomba, prende in pieno la Vespa di Valentina.

"Cazzo, ma allora sei proprio stronzo, io me ne vado." Le amiche scoppiano a ridere.

Gianluca, il suo ragazzo, smette di fare le flessioni e salta giù dalla tettoia.

"No, dai Vale, non fare così."

La prende fra le braccia e cerca di fermarla, riuscendoci con un bacio morbido che interrompe le sue parole.

"Va bene, però digli qualcosa a quello."

"Otto!" Schello balla sulla tettoia muovendo allegro le mani.

"Ragazzi, già uno, con la scusa che la donna s'è incazzata, ha mollato. Ma la gara continua."

"Nove!" Tutti ridono e, leggermente più accaldati, scendono. Gianluca guarda Valentina.

"Che vuoi dirgli a uno così?" Le prende la faccia fra le mani. "Tesoruccio, perdonalo, non sa quello che fa." Mostrando una discreta conoscenza religiosa ma una pessima pratica, visto che appoggiato alla Vespa di Valentina comincia a paccare con lei, davanti alle altre ragazze.

La voce grossa del Siciliano con quell'accento particolare del suo paese che gli ha dato, oltre alla pelle olivastra, anche il soprannome, echeggia nella piazza.

"A Sche', aumenta un po', mi sto addormentando."

"Dieci!"

Step scende facilmente. La corta maglietta azzurra gli scopre le braccia. I muscoli sono gonfi. Nelle vene il cuore pulsa potente, ma ancora lento e tranquillo. Non come allora. Quel giorno il suo giovane cuore aveva cominciato a battere veloce, come impazzito.

4.

Due anni prima. Zona Fleming.

Un pomeriggio qualsiasi, se non per la sua Vespa nuova di zecca, in rodaggio, non ancora truccata. Step la sta provando, passa davanti al Caffè Fleming quando si sente chiamare:

"Stefano, ciao!".

Annalisa, una bella biondina che ha conosciuto al Piper, gli viene incontro. Stefano si ferma.

"Che fai da queste parti?"

"Niente, sono andato a studiare da un mio amico e ora sto tornando a casa."

È un attimo. Qualcuno alle sue spalle gli sfila il cappello.

"Ti do dieci secondi per andartene di qui."

Un certo Poppy, un tipo grosso più grande di lui, gli sta davanti. Ha il suo cappello fra le mani. È di moda quel cappello. A Villa Flaminia ce l'hanno tutti. Colorato, fatto a mano, dai ferri di qualche ragazza. Quello lì gliel'ha regalato sua madre, prendendo il posto di quella ragazza che ancora non ha.

"Hai sentito? Vattene."

Annalisa si guarda intorno e, capendo, si allontana. Stefano scende dalla Vespa. Il gruppo di amici gli si avvicina. Si passano il cappello ridendo, fino a quando finisce in mano a Poppy.

"Ridammelo!"

"Avete sentito? È un duro. Ridammelo!" lo imita facendo ridere tutti. "Sennò che fai eh? Mi dai una stecca? Dai, dammela eh? Su dai."

Poppy si avvicina con le mani basse, portando la testa all'indietro. Con la mano senza cappello gli indica il suo mento.

"Dai, colpiscimi qui."

Stefano lo guarda. Per la rabbia non vede più niente. Fa per colpirlo, ma appena muove il braccio viene bloccato da dietro. Poppy passa al volo il cappello a uno lì vicino e gli sferra un pugno sull'occhio destro aprendogli il sopracciglio. Poi quel bastardo che lo ha bloccato da dietro lo spinge avanti, verso la saracinesca del Caffè Fleming che, visto l'andazzo, ha chiuso prima del previsto. Stefano sbatte con il petto contro la serranda, facendo un gran botto. Gli arriva subito una scarica di pugni sulla schiena, poi qualcuno lo gira. Si ritrova intontito contro la serranda. Prova a coprirsi, ma non ci riesce. Poppy gli mette le mani dietro al collo e reggendosi ai tubi di ferro della saracinesca lo tiene fermo. Comincia a dargli delle capocciate. Stefano cerca di ripararsi come può, ma quelle mani lo bloccano, non riesce a levarselo di dosso. Sente il sangue scendere dal naso e una voce femminile che grida:

"Basta, basta, smettetela, così l'ammazzate!".

Dev'essere Annalisa, pensa. Stefano prova a scalciare, ma le gambe non riescono a muoversi. Sente solo il rumore dei colpi. Non fanno quasi più male. Poi arrivano degli adulti, alcuni passanti, la proprietaria del bar. "Via, andate via." Allontanano quei ragazzi strattonandoli, tirandoli per le magliette, per i giubbotti, levandoglieli di dosso. Stefano si accascia lentamente, poggia la schiena contro la serranda, finisce seduto sul gradino. La sua Vespa è lì davanti, a terra come lui. Forse il cofanetto laterale si è ammaccato. Peccato! Ci stava sempre attento, quando usciva dal portone.

"Stai male, ragazzo?" Una bella signora si avvicina al suo viso. Stefano fa segno di no con la testa. Il cappello di sua madre è lì per terra. Annalisa è andata via con gli altri. Mamma, però il tuo cappelletto ce l'ho ancora.

"Tieni, bevi." Qualcuno arriva con un bicchiere d'acqua, "Mandalo giù lentamente. Che disgraziati, gentaccia di strada, ma io lo so chi è stato, sono sempre gli stessi. Quei perditempo che stanno ogni giorno qui al bar."

Stefano beve l'ultimo sorso, ringrazia sorridendo un signore lì vicino che si riprende il bicchiere vuoto. Sconosciuti. Prova ad alzarsi, ma le gambe per un attimo sembrano cedergli. Qualcuno se ne accorge e si butta subito in avanti per sorreggerlo.

"Ragazzo, sei sicuro di sentirti bene?"

"Sto bene, grazie. Veramente."

Stefano si batte sui calzoni. Della polvere vola via dalle gambe. Si asciuga il naso con il maglione ormai sbrindellato e fa un lungo respiro. Si rimette il cappello e accende la Vespa.

Un fumo bianco e denso esce con grande rumore dalla marmitta. È ingolfata. Lo sportelletto laterale destro vibra più del solito. È ammaccato. Poi mette la prima e mentre gli ultimi signori si allontanano lascia lentamente la frizione. Senza voltarsi va giù per la discesa.

Ricordi.

Poco più tardi, a casa. Stefano apre piano la porta e prova a raggiungere la sua camera senza farsi sentire, passando per il salotto. Ma il parquet è traditore: scricchiola.

"Sei tu, Stefano?"

La sagoma di sua madre compare sulla porta dello studio.

"Sì mamma, vado a letto."

La madre avanza un poco. "Sei sicuro di sentirti bene?"

"Ma sì mamma, sto benissimo."

Stefano cerca di raggiungere il corridoio, ma la madre è più veloce di lui. L'interruttore del salotto scatta, illuminandolo. Stefano si ferma, come immortalato da una fotografia.

"Dio mio! Giorgio, presto, vieni qui!" Il padre accorre, mentre la mano della madre si avvicina timorosa all'occhio di Stefano.

"Che ti è successo?"

"Ma niente, sono caduto dalla Vespa."

Stefano si ritrae. "Ahi, mamma, mi fai male."

Il padre guarda le altre ferite sulle braccia, i vestiti strappati, il cappello sporco.

"Di' la verità, ti hanno picchiato?"

Suo padre è sempre stato un tipo attento ai particolari. Stefano racconta più o meno come si sono svolti i fatti e naturalmente la madre, senza capire che a sedici anni ci possono essere già delle regole: "Ma perché non gli hai dato il cappello? Te ne avrei fatto un altro...".

Mentre il padre abbandona i particolari per passare a qualcosa di più grosso: "Stefano, di' la verità, la politica non c'entra, vero?".

È stato chiamato il medico di famiglia, il quale gli ha dato la classica aspirina e lo ha mandato a dormire. Prima di addormentarsi, Stefano decide: nessuno gli metterà mai più le mani addosso. Mai più senza uscirne malconcio.

Al bancone della segreteria c'è una donna con i capelli di un rosso carico, il naso un po' lungo e gli occhi sporgenti. Non è certo una bellezza.

"Ciao, ti devi iscrivere?"

"Sì."

"Be', sì, ti può far comodo" dice accennando al suo occhio ancora un po' pesto e prende una scheda da sotto il tavolo. Non è neanche simpatica.

"Nome?"

"Stefano Mancini."

"Età?"

"Diciassette, a luglio, il 21."

"Via?"

"Francesco Benziacci, 39." Poi aggiunge: "3.2.9.27.14", precedendo così la domanda successiva. La donna alza il viso.

"Il telefono, no? Solo per la scheda..."

"Non certo per andare a giocare a videopoker."

Gli occhi sporgenti lo fissano per un attimo, poi finiscono di compilare la scheda.

"Sono centoquarantacinque euro, cento per l'iscrizione e quarantacinque ogni mese."

Stefano mette i soldi sul bancone.

La donna li infila in una sacchetta con la zip che richiude nel primo cassetto, poi, dopo aver poggiato un timbro su una spugnetta imbevuta di inchiostro, da un colpo deciso alla tessera. Budokan.

"Si paga all'inizio di ogni mese. Lo spogliatoio è al piano di sotto. Chiudiamo la sera alle nove."

Stefano si rimette il portafoglio in tasca, con la nuova tessera nello scomparto laterale e centoquarantacinque euro in meno.

"Tocca, tocca qua, è ferro. Ma che dico, acciaio!" Lucone, un tipo tozzo e basso dalla faccia simpatica, mostra un bicipite grosso ma poco definito.

"Ancora parli? Roba che se ti buco con uno spillo ti faccio sparire."

Pollo si batte sulla spalla, facendo rumore. "Questa è roba vera: sudore, fatica, bistecche, quella che hai addosso tu è tutta acqua."

"Ma se sei un bambino, sei minuscolo."

"Intanto di panca ho appena staccato con centoventi! Quando cazzo li fai tu?"

"Subito. Ma che, stai scherzando? Ne faccio due come niente, stai a guardare, eh?"

Lucone si infila sotto il bilanciere. Allarga le braccia, impugna la lunga asta e la tira su, deciso. Scende lentamente e, guardando il bilanciere a pochi centimetri dal mento, dà una grande spinta, sforzando i pettorali. "Uno!" Poi, sempre controllandolo, scende con il bilanciere, lo poggia sul petto e spinge di nuovo su. "Due! E se voglio lo posso fare anche con più peso."

Pollo non se lo fa ripetere due volte: "Davvero? Allora prova con questa".

Prima che Lucone possa posare il bilanciere sui cavalletti,

infila una piccola pizza laterale da due chili e mezzo. Il bilanciere comincia a piegarsi verso destra. "Ehi, che cazzo fai? Sei scemo...?"

Lucone cerca di trattenerlo, ma piano piano il bilanciere comincia a scendere. I muscoli lo abbandonano. Il bilanciere di botto gli cade sul petto, pesantemente.

"Cazzo, levamelo di dosso, sto soffocando."

Pollo ride come un pazzo: "Che ci vuole, posso farlo anche con due pizze in più. Allora? Te n'ho messa una sola e già stai così? Stai proprio a pezzi, eh? Spingi, dai, spingi..." gli urla quasi in faccia... "E spingi!" E giù risate.

"Me lo vuoi togliere di dosso, dai!" Lucone è diventato completamente paonazzo, un po' per la rabbia, un po' perché sta davvero soffocando.

Due ragazzi più piccoli, alle prese con una macchina lì vicino, si guardano, indecisi sul da farsi. Vedendo che Lucone comincia a tossire e che facendo sforzi bestiali non riesce a levarsi quel bilanciere di dosso, decidono di aiutarlo.

Pollo è disteso per terra, a pancia sotto. Ride come un pazzo, battendo le mani sul legno del pavimento. A un tratto si gira di nuovo verso Lucone, con le lacrime agli occhi, ma lo vede lì, in piedi davanti a lui. I due ragazzi lo hanno liberato.

"Oh! Come cazzo hai fatto?"

Pollo si dà subito alla fuga, ancora ridendo e inciampando su un bilanciere. Lucone, tossendo, lo insegue.

"Fermo, ti sfondo, ti ammazzo. Ti do una pizza in testa e ti faccio diventare ancora più nano di quello che sei."

Si inseguono furiosamente per tutta la palestra. Girando intorno alle macchine, fermandosi dietro colonne, ripartendo improvvisamente. Pollo, nel tentativo di fermare l'amico, gli tira addosso alcuni manubri. Delle pizze di gomma rimbalzano pesantemente a terra, schivate da Lucone che non si ferma di fronte a nulla. Pollo imbocca la scala che porta allo spogliatoio femminile. Passando di corsa urta una ragazza che finisce contro la porta, aprendola. Tutte le altre, nude, che si stanno cambiando per la lezione di aerobica, iniziano a gridare come pazze. Lucone si ferma sugli ultimi scalini, estasiato di fronte a quel panorama di morbide colline, umane e rosate. Subito Pollo torna indietro.

"Cazzo, non ci credo, questo è il paradiso..."

"Andate all'inferno!"

Una ragazza leggermente più coperta delle altre corre verso la porta sbattendogliela in faccia. I due amici rimangono per un attimo in silenzio.

"Hai visto quella in fondo a destra, che tette che aveva?"

"Perché la prima a sinistra... Il culo di quella lo butti via?"

Pollo prende l'amico sottobraccio, scuotendo la testa. "Roba da non crederci, eh? No che non lo butto via... Mica sono frocio come te!"

Così, dopo quella breve pausa erotica, riprendono a rincorrersi.

Stefano apre il foglio della sua scheda, gliel'ha data Franco, l'istruttore della palestra.

"Comincia con quattro serie di aperture, su quella panca. Prendi dei pesi da cinque chili, ti devi allargare e aprire un po' ragazzo. Più metti delle basi grosse e più ci potrai costruire sopra." Stefano non se lo fa ripetere.

Si distende sulla panca arcuata e comincia. Le spalle gli fanno male, quei pesi sembrano enormi; fa degli esercizi laterali, scende fino a toccare terra, e di nuovo su. Poi dietro la testa. Di nuovo. Quattro serie da dieci, ogni giorno, ogni settimana. Dopo le prime settimane, già sta meglio, le spalle non gli fanno più male, le braccia si sono leggermente ingrossate. Comincia a crescergli il petto, anche le gambe si sono rinforzate. Cambia alimentazione. La mattina un frullato con proteine in polvere, un uovo, latte, fegato di merluzzo. A pranzo poca pasta, una bistecca al sangue, lievito di birra e germe di grano. La sera in palestra. Sempre. Alternando gli esercizi, lavorando un giorno alla parte di sopra e un altro a quella di sotto. I muscoli sembrano impazziti. Riposano, da buoni cristiani, solo la domenica. Il lunedì si riprende. Qualche chilo in più, settimana dopo settimana, passo dopo passo, per questo è stato soprannominato Step. È diventato amico di Pollo e Lucone e di tutti gli altri della palestra.

Un giorno, sono passati due mesi, entra il Siciliano.

"Be', chi se le fa un po' di flessioni con me?"

Il Siciliano è uno dei primi soci del Budokan. È grosso e potente, nessuno vuole gareggiare con lui.

"Cazzo, mica vi ho invitati a fare una rapina, ho detto solo facciamo un po' di flessioni."

Pollo e Lucone hanno continuato ad allenarsi in silenzio. Con il Siciliano finisci sempre per litigare. Se perdi ti sfotte all'infinito, se vinci, be', non si sa cosa ti potrebbe succedere. A nessuno è mai capitato di battere il Siciliano.

"Allora, non c'è nessuno in questa palestra di merda che vuol fare qualche flessione con me?"

Il Siciliano si guarda intorno.

"Ci sono io."

Si gira. Step è davanti a lui, il Siciliano lo guarda dalla testa ai piedi.

"Okay, andiamo di là."

Entrano in una piccola stanza. Il Siciliano si toglie la felpa sfoderando pettorali enormi e braccia ben proporzionate.

"Allora, sei pronto?"

"Quando vuoi."

Il Siciliano si mette giù. Step di fronte a lui. Cominciano a fare flessioni. Step resiste quanto può. Alla fine, distrutto, crolla a terra. Il Siciliano ne fa altre cinque veloci, poi si tira su, dà una pacca a Step.

"Bravo, ragazzo, non vai male. Le ultime le hai fatte tutte con questa" e gli dà amichevolmente un frontino. Step sorride, non l'ha sfottuto. Tutti tornano ai loro esercizi. Step si massaggia i muscoli indolenziti delle braccia. Non c'è stata storia: il Siciliano è molto più forte di lui, è ancora troppo presto.

5.

Quel giorno. Solo otto mesi dopo.

Poppy e i suoi amici sono davanti al Caffè Fleming, ridono e scherzano bevendo birra. Qualcuno mangia della pizza rossa, ancora fumante, leccandone gli angoli laterali per bloccare il pomodoro che cola. Qualcun altro fuma una sigaretta. Alcune ragazze ascoltano divertite il racconto di un tipo che gesticola troppo, parlando della lite con il suo principale: è stato licenziato, ma finalmente s'è tolto una soddisfazione. Gli ha rotto tutte le bottiglie del locale, la prima poi in modo particolare.

"Sapete che ho fatto? Mi aveva talmente rotto i coglioni che invece del preavviso gli ho dato una bottigliata in testa."

Anche Annalisa è lì. La sera della rissa non ha chiamato Stefano, non l'ha più cercato. Ma non importa. Step non è tipo da soffrire di solitudine. Da allora non ha avuto più notizie di nessuno di loro. Quindi, un po' preoccupato, quel giorno, è andato lui a cercarli.

"Poppy, amico mio, come stai?"

Poppy guarda quel tipo sconosciuto che gli viene incontro. Ha qualcosa di familiare, quegli occhi, il colore dei capelli, i tratti del viso, ma proprio non si ricorda. È ben piazzato, ha braccia grosse e un bel torace. Step, vedendo il suo sguardo interrogativo, gli sorride, cercando di metterlo a suo agio.

"È un sacco di tempo che non ci vediamo, eh? Come ti va?"

Step passa il braccio dietro le spalle di Poppy, amichevolmente.

Il Siciliano, Pollo e Lucone, felicissimi di accompagnarlo, si mettono in mezzo al gruppo. Annalisa sta ancora sorridendo, quando incontra lo sguardo di Step. È l'unica a riconoscerlo. Il sorriso piano piano le scompare dalle labbra. Step smette di guardarla e si dedica totalmente al suo amico Poppy, che continua a fissarlo perplesso.

"Scusa, ma in questo momento proprio non mi ricordo."

"Ma come!" Step gli sorride tenendolo sempre abbracciato, come due vecchi amici che non si vedono da troppo tempo. "Mi fai rimanere male. Aspetta. Forse ti ricordi di questo." Tira fuori dalla tasca dei jeans il cappello. Poppy guarda quel vecchio copricapo di lana, poi la faccia sorridente di quel tipo tozzo che lo tiene abbracciato. I suoi occhi, quei capelli. Ma certo. È quel pischello che lui ha menato un sacco di tempo prima.

"Cazzo!" Poppy prova a sfilarsi da sotto il braccio di Step, ma la mano di lui lo prende fulminea per i capelli, bloccandolo.

"Memoria corta, eh? Ciao Poppy." E tirandolo a sé gli dà una capocciata bestiale che gli spacca il naso. Poppy si china in avanti, portandosi il viso fra le mani. Step gli dà un calcio in faccia, con tutta la sua forza. Poppy salta quasi all'indietro, finisce contro la serranda con un rumore di ferro.

Subito Step gli è sopra, prima che ricada lo blocca con una mano alla gola. Con il destro gli sferra una serie di pugni, colpendolo dall'alto verso il basso, sulla fronte, aprendogli il sopracciglio, spaccandogli il labbro.

Fa un passo indietro e gli molla un calcio dritto per dritto in piena pancia levandogli il respiro.

Qualcuno degli amici di Poppy prova a intervenire, ma il Siciliano lo blocca subito. "Buono, calma, stai buono al tuo posto eh?"

Poppy è per terra, Step lo riempie di calci sul petto, in pancia. Poppy prova a chiudersi a riccio, coprendosi la faccia, ma Step è inesorabile. Colpisce dovunque trovi uno spazio, poi comincia a pestarlo da sopra. Alza la gamba e sferra un calcio con il tacco. Secco, con forza, sull'orecchio, che si taglia subito, sui muscoli delle gambe, sui fianchi, quasi saltandoci sopra, con tutto il suo peso. Poppy, strisciando a ogni colpo, muovendosi a scatti, pronuncia un pietoso: "Basta, basta, ti prego!", quasi tossendo per il sangue che dal naso gli scorre direttamente in gola e sputacchiando quel po' di saliva che gli cola dal labbro ormai completamente aperto e sanguinante. Step si ferma. Recupera il fiato saltellando sulle gambe, guardando il suo nemico a terra, fermo, finito. Poi si gira di scatto e si avventa su un biondino alle sue spalle. È quello che otto mesi prima lo aveva bloccato da dietro. Lo colpisce con il gomito in piena bocca, andandogli addosso con tutto il peso del corpo. Al tipo saltano tre denti. I due finiscono a terra. Step gli punta le ginocchia sulle spalle. Bloccandolo, comincia a tempestargli la faccia di pugni. Poi lo prende per i capelli sbattendogli la testa per terra, con violenza. All'improvviso due braccia forti lo bloccano. È Pollo. Da sotto le ascelle lo tira su: "Dai Step, basta, andiamo, lo stai massacrando".

Anche il Siciliano e Lucone gli vanno vicino. Il Siciliano ha già avuto qualche problema più degli altri.

"Sì, andiamo, è meglio. Magari qualche stronzo ha chiamato la pula."

Step riprende a respirare normalmente, fa un mezzo giro davanti agli amici di Poppy che lo guardano in silenzio. "Pezzi di merda!" E sputa su uno che sta lì vicino con un bicchiere di Coca-Cola in mano, colpendolo in piena faccia. Passa davanti ad Annalisa e le sorride. Lei cerca di ricambiare, un po' impaurita, senza capire bene cosa fare. Muove appena il labbro superiore e ne esce fuori una strana smorfia. Step e gli altri montano sui loro Vesponi e si allontanano. Lucone guida come un pazzo, con dietro il Siciliano, urlano tutti e due, piegando su e giù, padroni della strada. Poi affiancano Pollo, con dietro Step.

"Cazzo, quella biondina te la potevi fare... Quella ci stava."

"Come sei esagerato, Lucone. Devi sempre fare tutto insieme. Con calma, no? Bisogna saper aspettare. C'è un tempo per tutto."

Quella sera Step va a casa di Annalisa e segue il consiglio di Lucone. Più volte. Lei rimpiange di non averlo chiamato prima, giura che le dispiace, che avrebbe voluto farlo, ma che ha avuto un sacco di cose da fare. Nei giorni seguenti Annalisa lo chiama spesso. Step è così occupato che non riesce a trovare il tempo neanche per rispondere al telefono.

6.

Una ragazza che abita lì vicino accende una radio portatile, il classico "bambino". "Centonove!"

Schello, ormai ubriaco, saltella sulla tettoia e ballando nelle sue Clark di pelle, sudate e senza lacci, fa un tentativo di break. Va male. "Yahooo!" batte le mani con forza. "Centodieci."

"Attenzione, diamo la graduatoria dei più sudati. Al numero uno troviamo il Siciliano. Vistose macchie sotto le ascelle e sulla schiena, sembra una fontana. Centoundici."

Step, Hook e il Siciliano fanno uno sforzo incredibile. Arrivano tutti e tre su, stremati, rossi e ansimanti.

"Nella nostra Hit Sudate al numero due c'è Hook. Come potete ben vedere, la splendida maglietta Ralph Lauren ha cambiato colore. Ora direi che è di un verde scolorito, o meglio, verde fradicio."

Schello, agitando i pugni vicino al petto, segue con la testa il nuovo pezzo che il dj alla radio ha annunciato come successo dell'anno: *Sere nere*. Fa una giravolta e continua:

"Centododici! E naturalmente l'ultimo è Step... Quasi perfetto, capello leggermente spettinato, anche se è talmente corto che non si vede...". Schello si china per guardarlo meglio, poi si tira su di scatto portandosi le mani al volto.

"Incredibile, ho visto una goccia di sudore, ma vi assicuro, era una sola! Centotredici!"

Step va giù, sente gli occhi bruciargli. Alcune gocce di sudore gli scivolano lungo le tempie e si spezzano fra le ciglia, spargendosi come un collirio fastidioso. Chiude gli occhi, sente le spalle indolenzite, le braccia gonfie, le vene pulsanti, spinge in avanti e lentamente sale di nuovo. "Sìììì!!" Step guarda lateralmente. Anche il Siciliano ce la sta facendo. Distende completamente le braccia raggiungendolo. Manca solo Hook.

Step e il Siciliano guardano il loro amico-nemico salire tremando e sbuffando, centimetro dopo centimetro, attimo dopo attimo, mentre le urla da sotto aumentano:

"Hook, Hook, Hook...!".

Hook, come paralizzato, all'improvviso si ferma, poi tremante scuote la testa: "No, non ce la faccio più". Rimane per un attimo immobile, e quello è il suo ultimo pensiero. Cade giù di botto, facendo appena in tempo a voltare la testa. Sbatte con tutto il peso il petto sul marmo.

"Centoquattordici!"

Step e il Siciliano vanno giù, veloci, rallentando solo alla fine della flessione, poi tornano su rapidi, come se avessero ritrovato nuova forza, nuove energie. L'essere soli al traguardo. O primi o niente.

"Centoquindici!" Tornano giù.

Il ritmo aumenta. Come se avesse capito, Schello si azzittisce.

"Centosedici!" Uno dopo l'altro pronuncia solo i numeri. Veloce. Aspettando che arrivino su per dargli il successivo.

"Centodiciassette!" E di nuovo giù.

"Centodiciotto!" Step aumenta ancora, sbuffando.

"Centodiciannove!" Va giù e di nuovo su, subito dopo. Il Siciliano lo segue, sforzandosi, gemendo, diventando sempre più rosso.

"Centoventi, centoventuno. Incredibile, ragazzi!" Nessuno parla più. Sotto regna il silenzio dei grandi momenti.

"Centoventidue." Solo la musica di sottofondo. "Centoventitré..."

Poi il Siciliano si ferma a metà, inizia a urlare, come se qualcosa dentro di lui lo dilaniasse.

Step, dall'alto della sua flessione, lo guarda. Il Siciliano è come bloccato. Trema e ansima urlando, ma le sue braccia non lo vogliono sentire, non lo ascoltano più. Allora fa un ultimo grido, come una bestia ferita cui venga strappato un pezzo di carne. Il suo primato. E inesorabilmente, piano piano, comincia a scendere. Ha perso. Da sotto si alza un grido. Qualcuno apre una birra: "Sìì, eccolo qua, il nuovo vincitore è Step!".

Schello gli si avvicina festante, ma Step scuote la testa.

Come a comando di quel gesto, nella piazza torna il silenzio. Da sotto, alla radio, quasi un segno del destino: un pezzo di Springsteen, *I'm going down*. Step sorride dentro di sé, porta la mano sinistra dietro la schiena e poi si abbassa, su una mano sola, gridando.

Sfiora il marmo, lo guarda con gli occhi sbarrati e poi di nuovo su, tremando e spingendo solo sulla destra, con tutta la sua forza, con tutta la sua rabbia. Un urlo di liberazione esce dalla sua gola:

"Sììì!". Dove non è arrivata la forza, arriva la sua volontà. Rimane immobile così, steso in avanti, con la fronte alta verso il cielo, come una statua urlante, contro il buio della notte, la bellezza delle stelle.

"Yahooo!" Schello urla come un pazzo. Nella piazza tutti esplodono seguendo quel grido, accendono le moto e le Vespe, suonando i clacson, urlando. Pollo inizia a prendere a calci la serranda del giornalaio.

Lucone tira una bottiglia di birra contro una vetrina. Le finestre dei palazzi intorno si aprono. Un allarme lontano comincia a suonare. Vecchie in camicia da notte escono sui balconi, gridano preoccupate: "Che succede?". Qualcuno urla di fare silenzio. Una signora minaccia di chiamare la polizia. Come per incanto, tutte le moto si muovono. Pollo, Lucone e gli altri montano in corsa, saltando sui sellini, mentre le marmitte fanno fumo bianco. Qualche lattina continua a fare rumore rotolando, le ragazze vanno tutte a casa. Maddalena è ancora più innamorata.

Hook affianca Step. "Cazzo, bella sfida, eh?"

"Niente male."

Anche le altre moto si affiancano, occupano tutta la strada, fregandosene di qualche macchina che suona passandogli accanto veloce. Schello si mette in piedi sul suo Vespone scalcagnato. "Ho saputo che c'è una festa sulla Cassia. Al 1130. È un comprensorio."

"Ma ci faranno entrare?"

Schello li assicura: "Conosco una che sta là".

"E chi è?"

"Francesca."

"Ma che, c'hai avuto una storia?"

"Sì."

"Allora non ci faranno entrare."

Ridendo, scalano quasi tutti insieme. Frenando e sgommando girano a sinistra. Qualcuno pinnando, tutti fregandosene del rosso. Poi prendono la Cassia a tutta velocità.

7.

Un caldo appartamento, grandi vetrate dalle quali si vede l'Olimpica. Bei quadri alle pareti, di certo un Fantuzzi. Quattro casse agli angoli del salotto diffondono un cd ben mixato. La musica avvolge dei ragazzi che, parlando, battono quasi tutti il tempo.

"Dani, ehi, quasi non ti riconoscevo."

"Non ti ci mettere pure tu, eh?"

"Parlavo del vestito, stai benissimo, sul serio..."

Daniela si guarda la gonna, Giulia già la conosce, c'è cascata per un attimo.

"A Giuli!"

"Be', che ti arrabbi? Sembri la Bonopane, quella bora della terza B che la mattina viene tutta infardata..."

"Come fai a essere sempre così simpatica, eh?"

"È per questo che siamo amiche."

"Mai detto di essere tua amica!"

Giulia si sporge in avanti.

"Bacino, facciamo pace?"

Daniela sorride. Fa per andare verso di lei quando alle sue spalle vede Palombi.

"Andrea!"

Lascia perdere la guancia di Giulia, sperando, prima o poi, di centrare la bocca di lui.

"Come stai?"

Andrea rimane per un attimo incerto.

"Bene, e tu?"

"Benissimo."

Si scambiano un bacio frettoloso. Poi lui passa avanti a salutare qualche amico. Giulia la raggiunge e sorride al suo fianco.

"Non ti preoccupare, fa il classico public."

Rimangono a guardarlo per un po'. Andrea parla con alcuni ragazzi, poi si volta verso di lei, la guarda di nuovo e alla fine sorride. Finalmente ha realizzato.

"Cavoli! E sì che hai esagerato... Non ti aveva proprio riconosciuto."

Babi attraversa il salotto. Alcune ragazze ballano fra loro. In un angolo, un approssimativo dj, pseudoemulo di dj Francesco, tenta un rap di scarso successo. Una ragazza balla scatenata, lanciando le braccia in alto.

Babi scuote la testa sorridendo.

"Pallina!"

Un viso leggermente tondo, incorniciato dai lunghi capelli castani e uno strano ciuffo laterale, si gira.

"Babi, uauuu!" Corre verso di lei e l'abbraccia baciandola, sollevandola quasi. "Come stai?"

"Benissimo. Mi avevi detto che non venivi!"

"Sì, lo so, siamo stati a una festa all'Olgiata, ma non sai che rottura! Stavo con Dema ma siamo scappati subito via. Eccoci qua; perché, non sei felice?"

"Scherzi, felicissima. Hai preparato la lezione di latino? Guarda che quella domani ti interroga, manchi solo tu per finire il giro."

"Sì, lo so, ho studiato tutto il pomeriggio, poi sono dovuta uscire con mia madre, sono andata in centro. Guarda, ho preso questa, ti piace?" E facendo una strana piroetta, più da ballerina che da indossatrice, fa prendere aria a una divertente tuta di raso blu.

"Molto..."

"Dema mi ha detto che ci sto benissimo..."

"Figurati. Tu sai la mia teoria, no?"

"Ancora? Ma se siamo amici da una vita!"

"E tu lasciami la mia teoria."

"Ciao Babi." Un ragazzo dall'aria simpatica, con dei riccioli bruni e la carnagione chiara, si avvicina.

"Ciao Dema, come stai?"

"Benissimo. Hai visto che carina la tuta di Pallina?"

"Sì. A prescindere dalla mia teoria, le sta molto bene." Babi le sorride. "Vado a salutare Roberta, che ancora non le ho fatto gli auguri." Si allontana. Dema rimane a guardarla.

"Che voleva dire con quella storia della teoria?"

"Oh, niente, lo sai com'è fatta... È la donna dalle mille teorie e nessuna pratica, o quasi."

Pallina ride, poi guarda meglio Dema. I loro sguardi si incontrano per un attimo. Speriamo che questa volta non abbia proprio ragione.

"Dai, vieni a ballare..." Pallina lo prende per mano e lo trascina nel gruppo.

"Ciao Roby, tanti auguri!"

"Oh, Babi, ciao!" Si scambiano due baci sinceri.

"Ti è piaciuto il regalo?"

"Bellissimo, sul serio. Proprio quello di cui avevo bisogno."

"Lo sapevamo... È stata una mia idea. Dopotutto continuavi a saltare sempre le prime ore e poi non è che abiti molto lontano, tu."

Alle loro spalle arriva Chicco Brandelli.

"Che le avete fatto?"

Babi si gira sorridente, ma vedendolo cambia espressione.

"Ciao Chicco."

"Mi hanno regalato una bellissima radiosveglia."

"Ah, molto carino, sul serio."

"Sai, anche lui mi ha fatto un regalo bellissimo."

"Ah sì? E cosa?"

"Un cuscino tutto di pizzo. L'ho già messo sul letto."

"Stai attenta, sicuramente ti chiederà di collaudarlo" e facendo un sorriso forzato a Brandelli si allontana verso la terrazza. Roberta la guarda.

"A me il cuscino è piaciuto moltissimo. Sul serio..."

In realtà le piacerebbe anche collaudarlo con lui.

Chicco le sorride. "Ti credo, scusami."

"Ma... fra poco servono la pasta..." gli grida dietro Roberta cercando in qualche modo di fermarlo.

Sulla terrazza, delle morbide poltrone, con cuscini chiari ricamati a fiori, un pergolato dalle luci soffuse ben nascoste dietro ciuffi di piante. Un gelsomino si arrampica lungo lo steccato. Babi passeggia sul pavimento di cotto. Il vento fresco della sera le agita i capelli, le accarezza la pelle portandole via un po' di profumo e lasciando solo qualche lieve brivido.

"Cosa devo fare per farmi perdonare?"

Babi sorridendo fra sé si chiude la giacca, coprendosi.

"Cosa non avresti dovuto fare, per non farmi arrabbiare." Chicco le si avvicina.

"È una notte così bella... è sciocco sprecarla per litigare."

"A me piace moltissimo litigare."

"Me ne sono accorto."

"Ma poi mi piace anche fare la pace... Anzi mi piace soprattutto quello. Invece con te, non so com'è, ma non riesco a perdonarti."

"È perché sei combattuta. Un po' ti andava di stare con me, un po' no. Classico! È una cosa tipica di tutte le donne."

"Ecco, è quel 'tutte' che è la tua rovina..."

"Mi arrendo..."

"Ti è piaciuto il film l'altra sera?"

"Se solo me lo avessero fatto vedere!"

"Ho detto che mi arrendo. Be', vorrà dire che ti manderò la cassetta a casa. Così te lo vedi tranquilla, da sola, senza nessuno che ti disturba. A proposito, lo sai cosa mi hanno detto?"

"Cosa?"

"Che c'è molto più gusto quando sa di panna."

Babi ridendo prova a colpirlo.

"Porco!"

Chicco le ferma il braccio in alto.

"Alt! Scherzavo. Pace?"

I loro visi sono vicini. Babi guarda i suoi occhi: sono molto belli, quasi come il suo sorriso.

"Pace." Si arrende.

Chicco le si avvicina e le dà un lieve bacio sulle labbra. Sta per diventare qualcosa di più profondo quando Babi si stacca e torna a guardare fuori.

"Che splendida notte, guarda che luna!"

Chicco sospirando alza gli occhi al cielo.

Alcune nuvole leggere navigano lentamente nel blu del cielo. Accarezzano la luna, coprendosi di luce, schiarendosi a tratti.

"È bella, vero?"

Chicco risponde semplicemente "Sì", senza apprezzare veramente tutta la bellezza di quella notte. Babi guarda lontano. Le case, i tetti, i prati ai bordi della città, le file di alti pini, una lunga strada, le luci di una macchina, i rumori lontani. Se solo potesse vedere meglio, si accorgerebbe di quei ragazzi che si sorpassano, ridendo e suonando il clacson. Forse riconoscerebbe anche quel tipo sulla moto. È lo stesso che l'ha affiancata una mattina mentre andava a scuola. E che si sta avvicinando.

Chicco l'abbraccia e le tocca i capelli.

"Sei bellissima stasera."

"Stasera?"

"Sempre."

"Così va meglio."

Babi si lascia baciare.

8.

Molto più lontano, nella stessa città.

In perfetta divisa bianca, con pochi capelli in testa e suda
ticcio, un cameriere cicciotto passa tra gli invitati con un vassoio d'argento. Ogni tanto una mano spunta da un gruppetto
di persone e s'impadronisce di un cocktail leggero con dentro
qualche pezzo di frutta galleggiante. Un'altra, più veloce, posa un bicchiere vuoto. Sul bordo, tracce di rossetto. Si può vedere perfettamente dove la donna ha bevuto e che tipo di labbra ha. Il cameriere pensa che sarebbe divertente riconoscere
le donne dai singoli bicchieri. Erotiche impronte digitali. Con
questo pensiero stuzzicante rientra in cucina, dove dimentica
ben presto quelle fantasie alla Holmes. La cuoca infatti lo sgri-
da ricordandogli di portare i vassoi con i fritti.

"Cara, stai benissimo."

Nel salotto, una donna dai capelli troppo colorati si gira
verso l'amica e le sorride, stando al gioco.

"Ma hai fatto qualcosa?"

"Sì, mi sono trovata un amante."

"Ah, sì? E che fa?"

"Il chirurgo plastico."

Ridono tutte e due. Poi, prendendo un carciofo fritto che
si trova a passare di là, lei confessa il suo segreto.

"Mi sono iscritta alla palestra di Barbara Bouchet."

"Ah, sì? E com'è?"

"Favolosa! Dovresti venire."

"Lo farò sicuramente."

E, pur volendo chiederle quanto costa al mese, pensa che
lo scoprirà a sue spese, nel vero senso della parola. Poi si im-
possessa di una mozzarella fritta e la manda giù serena, tanto
l'avrebbe smaltita presto.

Claudio tira fuori il pacchetto di Marlboro e si accende una
sigaretta. Manda giù il fumo, assaporandolo fino in fondo.

"Ehi, hai una cravatta bellissima."

"Grazie."

"Ti sta veramente bene, sul serio." Claudio mostra orgoglioso la sua cravatta bordeaux poi, d'istinto, nasconde in basso la sigaretta e cerca Raffaella. Guarda in giro, incrocia alcuni visi appena arrivati, li saluta sorridendo poi, non trovandola, dà un altro tiro più tranquillo.

"Molto bella, vero? È un regalo di Raffaella."

Un basso tavolino d'avorio, con sopra olive e pistacchi raccolti in piccole ciotole d'argento. Una mano affusolata dalle unghie ben curate lascia cadere le bucce simmetriche di un pistacchio.

"Sono preoccupata per mia figlia."

"Perché?"

Raffaella riesce a mostrarsi abbastanza interessata, quel tanto da far continuare la confidenza di Marina.

"Frequenta un poco di buono, un nullafacente, uno che sta sempre per strada."

"E da quant'è che si vedono?"

"Ieri hanno festeggiato sei mesi. L'ho saputo da mio figlio. Sai cosa ha fatto lui, eh, sai cosa ha fatto?"

Raffaella lascia perdere un pistacchio troppo chiuso. Ora è sinceramente interessata.

"No, dimmi."

"L'ha portata in pizzeria. Ma ti rendi conto? In una pizzeria in corso Vittorio."

"Be', ma questi ragazzi ancora non guadagnano, magari i genitori..."

"Sì, ma chissà da chi nasce... Le ha portato dodici rose striminzite, brutte, piccole, di quelle che appena arrivano a casa perdono tutti i petali. Le avrà sicuramente comperate al semaforo. Stamattina in cucina allora le ho chiesto: 'Gloria, cos'è questo orrore?'. 'Mamma, non ti azzardare a buttarle eh?' Figurati! Ma quando è tornata da scuola non c'erano più. Io le ho detto che è stata Ziua, la nostra filippina, allora lei si è messa a urlare e se n'è andata sbattendo la porta."

"Su queste storie non devi assolutamente ostacolarla, se no è peggio, che poi Gloria si ostina. Lasciali fare, vedrai che finirà per conto suo. Se c'è questa differenza... E poi è tornata?"

"No, ha telefonato che andava a dormire dalla Piristi, quella bella ragazza biondina un po' tonda, la figlia di Giovanna. Lui è l'amministratore della Serfim, lei si è rifatta tutta. Giustamente, se lo può permettere."

"Sul serio? Ma non si vede niente..."

"Usano questa nuova tecnica, ti tirano da dietro le orecchie. È perfettamente invisibile. Allora può uscire con Babi? Mi farebbe tanto piacere."

"Ma certo, scherzi? Le dirò di chiamarla."

Finalmente Raffaella si concede un pistacchio. È più aperto degli altri. Lascia la sua buccia per la sua bocca, e per lui non è uno scambio conveniente.

"Filippo? Raffaella ha detto che convincerà Babi a portare Gloria con il suo gruppo."

"Ah, benissimo, ti ringrazio."

Filippo, un uomo giovane, dal viso riposato, pare interessarsi anche lui più ai pistacchi che alle vicende di sua figlia. Si piega in avanti, impossessandosi di quello che Raffaella aveva già scelto come sua futura vittima. Lei lo guarda sospettosa dietro le orecchie, cercando anche in lui il segno di quella inaspettata giovinezza.

"Ciao Claudio."

"Sei bellissima."

Un sorriso perfetto dice "Grazie", e sfiorandolo si allontana con un henné da almeno centocinquanta euro. Lo ha fatto apposta? Nel suo pensiero lentamente quel vestito lungo scivola via e immagina che completo porti sotto; ma poi gli viene un dubbio: ci sarà qualcosa da immaginare? Proprio in quel momento vede arrivare Raffaella. Claudio dà un ultimo tiro alla sigaretta e la spegne veloce nel portacenere.

"Fra poco cominciamo a giocare. Mi raccomando, non fare come al solito. Quando non ti arriva la carta, dopo un po' che non fai gin, batti."

"E se mi fa under?"

"Batti quando stai basso."

Claudio sorride composto. "Sì cara, come vuoi." La sigaretta è passata inosservata.

"A proposito, ti avevo detto di non fumare."

Sbagliato.

"Ma una sola, non mi fa male..."

"Una o dieci... È l'odore che mi dà fastidio."

Raffaella se ne va verso il tavolo verde. Anche gli altri invitati prendono posto. Non c'è niente da fare, non le sfugge nulla. Sedendosi Raffaella squadra con sufficienza la donna dall'henné da centocinquanta euro. Per un attimo Claudio ha paura che legga anche nel pensiero.

9.

Roberta, euforica per i suoi diciott'anni, per la festa che procede a perfezione, corre al citofono.

"Rispondo io" precedendo un tipo che passa per di là con un piattino pieno di pizzette.

"Ciao. C'è Francesca vero?"

"Francesca chi?"

"Giacomini, quella bionda."

"Ah, sì, che devo dire?"

"Niente, se mi apri. Sono suo fratello, le devo lasciare le chiavi."

Roberta preme una volta il pulsante del citofono poi, per essere più sicura di aver aperto, lo schiaccia di nuovo. Va in cucina, prende due grosse Coca-Cola dal freezer e si dirige verso il salotto. Incontra una ragazza bionda che sta parlando con un ragazzo con i capelli gellati indietro.

"Francesca, sta salendo tuo fratello..."

"Ah..." è l'unica cosa che Francesca riesce a dire. "Grazie." E dopo averlo pronunciato rimane a bocca aperta. Il ragazzo impomatato perde un po' della sua staticità e si concede un leggero stupore.

"France', c'è qualcosa che non va?"

"No, non c'è niente che non va, a parte il fatto che io sono figlia unica."

"Eccolo, è qui." Il Siciliano e Hook leggono per primi la targhetta sul campanello del quarto piano. "Micchi, no?"

Schello suona il campanello.

La porta si apre quasi subito.

Roberta rimane sulla porta, guarda quel gruppo di ragazzi muscolosi e spettinati. Sono vestiti un po' casual, è così buona da pensare.

"Posso fare qualcosa?"

Schello si fa avanti: "Cercavo Francesca, sono suo fratello".

Come per incanto, Francesca compare sulla porta, accompagnata dall'impomatato.

"Ah, ecco, c'è tuo fratello."

Roberta si allontana. Francesca guarda preoccupata il gruppo.

"E chi sarebbe mio fratello?"

"Io!" Lucone alza la mano.

Anche Pollo alza la mano. "Anch'io, siamo gemelli, come il film con Schwarzenegger. Lui è quello scemo." Tutti ridono.

"Anche noi siamo fratelli." Uno dopo l'altro tirano su la mano. "Sì, vogliamoci bene."

Il tipo impomatato non sta capendo molto. Opta per un'espressione che lega bene con i suoi capelli.

Francesca prende Schello da parte.

"Ma come ti è saltato in mente di venire con tutta questa gente, eh?"

Pollo sorride, sistemandosi il giubbotto: il risultato è sempre pessimo.

"Questa festa mi sembra un mortorio, almeno la vivacizziamo un po', dai France', non t'incazzare."

"E chi s'incazza? Basta che ve ne andiate."

"A Sche', io mi so' rotto, permesso?" Il Siciliano, senza aspettare che Francesca si sposti dalla porta, entra.

L'impomatato improvvisamente realizza tutto: imbucati. E con uno sprazzo di intelligenza si dilegua raggiungendo i veri invitati nel salotto. Francesca cerca di fermarli.

"No Schello, dai, non potete entrare."

"Scusate, permesso, scusate..."

Inesorabilmente, uno dopo l'altro, passano tutti: Hook, Lucone, Pollo, Bunny, Step e gli altri.

"Dai, France', non fare così, vedrai che non succede niente." Schello la prende sottobraccio.

"Al limite poi tu che c'entri? È colpa di tuo fratello che s'è portato dietro tutta questa gente..." Poi, come se fosse preoccupato che qualcuno si imbuchi, chiude la porta.

Il Siciliano e Hook si avventano letteralmente sul buffet, divorano panini al salame, morbidi, con il burro spalmato sulla parte superiore, quella tonda, ma non li gustano, li ingoiano direttamente senza masticarli. È diventata quasi una gara. E giù pizzette, tramezzini mischiati a pasticcini e cioccolatini. Alla fine il Siciliano si strozza. Hook gli dà pacche sempre più forti sulla schiena, l'ultima così forte che il Siciliano comincia a tossire, sputando pezzi di cibo sul buffet rimasto. La maggior parte degli invitati lì vicino si mette immediatamente a dieta. Schello comincia a ridere come un pazzo, Francesca a preoccuparsi seriamente.

Bunny gira per il salotto. Sembra un attento antiquario: prende dei piccoli oggetti, li porta vicino agli occhi, controlla il numero stampato e se sono d'argento se li mette in tasca. Ben presto i fumatori sono costretti a buttare la cenere nelle piante.

Pollo, da bravo professionista, cerca subito la camera da letto della madre. La trova. È stata saggiamente chiusa a chiave. Due mandate, ma la chiave l'hanno lasciata infilata nella toppa. Ingenui. Pollo apre la porta. Le borse delle ragazze sono state tutte posate lì sul letto, ordinatamente. Comincia ad aprirle, una dopo l'altra, senza neanche troppa fretta.

I portafogli sono quasi tutti pieni, è proprio una bella festa: gente di classe, niente da dire. Nel corridoio Hook infastidisce un'amica di Pallina con apprezzamenti pesanti. Un ragazzo, un po' meno impomatato degli altri, prova a fargli presente un seppur vago concetto di educazione. Si lancia in una discussione verbale. Rimedia al volo un "cinquino" forse anche più pesante degli apprezzamenti che sono toccati alla sua ragazza. Hook non sopporta le prediche. Suo padre è avvocato, ama le parole almeno quanto suo figlio odia l'idea di studiare legge.

Pallina, forse per l'emozione, si accorge di avere anche lei qualche problema e mente, scusandosi con gli altri:

"Mi ha sbavato il rimmel, vado in bagno a rifarmi il trucco". Cosa che servirebbe molto di più al tipo, che si allontana in silenzio, con la sua ragazza per mano e le cinque dita di Hook stampate sulla faccia.

Pollo butta l'ultima borsa sul letto.

"Cavoli, che rabbina... Hai una borsa del genere, vai a una festa così, e ti porti dietro solo dieci euro. Ma allora sei proprio una poveraccia!"

Sta per andarsene quando si accorge che sulla sedia lì vicino, appesa a un bracciolo, nascosta da una giacca coloniale, c'è una borsa. La prende. È una bella borsa elegante e pesante, con la tracolla lavorata e due filetti di cuoio per chiuderla. Deve essere ben fornita, se la proprietaria si è tanto preoccupata di nasconderla. Pollo comincia ad aprire il nodo dei due filetti di cuoio, maledicendo il suo vizio di mangiarsi sempre le unghie. Uno può soffrire di mancanza d'affetto, d'accordo, oppure di mancanza di soldi. Ma non di tutti e due insieme. Finalmente scioglie il nodo. Proprio in quel momento si apre la porta. Pollo nasconde la borsa dietro la schiena. Una ragazza bruna, sorridente, entra tranquilla. Quando lo vede si ferma.

"Chiudi la porta."

Pallina ubbidisce. Pollo tira fuori la borsa da dietro e comincia a frugarci dentro. Pallina assume un'espressione scocciata. Pollo vede che lo fissa.

"Allora, si può sapere che vuoi?"

"La mia borsa."

"Be', che aspetti? Prenditela, no?"

Pollo indica il letto pieno di borse già svuotate.

"Non posso."

"Perché?"

"Un tipo idiota ce l'ha in mano."

"Ah." Pollo sorride. Guarda meglio la ragazza. È molto carina coi capelli neri e un ciuffo laterale e la smorfia della bocca leggermente scocciata. Naturalmente ha una gonna coloniale. Pollo trova il portafoglio, lo prende.

"Tieni..." le lancia la borsa. "Basta chiedere..."

Pallina afferra la borsa al volo. E comincia anche lei a cercarci qualcosa dentro.

"Lo sai che non si fruga nelle borse delle signorine, non te l'ha detto la mamma?"

"Mai parlato con mia madre. Ehi, piuttosto, tu dovresti farti una chiacchierata con la tua."

"Perché?"

"Be', non esiste che ti manda in giro solo con cinquanta euro."

"È la mia settimana."

Pollo se li mette in tasca.

"Era."

"Vorrà dire che starò a dieta."

"Allora ti ho fatto un piacere."

"Cretino!"

Pallina trova quello che cercava, quindi posa la borsa.

"Poi quando hai finito rimettimi dentro il portafoglio. Grazie."

"Senti, visto che cominci a stare a dieta, magari domani ti invito a mangiare una pizza."

"No grazie, quando pago io voglio essere almeno libera di decidere con chi vado." Fa per andarsene.

"Ehi, aspetta un attimo."

Pollo la raggiunge.

"Cos'hai preso?"

Pallina porta la mano dietro alla schiena. "Niente che ti debba interessare."

Pollo le blocca le braccia.

"Ehi, giudico io, fa' vedere."

"No, lasciami andare. I soldi li hai presi, no? Che vuoi ancora?"

"Quello che hai in mano."

Pollo prova a prendergliela. Pallina poggia il petto contro di lui, allontanando il più possibile la sua piccola mano chiusa.

"Lasciami stare, guarda che mi metto a urlare."

"E io ti prendo a sculacciate."

Pollo finalmente raggiunge il polso e lo tira a sé. Le porta il braccio con il piccolo pugno chiuso, deciso, davanti.

"Guarda, se me lo apri, ti giuro che non ti parlerò mai più..."

"Capirai, non ci siamo parlati fino a oggi, non morirò mica..."

Pollo prende la piccola mano morbida della ragazza e comincia a spingerle con il palmo le dita all'indietro. Pallina cerca di resistere. Inutilmente. Con le lacrime agli occhi, portando il peso indietro per dare più forza alle sue piccole dita.

"Ti prego, lasciami." Pollo continua senza darle retta. Alla fine, una dopo l'altra, le dita si piegano, vinte, svelando il loro segreto.

Nella mano di Pallina compare la spiegazione di quei puntini sul viso e del seno ingrossato. Il motivo di quel nervosismo che, una volta al mese, prende prima o poi ogni giovane ragazza e che quando non arriva le rende ancora più nervose o le fa diventare mamme. Pallina rimane lì, davanti a lui, in silenzio, mortificata. È stata umiliata. Pollo, sedendosi sul letto, scoppia in una risata fragorosa.

"Allora domani no, che non ti invito a cena. Sennò poi che facciamo? Ci raccontiamo le barzellette?!"

"Ah, no, quello no, non ne conosco di così zozze da farti ridere! E le altre sono sicura che non le capiresti."

"Ehi, pizzica la bambina!" Pollo rimane colpito.

"Comunque sono sicura di averti già divertito abbastanza."

"Perché?"

Pallina si massaggia le dita. Pollo se ne accorge. "Mi hai fatto male, non era quello che volevi?"

"Capirai, si sono appena arrossate, non fare l'esagerata, fra un po' ti passa."

"Non parlavo della mia mano." Ed esce prima di mettersi a piangere.

Pollo rimane lì, senza sapere bene cosa fare. Tutto quello che gli viene in mente è di rimettere a posto il portafoglio e sfogliare la sua agenda. Certo, non di restituirle i cinquanta euro.

Il dj, un tipo musicale, con i capelli leggermente più lunghi degli altri, a sottolineare il suo aspetto artistico, si agita scecherandosi a tempo. Le sue mani muovono avanti e indietro dei dischi su due piatti, mentre una cuffia spugnosa sulle orecchie gli dà la possibilità di un preascolto e di evitare una figuraccia per un'entrata sbagliata.

Step gironzola per la festa, si guarda intorno, ascolta distratto stupidi discorsi di ragazze diciottenni: vestiti costosi visti in vetrine, motorini non comprati dai genitori, impossibili fidanzamenti, corna assicurate, aspirazioni frustrate.

Dalla finestra in fondo al salotto, quella che dà sulla terrazza, entra un po' di vento. Le tende si gonfiano leggermente poi, mentre calano, due figure prendono forma sotto di esse. Si vedono delle mani che le spingono cercando di aprirle. Un bel ragazzo elegante ha presto la meglio, trovando lo spacco giusto. Poco dopo al suo fianco compare una ragazza. Ride divertita da quella piccola difficoltà. La luce della luna, da dietro, illumina leggermente il suo vestito rendendolo per un attimo trasparente.

Step rimane a fissarla. La ragazza muove i capelli, sorride al tipo. Mostra denti bianchi e bellissimi. Anche da lontano si può sentire l'intensità del suo sguardo. Gli occhi azzurri, profondi e puliti. Step si ricorda di lei, il loro incontro, si sono già visti. O forse è più giusto parlare di scontro. I due si dicono qualcosa. La ragazza annuisce e segue il ragazzo verso il tavolo delle bibite. Improvvisamente anche Step ha voglia di bere.

Chicco Brandelli guida Babi attraverso gli invitati. Le sfiora appena la schiena con il palmo della mano, gustando a ogni passo un po' del suo profumo leggero. Babi saluta alcuni amici che sono arrivati mentre lei era in terrazza. Raggiungono il tavolo con la roba da bere. Improvvisamente un tipo si mette di fronte a Babi. È Step.

"Be', vedo che mi hai dato retta, stai cercando di risolvere i tuoi problemi" dice indicando con la testa Brandelli. "Capisco che è solo un primo tentativo. Ma può andare. D'altronde, se non hai trovato di meglio..."

Babi lo guarda, incerta. Lo conosce, ma non le è simpatico. Oppure sì? Cos'è successo con quel tipo?

Step le rinfresca la memoria.

"Ti ho accompagnato a scuola una mattina, un po' di giorni fa."

"Impossibile, io a scuola ci vado sempre con mio padre."

"Hai ragione, diciamo che ti ho scortato. Ero attaccato alla tua macchina."

Babi realizzando lo guarda scocciata.

"Vedo che finalmente ti ricordi."

"Certo, eri quel tipo che diceva un sacco di cretinate. Non sei cambiato, eh?"

"Perché dovrei, sono perfetto." Step allarga le braccia mostrando il suo fisico.

Babi pensa che almeno da quel punto di vista ha ragione. È tutto il resto che non va. A cominciare dall'abbigliamento, finendo col suo modo di comportarsi.

"Vedi, non hai detto di no."

"Neanche ti rispondo."

"Babi, ti sta dando fastidio?" Brandelli ha la malaugurata idea di intromettersi. Step neanche lo guarda.

"No, Chicco, grazie."

"Allora, se non ti sto dando fastidio, ti sto facendo piacere..."

"Mi sei completamente indifferente, anzi direi che mi annoi leggermente, per essere precisa."

Chicco cerca di troncare quella discussione rivolgendosi a Babi.

"Vuoi qualcosa da bere?"

Step risponde per lei.

"Sì, grazie, versami una Coca-Cola, va'."

Chicco non raccoglie. "Babi vuoi qualcosa?"

Step per la prima volta lo guarda. "Sì, una Coca, te l'ho già detto, sbrigati."

Chicco rimane a guardarlo con un bicchiere in mano.

"Sbrigati. Che non ci senti, verme?"

"Lascia stare." Babi interviene togliendo il bicchiere dalla mano di Chicco. "Faccio io."

"Vedi, quando sei gentile sei molto più carina."

Babi prende la bottiglia.

"Tieni, e sta' attento a non rovesciarla." Poi scaraventa il bicchiere pieno di Coca-Cola in faccia a Step bagnandolo tutto.

"Ti avevo detto di stare attento, sei proprio un bambino eh? Non sai neanche bere."

Chicco comincia a ridere. Step gli dà una spinta così forte che lo fa volare su un tavolino basso, rovesciando tutto quello che c'è sopra. Poi prende per i bordi la tovaglietta sulla quale c'è la roba da bere. Tira forte, tentando di fare come alcuni prestigiatori, ma il numero non gli riesce. Una decina di bottiglie si rovesciano volando sui divani vicini e sugli invitati. Alcuni bicchieri si rompono. Step si asciuga il viso.

Babi lo guarda schifata.

"Sei proprio una bestia."

"Hai ragione, ho bisogno di una bella doccia, sono tutto appiccicoso. È colpa tua, quindi la farai con me."

Step si piega veloce prendendole le gambe e caricandosela sulle spalle. Babi si dimena furiosamente.

"Lasciami stare, mettimi giù! Aiutatemi!"

Nessuno degli invitati interviene. Brandelli si rialza e prova a fermarlo. Step gli dà un calcio in pancia che lo fa finire contro un gruppo di invitati. Schello ride come un pazzo, balla con Lucone dando schiaffi in testa a quelli che passano. Qualcuno reagisce. Vicino al dj scoppia una rissa. Roberta, preoccupata, si ferma sulla porta, guardando esterrefatta il suo salotto devastato.

"Scusa, dov'è il bagno?"

Roberta, senza neanche stupirsi di quel tipo con una ragazza sulle spalle, glielo indica.

"Di là."

Step ringrazia e segue l'indicazione. Arrivano il Siciliano e Hook, carichi di uova e pomodori. Cominciano a centrare quadri, pareti e invitati, senza fare alcuna distinzione, tirando con violenza, a far male. Brandelli raggiunge Roberta.

"Dov'è il telefono?"

"Di là." Roberta indica una direzione opposta al bagno. Le sembra di essere un vigile che cerca di dirigere quel traffico, o meglio quel caos terribile che è scoppiato proprio nel suo salotto. Purtroppo non ha l'autorità per fare la multa a tutti e cacciarli. Qualcuno, più saggio o più vigliacco degli altri, si avvicina baciandola.

"Ciao Roberta, tanti auguri. Ci dispiace, ma noi ce ne andiamo, eh?"

"Di là." Ormai nel pallone, indica la porta di casa dalla quale, se non fosse sua, vorrebbe fuggire.

"Smettila, ti ho detto di mettermi giù. Te la farò pagare..."

"E chi mi punirà? Quella specie di stampella elegante che aspira a fare il cameriere?"

Step entra nel bagno e apre la porta scorrevole, zigrinata, della doccia. Babi si attacca con le mani agli infissi, cercando di fermarlo.

"No! Aiuto! Aiutatemi!"

Step torna indietro, le prende le mani liberandole facilmente.

Babi decide di cambiare tattica. Cerca di fare la carina.

"Dai, va bene, va bene scusami. Adesso mettimi giù, per favore."

"Che vuol dire per favore? Mi hai tirato la Coca-Cola in faccia e ora mi dici per favore?"

"E va bene, ho sbagliato a tirartela."

"E lo so che hai sbagliato."

Step entra nella doccia, si abbassa finendo sotto la cipolla. "Ma ormai il danno è fatto. A questo punto mi devo fare per forza la doccia, sennò poi dici che sono pure appiccicoso."

"Ma no, che c'entra." Un getto d'acqua la colpisce in pieno viso, affogandole quasi le parole in bocca. "Cretino!" Babi si agita cercando di sfuggire all'acqua, ma Step la tiene ferma facendola girare per bagnarla tutta. "Lasciami, deficiente, fammi scendere."

"È troppo calda?" Step, senza aspettare risposta, gira il variatore di temperatura che sta proprio davanti al suo viso. Lo porta tutto sull'azzurro. L'acqua diventa subito fredda. Babi urla.

"Ecco quello che ci vuole, una bella doccia gelata per calmarti un po'. Lo sai che fa benissimo fare delle docce gelate e poi bollenti?" E riporta il termometro sul rosso. L'acqua comincia a fumare. Babi urla ancora più forte.

"Ahi, brucia! Chiudila, chiudila!"

"Guarda che fa bene veramente, allarga i pori, facilita la circolazione, al cervello arriva più sangue, così si ragiona meglio e uno capisce che bisogna comportarsi bene con la gente... Essere carini e magari versare una Coca-Cola, non tirargliela in faccia."

Schello entra in quel momento.

"Presto Step, andiamo. Uno ha chiamato la polizia."

"Che ne sai?"

"L'ho sentito. Lucone m'ha centrato con un uovo in fronte, io ero andato di là a pulirmi e l'ho beccato al telefono. L'ho sentito io con le mie orecchie."

Step chiude la doccia, poi posa Babi per terra. Schello intanto apre dei cassettini intorno alla specchiera. Trova alcuni anelli e delle catenine, tutta roba di poco conto, ma se la mette in tasca lo stesso. Babi, con i capelli sul viso, completamente bagnati, sta appoggiata al muro della doccia cercando di riprendersi. Step si toglie la maglietta. Prende un asciugamano e comincia ad asciugarsi. Addominali perfetti compaiono tra le pieghe del tessuto di spugna. La sua pelle, liscia e tirata, scivola tesa lungo gli scalini dei suoi muscoli.

Step la guarda sorridendo.

"Ti conviene asciugarti, sennò ti prendi un raffreddore."

Babi solleva con la mano i lunghi capelli bagnati che le coprono il viso. Scopre i suoi occhi. Sono arrabbiati e decisi. Step finge di averne paura.

"Ohi, ohi, come non detto." Continua a frizionarsi i capelli. Babi rimane seduta per terra. Il vestito bagnato è diventato trasparente. Sotto il tessuto a fiori lilla si scorgono i pizzi di un reggiseno chiaro, forse intonato alle mutandine. Step se ne accorge.

"Allora, lo vuoi o no un asciugamano?"

"Vaffanculo."

"Che parolone! Ma come, una brava bambina come te dice queste cose? Ricordami che la prossima volta che facciamo la doccia insieme ti devo lavare la bocca con il sapone. Chiaro? Ricordamelo, eh?"

Strizza la maglietta e legandosela in vita esce dal bagno. Babi lo guarda allontanarsi. Sulla sua schiena ancora bagnata, alcune goccioline d'acqua scivolano tra nervi e fasci di muscoli scattanti e ben delineati. Babi prende uno shampoo che trova lì per terra e glielo tira dietro. Sentendo il rumore, Step si abbassa istintivamente.

"Ehi, ho capito perché sei così arrabbiata, ho dimenticato di farti lo shampoo. Va bene, adesso torno, eh?"

"Vattene! Non ci provare..."

Babi chiude veloce la porta trasparente della doccia. Step guarda le sue piccole mani attaccate al vetro.

"Tieni!" Le lancia lo shampoo da sopra, attraverso il vetro aperto in alto della doccia.

"Mi sa che preferisci farlo da sola... Come tante altre cose... del resto!" Poi con una risata sguaiata esce dal bagno.

Alla parola polizia, nel salotto c'è un fuggifuggi generale. La rissa finisce subito. Lucone, il Siciliano e Hook, dal passato più burrascoso, sono i primi a raggiungere la porta. Alcuni invitati rimangono a terra sanguinanti. Roberta, in un angolo, piange. Altri ragazzi vedono degli energumeni uscire con addosso i loro piumini, gli Henri Lloyd, qualche Fay e giacche costose. Bunny, con uno strano rumore d'argenteria, si allontana più pesante del solito. Corrono giù per le scale, veloci, facendo tremare la ringhiera dove si attaccano per aiutarsi in curva. Rovesciano i vasi costosi degli eleganti pianerottoli. Sfondano le buche delle lettere con dei cazzotti precisi, dritti per dritti, urlando e, dopo aver rubato qualche sella di motorino, si dileguano nella notte.

10.

"Big." Raffaella posa decisa le carte sul panno verde, guardando soddisfatta la sua avversaria. Una donna dagli occhiali spessi almeno quanto la sua lentezza.

"Mettile giù, mia cara..."

Quasi le cadono dalle mani. Raffaella se ne impadronisce velocemente.

"Questa l'attacchi qui, questa così e quest'ultima qua. Queste le paghi tutte."

Fa un conto mentale veloce, poi segna il risultato parziale su un foglio. Si alza e si mette dietro le spalle di Claudio impadronendosi anche del suo gioco, e dopo qualche scarto sicuro lo convince a battere. Pure il loro compagno fa gin. Raffaella segna felice i punti. Se non fosse per l'under che si è fatto fare Claudio, li avrebbero blizzati anche in seconda. Prende le carte e comincia a mischiarle, veloce. La donna dagli occhiali spessi gira la vela. Anche in quello non è da meno. È lentissima. Raffaella non sopporterebbe di perdere, non tanto per il punteggio, è abbastanza avanti, quanto perché le carte toccherebbero a lei. Nei tavoli vicini, una linea perdente ormai da troppo decide di cambiarsi dando la colpa così di tutte quelle cocotte negative alla sfortuna. Qualcun altro rimette il portacenere appena svuotato dalla padrona di casa dov'era prima, alla sua destra. Un avvocato si versa un whisky, esattamente fino alla fine dei disegni sul vetro. La misura giusta per vincere rimanendo più o meno sobri. Alcune coppie all'apparenza più innamorate di altre si scambiano un saluto affettuoso prima di riprendere le carte in mano. In realtà, è più una specie di rituale magico che un disinteressato volersi bene. Qualche coppia se ne va, giustificandosi con un'alzataccia dell'indomani mattina o con i figli che non sono ancora rientrati. In realtà, o lui è stato poco bene ultimamente, o lei si è annoiata quella sera. Fra queste ci sono anche Marina e Filippo. Salutano tutti, ringraziando la padrona di casa, mentendo sulla splendida serata. Marina bacia Raffaella poi, con un sorriso più lungo del solito, ricorda la loro segreta promessa circa le figlie.

Dal portone 1130 della Cassia esce un gruppo di invitati. Commentano l'accaduto. Un ragazzo sembra avere più cose da dire di tutti. Sicuramente ha ragione, a giudicare dal suo labbro gonfio. Dopo diverse, stupide, inutili domande, la polizia è andata via da casa di Roberta. L'unica che sapeva qualcosa, una certa Francesca, vedendo che la festa stava degenerando si è allontanata in fretta, portando via con sé la sua borsa svuotata e i nomi dei colpevoli.

Nel caos generale, Palombi e Daniela, insieme ad altri invitati, sono fuggiti. Babi, completamente bagnata, ha perso sua sorella. In compenso Roberta le ha trovato un paio di pantaloncini che le vanno benissimo e la felpa di suo fratello più grande nella quale ci sta quasi due volte.

"Dovresti andare più spesso vestita alle feste così, sei affascinante."

"Chicco, ancora hai voglia di scherzare?" I due escono dal portone. "Mi sono persa mia sorella e ho rovinato il vestito di Valentino."

Mostra un'elegante busta di plastica con sopra un nome diverso da quello del vestito bagnato ma ugualmente famoso.

"E come se non bastasse, se mia madre mi becca che torno a casa con i capelli bagnati, sono guai." Le maniche della felpa le coprono le piccole mani. Babi se le rimbocca, tirandosele su fino al gomito. Dopo appena un passo tornano giù dispettose.

"Eccolo, è lui." Da dietro i cassonetti della spazzatura Schello indica deciso Chicco Brandelli. Step lo guarda.

"Sei sicuro?"

"Sicurissimo. L'ho sentito con le mie orecchie."

Step riconosce la ragazza che sta con quell'infame, anche se il suo travestimento è perfetto. Non ci si dimentica facilmente di una donna che insiste tanto per fare la doccia con te.

"Andiamo ad avvisare gli altri."

Babi e Chicco svoltano in una stradina.

"Piuttosto, tu perché non sei intervenuto quando quel deficiente mi ha messo sotto la doccia?"

"Che ne sapevo io, in quel momento ero andato di là a chiamare la polizia."

"Ah, sei stato tu?"

"Sì, la situazione stava degenerando, tutti che si menavano... Hai visto ad Andrea Marinelli che labbro gli hanno fatto?"

"Sì, poveraccio."

"Poveraccio? Quello ci va a nozze, figurati. Chissà che racconterà adesso. Da solo contro tutti, l'eroe della serata. Lo conosco come le mie tasche. Eccola, è questa."

Si fermano davanti a una macchina. Le frecce lampeggiano mentre le sicure salgono insieme. È un tipo di allarme abbastanza comune, a differenza della BMW: ultimo modello, nuovissimo. Chicco le apre la portiera. Babi guarda gli interni perfetti, in legno scuro, i sedili in pelle.

"Ti piace?"

"Molto."

"L'ho presa per te. Sapevo che ti avrei riaccompagnato a casa stasera."

"Sul serio?"

"Certo! In realtà era tutto studiato. Quel gruppo di deficienti l'ho chiamato io. Pensa, tutto quel casino è stato fatto perché io potessi rimanere solo con te."

"Be', allora la storia della doccia te la potevi risparmiare, almeno anche i vestiti erano all'altezza della situazione."

Chicco ride e chiude la portiera di Babi; poi fa il giro, sale in macchina e parte.

"Tutto sommato, mi sono divertito stasera. Se non fosse stato per quelli, sarebbe stato il solito mortorio."

"Non credo che Roberta sia dello stesso avviso." Babi posa educatamente ai suoi piedi la busta plastificata. "Le hanno distrutto la casa!"

"Capirai, che sarà, qualche piccolo danno. Dovrà ripulire i divani e mandare in tintoria le tende."

Un rumore forte e sordo, cupo, di ferro, rompe l'atmosfera di eleganza e di armonia all'interno della macchina.

"Che è successo?" Brandelli guarda nello specchietto laterale. Improvvisamente compare la faccia di Lucone. Si sbellica dalle risate. Dietro di lui, Hook monta in piedi sul sellino della moto e dà un altro violento calcio alla macchina.

"Sono quei pazzi! Presto accelera." Chicco scala e comincia a correre. Le moto leggere prendono subito velocità e gli stanno addosso. Babi preoccupata si gira a guardare dietro. Sono tutti lì, Bunny, Pollo, il Siciliano, Hook, con le loro moto potenti, e in mezzo c'è Step. Il giubbotto di pelle si gonfia aprendosi e mostrando il suo petto nudo. Step le sorride. Babi torna a guardare avanti.

"Chicco, corri più veloce che puoi, ho paura!"

Chicco non risponde e continua a guidare spingendo sull'acceleratore, giù, per la discesa della Cassia, nel freddo della notte. Ma le moto sono lì, ai fianchi della macchina, non si scollano. Bunny accelera, Pollo stende la gamba e con un calcio spacca il fanale posteriore. Il Siciliano dà un calcio alla portiera laterale sinistra, ammaccandogliela tutta. Le moto si piegano a tutta velocità, allontanandosi e avvicinandosi alla macchina, colpendola con forza. Rumori sordi e impietosi arrivano alle orecchie di Chicco.

"Cazzo, me la stanno distruggendo!"

"Chicco non ti azzardare a fermarti, che quelli distruggono te."

"No, ma gli posso dire qualcosa." Preme il pulsante del finestrino elettrico, aprendolo per metà. "Sentite ragazzi" urla mentre cerca di mantenere la calma e soprattutto la strada. "Questa macchina è di mio padre e se..." Uno scaracchio lo centra in piena faccia.

"Yahooo, preso, cento punti!" Pollo monta in piedi dietro a Bunny, alzando le braccia al cielo in segno di vittoria.

Chicco, disperato, si asciuga con un panno di renna più costoso e più vero dei guanti di Pollo. Babi guarda schifata quello sputo ostinato, che si stacca con difficoltà dalla sua faccia, poi preme il pulsante richiudendo il finestrino prima che la mira di Pollo centri qualcos'altro.

"Cerca di arrivare in centro che magari incontriamo la polizia."

Chicco butta dietro il panno e continua a guidare. Arrivano altri rumori di carrozzeria abbozzata e fanalini rotti. Ognuno di questi, pensa, sono centinaia di euro di danni e lunghe sgridate di mio padre. Allora, preso da una rabbia improvvisa, Chicco comincia a ridere, come un pazzo, quasi in preda a una crisi isterica.

"Vogliono la guerra? Bene, l'avranno! Li ammazzo tutti, li schiaccio come topi!"

Dà un colpo al volante, la macchina sbanda a destra, poi di colpo a sinistra. Babi si attacca alla maniglia della portiera, terrorizzata. Step e gli altri, vedendo la macchina che gli va contro, allargano frenando e scalando contemporaneamente.

Chicco guarda nello specchietto retrovisore. Il gruppo è lì, dietro di lui, sempre attaccato.

"Avete paura, eh? Bene! Beccatevi questo." Spinge di botto il freno. Entra l'ABS. La macchina si ferma quasi. Quelli con le moto laterali la schivano allargando. Schello, che sta proprio in mezzo, cerca di frenare ma il suo Vespone con le ruote lisce si mette in derapata e sbandando finisce contro il paraurti. Schello cade a terra. Chicco riparte sgommando a tutta velocità. Le moto, che sono finite davanti alla macchina, si scansano per paura di essere investite. Gli altri si fermano a soccorrere l'amico.

"Che figlio di puttana!" Schello si rialza, ha tutti i pantaloni sdruciti all'altezza del ginocchio destro. "Guardate qui."

"Capirai, col volo che hai fatto ti è andata fin troppo bene. Hai solo un ginocchio sbucciato."

"Che cazzo me ne frega del ginocchio, quello stronzo mi ha rovinato i Levi's, me li sono comprati l'altroieri."

Tutti ridono, divertiti e sollevati, per l'amico, che non ha perso la vita e nemmeno la voglia di scherzare.

"Yahooo, li ho fottuti, li ho fregati quei bastardi!"

Chicco sbatte felice le mani sul volante. Butta di nuovo uno sguardo allo specchietto retrovisore. Solo una macchina lontana. Si rassicura. Non c'è più nessuno. "Stronzi, stronzi!" salta sul sedile. "Ce l'ho fatta!"

Poi si ricorda di Babi al suo fianco. "Come stai?" Torna serio guardandola preoccupato.

"Meglio, grazie." Babi si stacca dalla portiera risedendosi normalmente. "Ora però vorrei andare a casa."

"Ti ci porto subito."

Si ferma un attimo allo stop, poi continua per Ponte Milvio. Chicco la guarda di nuovo: i capelli bagnati le scendono lungo le spalle, gli occhi azzurri guardano avanti ancora un po' impauriti.

"Mi dispiace per quello che è successo. Ti sei spaventata?"

"Abbastanza."

"Vuoi bere qualcosa?"

"No, grazie."

"Io però mi devo fermare un attimo."

"Come vuoi."

Chicco fa un'inversione. Accosta vicino alla fontanella proprio davanti alla chiesa, si butta un po' d'acqua sulla faccia, levandosi gli ultimi possibili rimasugli di enzimi della saliva di Pollo. Poi si fa passare il vento fresco della notte sul volto ancora bagnato, rilassandosi. Quando riapre gli occhi, guarda in faccia la realtà. La sua macchina, o meglio, la macchina di suo padre.

"Porca puttana!" sussurra fra sé, e fingendo indifferenza fa il giro, controlla i danni, toglie pezzi di fanalini rotti ancora in bilico. Le portiere sono tutte pieni di bozzi, le fiancate strusciate. In alcuni punti è saltata la vernice metallizzata. Fa una specie di preventivo mentale. Sui mille euro. Se si fosse presentato a quella trasmissione dove bisogna indovinare il prezzo giusto non l'avrebbero preso neanche fra il pubblico. Fa un sorriso a Babi piuttosto forzato.

"Be', c'è da rimetterla un po' a posto, ha qualche strusciatura."

Non fa in tempo a finire la frase. Una moto blu scura, che con i fari spenti lo ha seguito fin lì, si ferma rombando a un passo da lui. Chicco non riesce quasi a girarsi che viene spinto con violenza sul cofano abbozzandolo. Nel preventivo si aggiungono almeno altri cinquecento euro. Step gli si scaraventa con tutto il peso addosso, sferrandogli cazzotti in faccia, violenti, cercando di centrare la bocca, riuscendoci.

Le labbra cominciano subito a sanguinargli.

"Aiuto! Aiuto!"

"Così la prossima volta impari a tenere la bocca chiusa, verme, infame, pezzo di merda!" E giù cazzotti, uno dopo l'altro, sbattendogli la testa sul cofano, facendo sempre più danni. Ora, oltre al carrozziere, il padre dovrà pagare anche un dentista.

Babi scende dalla macchina e, presa dalla rabbia, comincia a colpire Step con pugni e calci, dandogli in testa la busta plastificata con il vestito dentro.

"Lascialo stare, vigliacco! Smettila!"

Step si gira e l'allontana con una spinta violenta. Babi va indietro, inciampa contro il marciapiede e perde l'equilibrio finendo per terra. Step rimane a guardarla per un attimo. Chicco ne approfitta e cerca di entrare in macchina. Ma Step è più veloce.

Si butta sulla portiera bloccandogli il petto. Chicco urla dal dolore. Step lo prende a schiaffi. Babi si rialza da terra dolorante. Comincia a strillare anche lei cercando aiuto. Proprio in quel momento passa una macchina. Sono gli Accado.

"Filippo, guarda! Che succede? Ma quella è Babi, la figlia di Raffaella!"

Filippo frena e scende dalla macchina, lasciando la portiera aperta. Babi gli corre incontro gridando:

"Divideteli, presto, si stanno ammazzando!".

Filippo si getta su Step bloccandolo da dietro. "Fermo, lascialo stare!" Lo abbraccia, tirandolo via dalla portiera. Chicco, finalmente libero da quella morsa, si massaggia il petto dolorante poi, terrorizzato, sale in macchina e fugge a tutta velocità.

Step, cercando di liberarsi dalla stretta del signor Accado, si piega in avanti e lancia con forza la testa all'indietro. Lo colpisce in piena faccia. Gli occhiali del signor Accado volano via spaccandosi, proprio come il suo setto nasale che comincia a sanguinare. Filippo barcolla, con le mani sul naso, perdendo sangue, non sapendo dove andare. Ora, improvvisamente miope di nuovo, quasi piange offuscato dal dolore. Marina corre in aiuto del marito.

"Delinquente, disgraziato! Non ti avvicinare, non ti azzardare a toccarlo!"

E chi vuole toccarlo! Chi se lo aspettava che fosse un vecchio quel pazzo che lo ha assalito alle spalle. Step guarda in silenzio quella donna urlante.

"Hai capito mascalzone? Ma non finisce qua!" Marina aiuta il marito a salire in macchina, poi mette in moto e si allontana con qualche difficoltà. La signora Accado non guida quasi mai, solo in casi eccezionali. E quello lo è. Non capita spesso che il marito faccia a capocciate per strada.

Babi si piazza davanti a Step.

"Sei una bestia, un animale, mi fai schifo! Non hai rispetto per niente e per nessuno."

Lui la guarda sorridendo. Babi scuote la testa.

"Non fare quella faccia da ebete."

"Si può sapere cosa vuoi da me?"

"Niente, non posso volere niente, che si può chiedere a una bestia? Hai colpito un signore, uno più grande di te."

"Primo, mi ha messo lui le mani addosso, secondo, chi cazzo lo sapeva che era un signore? Terzo, peggio per lui che non si è fatto gli affari suoi."

"Ah sì? Allora uno che non si fa gli affari suoi tu lo colpisci in faccia, lo prendi a capocciate! Ma stai zitto! Aveva pure gli occhiali, guarda..." Raccoglie quello che ne rimane.

"Gliel'hai rotti, sei felice? Sai che è un reato colpire uno con gli occhiali?"

"Ancora? Questa storia la sento da una vita. Ma chi l'ha mai detta questa cosa degli occhiali?" Step va verso la moto, ci sale. "Sicuramente l'ha messa in giro un occhialuto vigliacco, uno che ha paura di fare a stecche, anzi, che proprio per questo porta gli occhiali e racconta cazzate." Step accende la moto. "Be', ti saluto." Babi si guarda intorno. Non passa nessuno. La piazza è deserta.

"Come, mi saluti?"

"Allora come vuoi, non ti saluto."

Babi sbuffa scocciata.

"E io, come torno a casa?"

"E che cazzo ne so? Potevi farti accompagnare dall'amico tuo, no?"

"Impossibile, l'hai menato e l'hai fatto fuggire."

"Ah, ora è colpa mia."

"E di chi sennò? Dai, fammi salire." Babi va verso la moto, solleva la gamba lateralmente per sedersi dietro. Step allenta la frizione. La moto si muove leggermente. Babi lo guarda. Step si gira ricambiando il suo sguardo. Babi riprova a salire ma Step è più veloce di lei e va di nuovo avanti. "Dai, stai fermo. Ma che, sei cretino?"

"Eh no, cara. Sono una bestia, un animale, ti faccio schifo e ora vuoi salire dietro a me? Dietro uno che non ha rispetto per niente e per nessuno? Eh, no, troppo facile! Ci vuole coerenza in questo mondo, coerenza."

Step la guarda seriamente, con la sua faccia da schiaffi.

"Da uno così mica puoi accettare passaggi."

Babi socchiude gli occhi, questa volta per l'odio che prova. Poi si incammina decisa per via della Farnesina.

"Ho ragione o no?"

Babi non risponde. Step ride fra sé, poi accelera e la raggiunge. Le cammina al fianco, seduto sulla moto. "Scusa, io lo faccio per te. Poi ti dispiace aver accettato un compromesso. È meglio invece che resti della tua idea. Io sono una bestia e tu vai a piedi fino a casa. Sei d'accordo?"

Babi non risponde, attraversa la strada, guardando dritta davanti a sé. Sale sul marciapiede. Step fa la stessa cosa. Si alza sulle pedaline per attutire il colpo. "Certo..." Continua ad accompagnarla con la moto.

"Se però mi chiedi scusa, ti rimangi quello che hai detto, e dici che ti sei sbagliata... Allora non c'è problema... Io ti posso accompagnare, perché in quel caso c'è coerenza."

Babi attraversa di nuovo la strada. Step la segue. Accelera un po' accostandola, con una mano le tira la felpa.

"Allora? È facile, guarda, ripeti con me: chiedo perdono..."

Babi gli dà una gomitata, si libera di lui e comincia a correre.

"Ehi, che modi!" Step accelera e la raggiunge dopo poco. "Allora, vuoi fartela tutta a piedi fino a casa tua? A proposito, dove abiti? Lontano? Ah, ho capito, vuoi dimagrire. Sì, in effetti hai ragione, non è stato mica uno scherzo portarti in braccio sotto la doccia." La supera sorridendole.

"E poi, se dobbiamo fare altre cose è meglio che perdi qualche chiletto, mica ce la faccio tutti i giorni a fare queste faticate, eh? Poi io a te già ti ho capito. Sei il classico tipo che gli piace stare sopra, vero? Allora devi dimagrire per forza, sennò con tutto quel peso mi spiaccichi."

Babi non ce la fa più. Prende una bottiglia che spunta da un secchio e gliela tira provando a colpirlo. Step frena di colpo e si abbassa lateralmente. La bottiglia gli passa di poco sopra, ma la moto si spegne e gli cade di lato. Step tira in su il manubrio, con forza, riuscendo a fermarla prima che tocchi terra. Babi si mette a correre veloce. Step perde un po' di tempo a riaccendere la moto.

Da una traversa laterale sbuca, proprio in quel momento, un boro con una Golf vecchio modello. Vede Babi correre da sola e l'accosta.

"Ehi, bella bionda, vuoi un passaggio?"

"Ehi, brutto stronzo, vuoi un cazzotto in bocca?"

Il tipo guarda Step che improvvisamente si è infilato tra loro. Capisce che più che fica si rimediano schiaffi. Se ne va girando la testa come sdegnato.

Alza il braccio destro, cercando di darsi uno stile non ben definito, quel fingere di essere superiore per non ammettere in realtà di aver fatto pippa. Step lo guarda allontanarsi, poi supera Babi e le taglia la strada.

"Dai, monta, basta con questa storia."

Lei prova a passargli davanti. Step la stringe contro il muro. Babi cerca di passare da dietro. Step la prende per la felpa.

"Ho detto sali!"

La tira arrabbiato a sé. Babi allontana il viso spaventata. Lui guarda quegli occhi limpidi e profondi che lo fissano impauriti. Lentamente la lascia andare, poi le sorride.

"Dai, ti accompagno a casa, sennò stasera va a finire che litigo con mezzo mondo."

In silenzio, senza dire nulla se non dove abita, sale dietro di lui. La moto parte veloce, con rabbia, scattando in avanti. Babi istintivamente lo abbraccia. Le sue mani finiscono, senza volerlo, sotto il giubbotto. La sua pelle è fresca, il suo corpo caldo nel freddo della notte. Babi sente scivolare sotto le sue dita muscoli ben delineati. Si alternano perfetti a ogni suo più piccolo movimento. Il vento le scorre lungo le guance, i capelli bagnati ondeggiano nell'aria. La moto si piega, lei lo abbraccia più stretta e chiude gli occhi. Il cuore comincia a batterle forte. Si chiede se sia solo paura. Sente il rumore di alcune macchine. Ora sono in una strada più grande, fa meno freddo, gira la faccia e posa la guancia sulla sua schiena, sempre senza guardare, lasciandosi cullare da quel salire e scendere, da quel rumore potente che sente sotto di lei. Poi più niente. Silenzio.

"Be', io starei così anche tutta la notte, anzi, magari andrei avanti, approfondirei, che ne so, troverei altre posizioni!"

Babi apre gli occhi e riconosce i negozi chiusi intorno a lei, gli stessi che vede ogni giorno da sei anni, da quando sono andati ad abitare lì. Scende dalla moto. Step fa un respiro profondo.

"Meno male, mi stavi stritolando!"

"Scusa, avevo paura, non sono mai stata dietro in moto!"

"C'è sempre una prima volta per tutto."

Proprio in quel momento una Mercedes frena vicino a loro. Raffaella scende di corsa. Non crede ai suoi occhi.

"Babi, ti ho detto mille volte che non voglio che tu vada dietro in moto. E poi cosa ci fai con quei capelli bagnati?"

"Ma... veramente..."

"Signora, aspetti che le spiego. Io non volevo accompagnarla, è vero? Diglielo a tua madre che non volevo. Però lei ha insistito tanto... Perché è successo che il suo cavaliere, uno con una bellissima BMW, ma tutta sfasciata, è scappato via."

"Come è scappato?"

"Sì, l'ha lasciata per strada! Pensi che tipo."

"Assurdo."

"Infatti! Ma io l'ho sgridato per questo, eh, signora, non si preoccupi." Step guarda Babi. "Vero Babi?"

Poi, facendolo sentire solo a lei: "Sai una cosa... Babi. Mi piace il tuo nome".

"Senti mamma lascia stare, eh, ne parliamo dopo."

Claudio abbassa il finestrino elettrico.

"Ciao Babi."

"Ciao papà."

Step saluta anche lui.

"Buonasera!" È divertito da quella strana riunione di famiglia. Raffaella, invece, non si sta divertendo affatto.

"Come ti sei conciata? Dov'è il mio vestito di Valentino?"

Babi alza il braccio mostrando la busta.

"Qua dentro."

"E tua sorella? Si può sapere dove l'hai lasciata?"

Proprio in quel momento arriva anche Daniela. Scende dalla macchina insieme a Palombi che l'ha accompagnata.

"Ciao ma'."

Non fa in tempo a finire la frase. Raffaella le dà un ceffone, prendendola in piena faccia.

"Così impari a non tornare con tua sorella."

"Mamma, ma non sai cos'è successo. Sono arrivati degli imbucati e..."

"Stai zitta."

Daniela si massaggia in silenzio la guancia. Palombi, seguendo anche lui l'ordine di Raffaella, risale in macchina e se ne va.

Step accende la moto. Si avvicina a Babi.

"Ora capisco perché hai questo caratteraccio. Non è colpa tua, è una cosa ereditaria."

Poi mette la prima e con un "Arrivederci" strafottente si allontana nella notte.

Babi e Daniela salgono in macchina. La Mercedes entra nel comprensorio e passa davanti al portiere. Fiore si è divertito molto di più a vedere quei cinque minuti che tutto "Torno sabato... E tre". Più tardi, mentre si spogliano, Daniela si scusa con la sorella per averle sbrindellato la gonna che le ha prestato.

"È stato Palombi, mi ha baciata!" Ma il suo orgoglio è bloccato sul nascere da un sonoro schiaffone. Quando si fanno certe confidenze a una sorella, bisogna essere sicuri che i genitori siano già a letto. Raffaella, dal nervoso, ci mette un po' ad addormentarsi. Quella sera molte persone dormono male, alcune passano la notte all'ospedale, altri hanno degli incubi. Fra questi Chicco Brandelli. Pensa a tutte le soluzioni possibili, lasciare la macchina per strada, portarla di nascosto dal carrozziere l'indomani mattina, o buttarla in una scarpata e denunciarne il furto. Alla fine giunge all'unica soluzione possibile. Non ci sono soluzioni. Dovrà affrontare suo padre, proprio come ha fatto Roberta quella stessa sera, con i sùoi. Babi è a letto, stravolta dalla serata. Pensa che la colpa di tutto è di quel deficiente, di quel cafone, di quell'animale, di quella bestia, di quel violento, di quel maleducato, di quello strafottente, di quell'idiota. Poi, pensandoci meglio, si accorge di non sapere neanche come si chiama.

11.

Due raggi di sole attraversano la stanza. Salgono lungo i bordi del letto, sulla trapunta, sui suoi capelli dorati, sulle sue braccia scoperte. Al caldo tocco di un nuovo giorno Babi apre gli occhi. La sveglia non ha ancora suonato. Si tira su il piumino, coprendosi fin sotto il mento. Rimane con gli occhi ancora socchiusi, con le mani sulla pancia, senza spostare le gambe, immobile. Improvvisamente la sveglia suona. Fastidiosa e insistente, preceduta solo da un piccolo scatto. Babi si muove svogliata nel letto, allunga il braccio, cercando la sveglia a tastoni sul comodino. Urta *Siddharta* di Hesse, un libro della Yourcenar lasciato a metà e *Ballo di famiglia*. Trova la sveglia, la spegne. Poi accende la radio. È già sintonizzata sui 103.10, e come ogni mattina Branko sta dando gli oroscopi.

"Gemelli. Anche oggi una situazione stazionaria. La luna passa nel vostro segno. I suoi influssi vi renderanno particolarmente nervosi."

Capirai, papà non lo reggo normalmente, figuriamoci adesso con gli influssi della luna!

"Cancro. Per i nati sotto questo segno..." Lascia correre senza prestare troppa attenzione alle parole. Chi è del Cancro? Pallina? No, è nata a maggio. Maggio deve essere Toro o Pesci. No Pesci è marzo.

Lentamente chiude gli occhi e si riaddormenta. Si lascia andare così, in quella specie di dormiveglia leggero e piacevole, ancora calda e intontita, tornata da poco da chissà quale mondo. Ma poi, senza capire bene perché, si sveglia improvvisamente. Forse un rumore lontano, un profumo diverso, una sensazione di responsabilità. Apre gli occhi di corsa e si gira veloce verso la sveglia. Ancora le 7.20. Meno male. Sono passati appena pochi secondi, ma chissà perché le sono sembrati lunghissimi.

"Vergine. Per i nati in questo periodo..."

Babi si gira verso la radio particolarmente interessata. È il suo segno. Sei settembre. "...il passaggio di Venere porterà momenti particolarmente felici nella vita degli innamorati." Innamorati! Figurati, prima devo incontrare uno giusto. Non uno che scappa e mi lascia per strada. Scende dal letto. Poi sente dei rumori dalla camera vicina, corre verso il bagno ma Daniela è più veloce di lei e le chiude quasi la porta in faccia.

"Dai Dani, fammi entrare, sono già le sette e mezzo..."

"Sì, così ti prendi l'esclusiva del lavandino come al solito. Non esiste."

"Dai, non fare la cretina, ti faccio posto." Daniela apre la porta. Babi entra.

"Mi sa che non ti sono bastate le botte di ieri sera." Daniela le risponde con una smorfia, poi si alternano lavandosi a pezzi, un po' per una, senza vergogna e soprattutto senza parlare. La mattina Babi fino a quando non ha preso il caffè è intrattabile, proprio come sua madre. Daniela tenta lo stesso.

"Che te ne sembra di quello che ti ha accompagnato ieri sera? Ti piace?"

Babi fa uno strano verso. Non può rispondere, si sta lavando i denti. Guarda la sorella attraverso lo specchio con gli occhi stralunati, poi si sciacqua veloce la bocca. "Mi piace? Ma che, stai scherzando? Sei pazza? Come può piacermi uno così? Una bestia. Lo sai che ha fatto ieri sera? Con i suoi amici ha sfondato la macchina di Brandelli, poi ha cominciato a fare a botte con Chicco; allora si è fermato il signor Accado che passava di lì e ha cercato di dividerli e quel tipo, quell'animale, ha menato pure lui. Come può piacermi uno che adopera la testa per darla in faccia agli altri invece che per pensare?"

"Sarà, ma a noi ci piace a tutte!"

"A voi? A voi chi?"

"A me, Giuli, Giovanna, Stefania..."

"Sì, quattro sgallettate deficienti che hanno il culto di questi qui... Il mito dei picchiatori, degli idioti, mi dirai. Vorrei capire che gusto c'è ad andare in giro a distruggere tutto, a fare sempre casino, a picchiare la gente..."

"Hanno un sacco di ragazze carine, le cambiano come e quando vogliono lui e i suoi amici."

"Mi immagino che tipo di ragazze!"

"No, ce ne sono anche di finissime. Pensa che proprio Gloria, la figlia degli Accado, sta con Dario, uno degli amici di Step."

"Step?"

"Sì, Stefano Mancini, quello che ti ha accompagnata. Io e Giulia lo chiamiamo 10 e lode, ma tutti lo chiamano Step."

"Step? Passo? Ne dovrebbe fare tanti uno dopo l'altro e buttarsi nel fiume per quanto mi riguarda. Dai, sbrigati, non voglio sentire papà che urla come al solito perché facciamo tardi."

Babi torna in camera e comincia a vestirsi velocemente. La divisa è lì, sulla sedia. L'ha preparata la sera prima anche se hanno fatto molto tardi. Ormai è diventata un'abitudine. Si infila la camicia celeste, poi si mette la gonna.

Step. Che nome idiota. D'altronde, gli va perfetto. Babi va in cucina.

"Ciao mamma."

Babi bacia Raffaella sulla guancia. Come ogni mattina la colpisce il sapore di latte della sua crema Revlon.

"Ciao Babi."

Raffaella è lì che beve il suo caffè nero senza zucchero. Gli occhi struccati e ancora insonnoliti non sono abituati alla luce. La cucina infatti è tutta in penombra. Babi si siede davanti a lei. Arriva Daniela che prende posto lì vicino. Babi si versa del caffè, poi il latte, e ci mette dentro un po' di Dietor.

Anche Daniela si versa il caffè e poi del latte, ma ci mette dello zucchero di canna. Ognuno con le proprie abitudini, il proprio posto, la propria tazza.

"Mamma potresti comprare quei budini al riso-latte della Danone al sapore di cioccolato. Buonissimi!"

Daniela guarda Babi cercando un'approvazione che non trova.

"A me invece mamma dovresti prendere degli altri biscotti integrali, che stanno finendo."

"Se non lo scrivete non compro nulla."

Daniela si alza e aggiunge alla lista della spesa su una mensola lì vicino i suoi budini e i biscotti dietetici della sorella.

"Daniela, ti avverto che se anche stavolta li fai scadere li paghi tu."

"Ma mamma perché mi dici così?"

"Perché gli ultimi yogurt alla frutta che ti piacevano tanto li ho dovuti buttare."

"Buongiorno a tutti! Come stanno le mie splendide donne?" Claudio bacia le sue due figlie. Si siede anche lui al suo solito posto a capotavola vicino a Raffaella.

"Malissimo, non capisco perché la mattina si debbano fare sempre delle chiacchiere lunghissime e inutili. Stabiliamo una regola. Di mattina non si parla."

Raffaella si versa un altro po' di caffè, poi si alza.

"Be', io torno a letto. Con voi due ci vediamo all'uscita di scuola. A proposito, dite a Giovanna che oggi non voglio aspettare. Ha detto mamma che se non viene subito, lei se ne va." Dà un bacio sulla guancia a Claudio e con un "Ciao tesoro!" va via.

Claudio prende la caffettiera. L'apre e guarda dentro.

"Ma è possibile che non mi lasciate mai un po' di caffè?" Claudio sbatte la caffettiera sul piattino di legno.

"Tutte le mattine la stessa storia. Ma insomma, non è possibile!"

Babi prende la caffettiera. "Papà, te ne preparo uno?"

"Non c'è più tempo, vorrà dire che lo prenderò fuori, al solito. Ma perché non facciamo una caffettiera più grossa?"

Daniela mette a posto le tazze nel lavabo. "Perché non ce l'abbiamo."

"E allora compriamola." Daniela gli mette davanti la lista della spesa.

"Che c'è?"

"Tieni, scrivi. Mamma non vuole ricordarsi nulla. Qualunque cosa vogliamo, bisogna scriverla."

Claudio prende il foglio dalle mani di Daniela. Lo legge, poi scrive, sotto "biscotti dietetici" con, tra parentesi, "Babi", "caffettiera da venti" con, tra parentesi, "Claudio che non riesce mai a bersi un caffè".

"Ecco fatto!" Chiude la penna e la sbatte sul tavolo. Poi si alza rovesciando lo sgabello dentro al quale come ogni mattina è finita la sua gamba. "Mannaggia a questi sgabelli!" Esce dalla porta di casa lasciandola aperta. Babi e Daniela si guardano.

"Speriamo che faccia bene manovra. Stamattina mi sembra particolarmente nervoso."

"Sono gli influssi della luna. Oggi è passata nel suo segno. Sbrigati a venire giù piuttosto."

"Sì, sbrigati, sbrigati. Intanto metto a posto sempre io."

"Perché, ieri sera la tavola chi l'ha preparata? E allora?!..."

Babi prende la borsa dei libri ed esce. Però Branko ci ha proprio preso. Poi, mentre scende le scale, cerca di ricordarsi il suo oroscopo. Cosa diceva la luna? Ah sì. Attenzione a possibili incontri.

12.

Nel cortile della scuola, sotto le fronde di un largo salice, su un lungo muretto di marmo bianco alcune ragazze copiano frenetiche i compiti.

"Ma che c'è scritto qui? Uguale...?"

"x meno uno! Ma non sei capace neanche a copiare?"

"Ma guarda come scrivi!"

"Pure! Non fai mai niente a casa e ti lamenti anche di come scrivo? Ma guarda che sei forte!"

"Oh, arriva la Catinelli."

Pallina chiude il quaderno di matematica e corre incontro alla Catinelli insieme a qualche altra ragazza, tutte possibili candidate all'interrogazione di latino.

"Dai Ale, sbrigati che fra un po' suona, dacci la versione di latino." Le ragazze aspettano davanti alla Catinelli.

"No, niente da fare."

"Come niente da fare?"

"Che, non ci sentite? Non mi va che state a copiare la mia versione. Va bene? Non capisco perché non potete tradurvela a casa per conto vostro, come fanno tutti."

Pallina le si avvicina.

"Dai Ale, non fare così. Scusa, oggi la Giacci mi interroga sicuro e pure alla Festa."

Una ragazza del gruppo ma con la divisa più disordinata delle altre, proprio come i suoi compiti in classe, annuisce.

"Dacci la versione dai! Quella ci secca sennò!"

"Pallina non insistere."

"Che c'è Pallina? Su che stai insistendo?"

"Ah ciao Babi. C'è Ale che non vuole darci la versione. Tu l'hai fatta?"

Per un attimo la Catinelli non è più al centro dell'attenzione.

"No, solo metà. Ma mi sa che non è neanche giusta. È che io sono già stata interrogata. Ho controllato, oggi dovrebbe toccare a te e a Silvia Festa e poi ricomincia il giro. Ma di solito interroga chi ha l'insufficienza."

La Catinelli prova ad allontanarsi. Pallina la tira per la giacca.

"Hai sentito? Dai, non ci puoi lasciare così, ci rovini a tutte!"

"Non ho capito perché non fate come la Giannetti. Lei dopo che l'ha fatta mi telefona e la ricontrolliamo insieme... Così se la prepara e il giorno dopo va bene. Come fate voi, a cosa vi serve?"

"Ma che ti frega? Infatti il latino non serve proprio a niente. Insomma, ce la dai o no questa versione?"

"Te l'ho già detto, no. Fatevela dare dalla Giannetti."

Pallina sbuffa. "Sì, quella arriva sempre all'ultimo... Fra cinque minuti suona. Dai, almeno oggi... L'ultima volta, promesso."

"Lo dite ogni volta. No, questa volta è no. Non ve la do!"

La Catinelli si allontana.

"Ma guarda che stronza. È pure un mostro. Ecco perché è così acida. Non ha mai nessuno che se la fila. È chiaro. Almeno noi ci divertiamo e piacciamo un sacco." Silvia Festa si avvicina a Pallina.

"Sì, ma non credo che a mia madre piacerà molto il tre che ci mette la Giacci se non abbiamo fatto la versione."

"Tieni, prendete la mia". Babi tira fuori dalla borsa il suo quaderno di latino e lo apre all'ultima pagina.

"Almeno potete dire di averci provato. L'avrete fatta per metà ma è meglio di niente. Dite che vi siete fermate a *esperavisse*. È un verbo che non so proprio da dove cavolo viene. In effetti l'ho cercato un quarto d'ora su *Il* ma non sono riuscita a trovarlo. Poi mi sono scocciata e ho fatto merenda. Uno yogurt magro, senza zucchero, terribile. Quasi più acido della Catinelli." Tutte ridono.

Pallina prende il quaderno e lo appoggia sul muretto. Lo mette in mezzo alle altre. "Comunque è vero, lo studio fa ingrassare. Io l'ho sempre detto, se avessi fatto il linguistico avrei sicuro quattro chili in meno." Pallina comincia a copiare seguita da Silvia e altre ragazze, tutte possibili vittime della terribile Giacci.

Dalle grandi vetrate della classe si vedono dei prati poco lontani. Alcuni bambini, vestiti uguali, giocano correndo fra l'erba. Una maestra aiuta a rialzarsi un bambino che ha sporcato di verde il suo grembiule bianco. Il sole batte sui banchi. Babi guarda distrattamente la sua classe. La Benucci ha resistito meno del solito. Sta lì, con le mani sotto il banco, intenta a trafficare con la sua pizza rossa. Ne stacca un pezzo e con le dita coperte di pomodoro la porta veloce alla bocca. Poi comincia a masticare, fingendo indifferenza, a bocca chiusa, ascoltando la lezione come se niente fosse. Babi presta per un attimo attenzione alla spiegazione della Giacci. Una giovane donna dell'Ottocento pur non sapendo andare minimamente a cavallo ha deciso di farlo lo stesso. Ed è caduta. Babi non ha seguito così attentamente da capire se si è fatta male o no. L'unica cosa sicura è che qualcuno, veramente a corto di idee, ci ha fatto su una specie di romanzo.

"Bene. Questa ode, *A Luigia Pallavicini caduta da cavallo*, la portate per lunedì." L'altra cosa sicura è che loro l'avrebbero dovuta studiare. La campanella suona. La Giacci chiude il registro.

"Vado nella sala professori a prendere il registro di latino. Vi lascio sole. Non fate macello."

Le ragazze escono tutte dai banchi. Tre di loro prima che la professoressa se ne vada riescono a strapparle il permesso di andare in bagno. In realtà una sola ci va per ragioni fisiologiche. Le altre due entrano in un unico bagno e si dividono felici lo stesso vizio. Una piacevole Merit alla faccia di tutti quelli che la indicano come la sigaretta che fa peggio di tutte.

Rientra la Giacci. Tutte le ragazze si rimettono ai loro posti. Ascoltano attente la spiegazione sulla metrica latina. Qualcuna segna gli accenti e ricopia la frase scritta alla lavagna. Qualcun'altra, sicura di venire interrogata, ripassa la versione.

La Benucci non riesce a resistere. Scarta di nuovo la pizza. Due ragazze poco più indietro masticano delle Vigorsol. Cercano di mandare via l'odore della nicotina. Un'altra in fondo alla classe segue tranquilla la lezione. Il suo mal di pancia è scomparso.

"Allora per mercoledì prossimo porterete da pagina 242 a pagina 247: traduzione e lettura in metrica con conoscenza perfetta delle regole degli accenti."

Babi apre il diario e segna sotto mercoledì i compiti da fare. Poi quasi senza volerlo lo sfoglia, andando indietro. Pagine colorate e piene di scritte passano sotto i suoi occhi. Feste, compleanni, frasi simpatiche di Pallina, voti dei compiti in classe. Giudizi su film visti al cinema, amori possibili, impossibili, passati.

"Marco T.V.B." Si ferma. Guarda quella scritta in rosso, lì in fondo alla pagina. Un piccolo cuore a seguire. Novembre. Sì, era novembre. E lei ne era follemente innamorata.

Novembre. Un anno prima.

"Mamma è arrivato niente per me?"

"Sì, c'è una lettera di là in cucina. Te l'ho messa sul tavolo."

Babi corre subito in cucina, trova la lettera. Riconosce la scrittura e l'apre felice. Sono quattro mesi che stanno insieme. La sua storia più lunga. In realtà praticamente la sua unica storia. Legge la lettera.

Cara Babi,

in questo giorno così importante (la scoperta dell'America? Di più! Il primo uomo sulla luna? Molto di più! L'inaugurazione del Gilda? Ci siamo quasi!)... Ehi, piccola. Sto scherzando! Oggi sono quattro mesi che stiamo insieme e ho deciso che per te deve essere un giorno speciale, felice, bellissimo, romantico. Sei pronta? Prendi la Vespa dal garage ed esci. Perché è iniziata la tua "caccia al tesoro". "Tesoro" nel senso di amore. Proprio quello che io provo per te. Marco.

P.S. Il primo messaggio è: "C'è una villa dove vai, / ma di notte quasi mai, / on the left è il terzo tree, / in inglese certo, sì. / Se tu sotto scaverai, / qualche cosa troverai. / Sei pronta? Vai!".

Babi chiude la lettera e pensa. La villa è Villa Glori, dove vado sempre a correre. In inglese? Ma per chi mi ha preso? Certo è facile, è il terzo albero appena entrati sulla sinistra.

"Mamma, io esco."

"Dove vai?"

"Devo portare una cosa a Pallina."

Babi si mette il giubbotto di renna.

"A che ora torni?"

"Per cena. Studierò da lei."

Raffaella compare sulla porta.

"Mi raccomando, non fare tardi!"

"Se cambia qualcosa ti telefono."

Babi esce veloce, poi si ferma sulla porta e torna indietro. Bacia frettolosa la madre sulla guancia e scappa via. Arrivata in cortile apre lentamente senza far rumore la serranda del garage. Tira fuori la Vespa, poi, senza accenderla, va giù per la discesa. Ma proprio mentre fa la curva, guarda su. Raffaella è affacciata al balcone, i loro sguardi si incontrano.

"Mamma, in autobus ci metto troppo."

"Prenditi almeno una sciarpa."

"Mi tiro su il collo del giubbotto, non ho freddo, veramente. Ciao."

Babi ingrana la seconda. La Vespa fa una piccola frenata, poi si accende di colpo e scatta in avanti con il motore acceso. Babi abbassa la testa passando per un pelo sotto la sbarra che

Fiore ha prontamente alzato. Fa tutto corso Francia e arriva a Villa Glori. Mette la Vespa sul cavalletto ed entra di corsa nella villa. Alcune donne portano i bambini a spasso. Qualche atletico ragazzo fa footing. Babi si avvicina al terzo albero sulla sinistra. In basso, vicino alle radici, c'è un piccolo cespuglio. Lo sposta. Sotto è stata nascosta una busta di plastica. La prende. Complice e felice torna alla sua Vespa. La apre. Dentro ci sono una bellissima sciarpa di cachemire azzurra e un biglietto: *Di sicuro non ce l'hai, / non la porti quasi mai! / Le tonsille hai sempre rosse / e ti viene una gran tosse. / Ben coperta ora vai / al gran centro della RAI. / Lì di pietra c'è un cavallo, / cosa aspetti forza, fallo. / Quando lì tu arriverai, / qualcos'altro troverai.*

Babi monta sulla Vespa e sorride divertita da quel romantico gioco. Si mette la sciarpa al collo. È calda e morbida. Proprio un bel regalo. È utile, visto il freddo che fa. Mamma ha ragione. Marco è davvero un tesoro. Certo è stato un po' imprudente. E se l'avesse trovata qualcun altro? Ormai è andata. Accende la Vespa e va a tutta velocità verso piazza Mazzini. Si ferma davanti al piccolo cortile delimitato da un alto cancello elettrico. Babi scende dalla Vespa ed entra. Il custode la guarda incuriosito. Poi rivolge tutta la sua attenzione a un signore con una valigetta bisognoso di un'informazione. Babi ne approfitta. Si avvicina al cavallo. Sulla sua pancia con un gessetto bianco è stata disegnata una freccia che indica verso il basso. Pensa che Marco sia pazzo. Guarda meglio. C'è un altro pacchetto. Lo prende. Il custode non si è accorto di nulla. Questa volta trova un paio di occhiali. Dei bellissimi Ray-Ban ultimo modello, quelli piccoli rettangolari. Naturalmente c'è un altro biglietto. La prossima tappa è un indirizzo. Via Cola di Rienzo 48. La Vespa parte a tutta velocità. Un po' per il collettore che Daniela ha appena cambiato, proprio come fanno tutti per farla andare più forte, un po' per la curiosità crescente.

Babi arriva al nuovo indirizzo. È un negozio. Lo guarda stupita. Un negozio di biancheria intima. I suoi semplici completi di cotone bianco le sono sempre stati comprati da sua madre. Babi entra indecisa. Si guarda intorno. Una giovane commessa sta dietro al bancone mettendo a posto dei completi di raso grigio appena arrivati. Babi rilegge la fine del suo biglietto.

Se il tuo nome tu dirai, / nuove cose indosserai.

La commessa la vede e le si avvicina.

"Posso aiutarla?"

"Credo di sì, sono Babi Gervasi."

"Ah, certo." La commessa fa un simpatico sorriso. "La stavamo aspettando." Va dietro il bancone. "Questi sono per lei.

Scelga quello che più le piace." Mette tre completi di biancheria sul bancone. Sono tutti e tre di raso. Il primo è intero, nero, con disegni trasparenti sul petto e sottili spalline. Il secondo è un due pezzi rosa pallido con dei disegni trasparenti leggermente più chiari. L'ultimo è color prugna, con le spalline sottili e le mutandine leggermente sgambate. Babi li guarda. Si sofferma su ognuno senza avere il coraggio di alzare la testa. È imbarazzata. La commessa, accorgendosene, cerca di aiutarla.

"Credo che questo sia il più adatto a lei." Prende il pezzo di sopra del completo rosa pallido mostrandoglielo. "Ha una pelle così chiara, le starà benissimo."

Babi alza timidamente gli occhi. "Sì, lo credo anch'io. Allora prendo questo. Grazie." Babi si allontana dal bancone aspettando che quella commessa gentile faccia un pacchetto; si guarda intorno nel negozio. Un freddo manichino indossa un completo molto sexy. Babi se lo immagina addosso. Le sembra naturale, dopo quella drammatica scelta.

"Signorina?" Babi si gira verso la commessa. "Ecco, quel ragazzo che è venuto, che poi credo sia il suo ragazzo..."

"Sì, in un certo senso."

"Mi ha detto che, dopo aver scelto il completo, lei doveva indossarlo."

"Ma... veramente..."

"Sennò mi ha assolutamente proibito di darle il prossimo biglietto. Ha detto così..."

"Ho capito. Grazie."

Babi prende il completo rosa e va verso il camerino. La commessa attraverso la tenda le dà una busta del negozio. "Tenga, qua dentro può mettere il suo vecchio completo." Babi si cambia. Poi si guarda allo specchio. La giovane commessa aveva proprio ragione. Quel due pezzi le sta benissimo. Un pensiero le attraversa la mente. Cosa dirà mia madre quando vedrà questa roba fra quella sporca da lavare? Devo dire che è stata Pallina a farmi questo regalo, così, per prendermi in giro. Magari insieme a Cristina e qualcun'altra. Babi si riveste ed esce dal camerino. La commessa si fida. Senza guardare dentro la busta, le consegna il nuovo biglietto. La commessa, sognante, la guarda andare via. È abbastanza carina perché qualcuno possa fare quel divertente gioco anche con lei. Forse quella sera al suo ragazzo rinfaccerà di non essere poi così fantasioso. Sicuramente dovrà sbrigarsi. Certe follie sono veramente divertenti solo a una certa età.

Babi ci mette un po' a capire qual è la nuova tappa. Alla fine va ai Due Pini. Nel giardinetto vicino alla sua scuola c'è una panchina dove spesso si è baciata con Marco. Lì sotto trova una busta con un biglietto della lotteria di Agnano e un nuovo messaggio. La caccia continua. Va in una piccola gioielleria del centro e lì è obbligata a cantare una canzone davanti ad alcuni clienti. Una commessa le consegna dei bellissimi orecchini con dei turchesi e un altro biglietto. Da Benetton l'aspetta una giacca con una gonna bordeaux. Il prossimo messaggio la porta in un negozio di via Veneto dove, risolvendo un rebus, riceve un paio di bellissime scarpe di pelle in tinta con il vestito. Da qui la caccia la riporta a via di Vigna Stelluti. La vecchia fioraia prima della piazza sulla destra le porge una bella orchidea e un altro messaggio. All'Euclide lì vicino le è stata già pagata la sua pastarella preferita. Mentre Babi mangia una di quelle crostatine con la crema e i pezzi di frutta sopra, la cassiera le dà l'ultimo biglietto: *La tua pasta prelibata / l'hai già bella che beccata / c'è qualcosa che ti manca... / O sei forse troppo stanca? / Se non puoi più viver senza / corri presto alla partenza.*

Babi manda giù l'ultimo pezzo di crostatina, quello centrale, con il mezzo chicco d'uva. Si pulisce la bocca, poi esce. Accende la Vespa e va giù per via di Vigna Stelluti. Se sua madre l'incontrasse adesso, non la riconoscerebbe proprio. Ha un bellissimo tailleur bordeaux, eleganti scarpe di pelle, i Ray-Ban piccoli, splendidi orecchini di turchesi, un'orchidea infilata tra i capelli e in tasca una potenziale ricchezza, il biglietto della lotteria. Raffaella però vedendola sarebbe stata felice. Ora Babi ha anche una calda sciarpa di cachemire intorno al collo. Babi gira in piazza Euclide e si ferma davanti al cancello di Villa Glori. Proprio dove è iniziata la caccia al tesoro. Riconosce il GT blu. Entra di corsa. Marco è lì, appoggiato a un albero. Babi gli corre incontro e lo abbraccia. Marco tira fuori da dietro la schiena una rosa che aveva tenuto nascosta fino a quel momento.

"Tieni, tesoro. Buon mesiversario."

Babi guarda felice la rosa. Poi gli butta di nuovo le braccia al collo e lo bacia con passione. È proprio innamorata. Come può non esserlo dopo tutto questo? Marco la allontana leggermente, sempre tenendola per le spalle.

"Fatti vedere... Stai benissimo vestita così. Sei molto elegante. Ma chi ti ha scelto tutte queste belle cose?"

Marco le sistema la sciarpa azzurra intorno al collo. Babi lo guarda sorridendo con i suoi grandi occhi azzurri.

"Tu tesoro."

Marco l'abbraccia. Vanno verso l'uscita.

"Puoi lasciare la Vespa qui?"

"Perché, dove andiamo?"

"A prenderci un aperitivo e poi magari a mangiare qualcosa."

"Devo avvisare mia madre."

Babi sale sul GT. Marco gentilmente si occupa di mettere il fermo alla ruota anteriore della Vespa. Poi sale in macchina e si allontana veloce nel traffico della sera. Babi telefona alla mamma. Stanno giocando a carte dai Bonelli. Raffaella è talmente presa dalle carte che ascolta distrattamente il racconto di Babi. Si va a mangiare una pizza. C'è pure Marco, ma naturalmente anche un gruppetto di amici. La Vespa la lascia da Pallina, l'avrebbe ripresa il giorno dopo, Marco le ha regalato una sciarpa. Forse è proprio quest'ultima notizia a fare felice Raffaella. Babi ha il permesso di andare.

Mangiano dal Matriciano, una pizzeria-ristorante in via dei Gracchi in Prati, molto famosa perché ci vanno attori e personaggi noti.

Parlano della caccia al tesoro. Babi dice quanto si è divertita. Quanto le è piaciuto tutto, quanto sarebbero state invidiose le sue amiche. Marco minimizza, ma non riesce a nascondere quanto va fiero di quell'idea.

Scherza sul fatto che è andato a Villa Glori, preoccupato che lei non avesse capito qualche messaggio e non sarebbe mai arrivata. Babi fa finta di offendersi. Marco le sorride. Babi si tocca i capelli. Lui le accarezza la mano. Entra un noto attore con una bella ragazza non ancora famosa. Lo diventerà presto, almeno su "Novella 2000", a giudicare da come si comporta. Un cameriere saluta l'attore e gli trova subito un posto. Babi lo nota. Si gira più volte a guardarlo e lo dice anche a Marco. Lui le versa da bere fingendo sufficienza e disinteresse a quella notizia. La maggior parte delle persone del locale si costringe a comportarsi come Marco. Qualcuno non resistendo si volta a guardare l'attore. Qualcun altro lo saluta, fiero di poter dimostrare che è un suo amico. L'attore ricambia i saluti, poi confida alla bella ragazza che non sa chi sia quella gente. Lei ride più o meno sinceramente. Forse diventerà davvero una discreta attrice. Molti continuano a mangiare fingendo di vederlo ogni giorno. In realtà non si capisce bene perché il Matriciano vada così forte. La gente ci va per incontrare personaggi famosi, ma poi quando questi arrivano tutti fingono di non vederli.

Più tardi fanno una breve passeggiata in centro. Entrano

da Giolitti e prendono un gelato. Babi quasi litiga con il cameriere per avere doppia panna. Marco paga un supplemento pur di accontentarla. Poi discutendo ancora del gelato, del cameriere, di Giolitti e della doppia panna quasi non si accorgono di finire a casa di Marco. Aprono piano la porta per non svegliare i genitori. Camminano in punta di piedi fino in camera sua. Chiudono la porta e con un po' di tranquillità accendono la radio. La tengono bassa. Un tenero bacio li porta sul letto. A Tele Radio Stereo una calda voce femminile annuncia un altro disco romantico. Un po' di luna entra spavalda dalla finestra. In quella magica penombra Babi si lascia accarezzare. Lentamente Marco si riprende il vestito che le ha regalato. Lei rimane in reggiseno e mutandine. Lui la bacia tra il collo e le spalle, accarezzandole i capelli, le sfiora il seno, la piccola pancia liscia. Poi si tira su e la guarda.

Babi è lì, sotto di lui. Timida e leggermente impaurita, lo fissa. Marco le sorride. I suoi denti bianchi appaiono nella penombra.

"Ero sicuro che avresti scelto questo completo. Sei bellissima."

Babi dischiude le labbra. Marco si china su di lei baciandola. Lei, quasi immobile, delicata e morbida accoglie il suo bacio. Quella notte a Tele Radio Stereo passano le più belle canzoni mai composte. O almeno così sembra a loro. Marco è dolce e tenero e insiste a lungo per avere qualcosa di più. Ma non serve a nulla. Ha solo il piacere e la fortuna di vedere come lei sta senza il pezzo di sopra, nulla di più. Più tardi la porta a casa. L'accompagna fino alla porta e la bacia teneramente nascondendo quella strana rabbia. Poi torna guidando veloce nella notte. Si ricorda quella canzone di Battisti che parlava di una ragazza che è uguale a una torta di panna montata. Una ragazza felice di non essere stata mangiata.

"Già, praticamente uguale a lei, e io ne ho assaggiato solo un cucchiaino." Poi pensa a tutta la caccia al tesoro, a quanto ha speso. Il tempo che ci ha messo per fare quelle frasi in rima. I posti che ha scelto e tutto il resto. Allora gira e decide di andare al Gilda. Un altro pensiero gli toglie anche l'ultimo scrupolo. Oltre a tutto il resto, Babi ha avuto pure il gelato con la doppia panna.

13.

I ricordi...

Improvvisamente c'è uno strano silenzio. La classe è come immobile, sospesa nell'aria. Babi guarda le ragazze intorno a lei, le sue amiche. Simpatiche, antipatiche, magre, grasse, belle, brutte, carine. Pallina. Qualcuna sfoglia veloce il libro, altre rileggono preoccupate la lezione. Una, particolarmente nervosa, si massaggia gli occhi e la fronte. Qualcun'altra si abbassa di fianco cercando di nascondersi. È arrivato il momento dell'interrogazione. La Giacci passa il suo indice punitivo sul registro. È tutta scena. Sa già dove fermarsi. "Giannetti!" Una ragazza si alza lasciando sul banco le sue speranze e un po' del colorito. "Festa." Anche Silvia prende il suo quaderno. È riuscita a copiare la versione per un pelo. Avanza tra due file di banchi, e poi va alla cattedra e consegna il quaderno. Prende posto anche lei vicino alla porta, di fianco alla Giannetti. Le due si guardano sconsolate, cercando di farsi forza in quella drammatica sorte comune. La Giacci alza la testa dal registro e si guarda in giro. Alcune ragazze sostengono il suo sguardo per mostrare che sono tranquille e sicure. Una finta preparata bluffa vistosamente, quasi offrendosi. Tutti i cuori spingono un po' sull'acceleratore.

"Lombardi."

Pallina si alza. Guarda Babi. Sembra darle l'ultimo saluto. Poi si dirige verso la cattedra, già condannata all'insufficienza.

Pallina prende posto tra la Giannetti e Silvia Festa che le sorride. Poi le bisbiglia un "Cerchiamo di aiutarci" che fa cadere Pallina nello sconforto più totale. La prima a essere interrogata è la Giannetti. Traduce un pezzo della versione inciampando su qualche accento. Cerca disperatamente alcune parole che in italiano rendano abbastanza. Non trova mai da quale verbo viene un difficile passato remoto. Ne indovina quasi per caso il participio futuro, ma non le viene mai il gerundivo. Silvia Festa tentenna sulla prima parte della traduzione, la più facile. Non indovina un verbo, non ci si avvicina neppure. Ammette praticamente di aver copiato la versione. Racconta poi una strana storia su sua madre che non sta proprio benissimo, come lei del resto, in quel momento. Non si sa come, declina perfettamente un nome della terza. Pallina fa scena muta. Le è toccata la terza parte della versione, la più difficile. La legge veloce, senza sbagliare un accento. Ma lì si ferma. Tenta una traduzione azzardata della prima frase. Ma un accusativo al posto sbagliato ne sta dando un'interpretazione un po' troppo fantasiosa. Babi guarda preoccupata l'amica. Pallina non sa che fare. Dal suo posto Babi apre il libro. Legge il pezzo della versione. Controlla la frase tradotta correttamente sul quaderno della compagna secchiona. Poi con un leggero bisbiglio richiama l'attenzione di Pallina. La Giacci con aria di annoiata sufficienza guarda fuori dalla finestra, aspettando risposte che non arrivano.

Babi si stende sul banco e nascosta da quella davanti suggerisce alla sua amica del cuore la perfetta traduzione del pezzo. Pallina le manda un bacio con la mano, poi ripete ad alta voce, nell'esatto ordine, tutto quello che Babi le ha appena suggerito. La Giacci, sentendo improvvisamente delle parole giuste al posto giusto, si volta verso la classe. È tutto troppo perfetto perché sia solo un caso. Nella classe tutto è tornato normale. Le ragazze sono ognuna al loro posto, immobili. Babi, seduta correttamente, guarda la Giacci con gli occhi ingenui e innocenti. Pallina quasi sfidando la sorte sorride. "Mi scusi professoressa, avevo fatto un po' di confusione, mi sono inceppata, ma capita anche ai migliori, no?" Dopo la traduzione di solito iniziano le domande sui verbi, e su quelli Pallina si sente un po' più sicura. Il peggio è passato. La Giacci sorride. "Molto bene Lombardi. Senti, traducimi ancora un pezzetto, ecco fino ad *habendam*." Pallina ricade nello sconforto più totale. Il peggio deve ancora venire. Fortunatamente la Giacci torna a guardare fuori. Babi legge la traduzione della nuova frase, poi aspetta qualche secondo. È tutto tranquillo. Si distende sul banco per suggerire di nuovo all'amica. Pallina controlla un'ultima volta la Giacci. Poi guarda verso Babi pronta a ripetere il gioco. Ma proprio in quel momento la professoressa si gira lentamente. Si spinge in avanti sulla cattedra e coglie Babi in flagrante che suggerisce. Con la mano intorno alla bocca. Babi, quasi avvertendo la sensazione di essere scoperta, si volta di botto. La vede. I loro sguardi si incrociano attraverso le spalle di alcune compagne immobili. La Giacci sorride soddisfatta.

"Ah, molto bene. Abbiamo una ragazza veramente prepa-rata in questa classe. Gervasi, visto che la sa così bene, venga lei a tradurci il resto della versione."

Pallina sentendosi colpevole interrompe la Giacci.

"Professoressa, mi scusi, ma è colpa mia, sono io che le ho chiesto delle spiegazioni."

"Molto bene Lombardi, lo apprezzo. È molto nobile da parte sua. Nessuno infatti discute che lei non sappia assolu-tamente nulla. Ma ora vorrei sentire la Gervasi. Venga, venga per favore."

Babi si alza ma rimane al suo posto.

"Professoressa, non sono preparata."

"Va bene, ma lei venga lo stesso, venga."

"Non vedo perché dovrei venire fino a lì a dirle la stessa co-sa. Non sono preparata. Mi scusi, non ho potuto studiare. Mi metta un voto da impreparata."

"Benissimo allora le metto due, è felice?"

"Quasi quanto la Catinelli quando non passa le sue versio-ni!" Nella classe tutte ridono. La Giacci sbatte la mano sul re-gistro.

"Silenzio. Gervasi mi porti il diario: voglio vedere se sarà felice anche della nota che dovrà far firmare. E soprattutto mi faccia sapere se ne sarà felice sua madre." Babi porta il diario alla professoressa che scrive qualcosa veloce e con rabbia. Poi chiude il diario e glielo restituisce.

"Domani lo voglio vedere firmato." Babi pensa che ci sono cose peggiori nella vita, ma forse è meglio non dare troppa pub-blicità a questo suo pensiero. Torna in silenzio al suo posto. Silvia Festa prende cinque. È fin troppo per la sua scarsa in-terrogazione. Ma forse sono state premiate le sue scuse. Anche in quelle però deve cercare di migliorare. Con tutti quei ma-lanni sua madre prima o poi morirà.

Pallina torna al banco con un bel quattro che di nobile non ha proprio nulla. La Giannetti riesce a strappare per un pelo la sufficienza. La Giacci mettendole il voto le dedica anche un proverbio latino. La Giannetti fa una strana smorfia scusan-dosi per non saper bene cosa dire. In realtà non ha capito un bel nulla. Più tardi la sua compagna di banco, la Catinelli, le traduce anche quello. È la macabra storia di uno con un oc-chio solo che è tutto felice di vivere in un posto pieno di cie-chi. Babi apre il diario. Va in fondo, alle ultime pagine. Vicino all'elenco alfabetico delle sue compagne ha messo dei fogli do-ve segna tutte quelle che vengono interrogate. Mette gli ultimi pallini nel foglio di latino a Giannetti, Lombardi e Festa. Con quella di Silvia finisce il secondo giro di interrogazioni. Poi Babi mette un pallino vicino al suo nome. La prima interrogata del nuovo giro. Niente male iniziare con un due. Per fortuna gli altri voti sono alti. La media matematica deve darle ancora almeno un sei. Richiude il diario. Una compagna della fila laterale le lancia un biglietto sul banco. Babi lo nasconde subito. La Giacci sta scegliendo la nuova versione per la prossima settimana. Babi legge il biglietto.

Brava, bravissima! Sono fiera di avere un'amica così. Sei una capa. P. Babi sorride, capisce subito per chi sta quella P. Si gira verso Pallina e la guarda. È troppo simpatica. Mette il biglietto dentro il diario. Poi improvvisamente si ricorda della nota. Va subito a leggerla.

Alla gentilissima Signora Gervasi. Sua figlia è venuta alla lezione di latino completamente impreparata. Come se non bastasse, venendo interrogata, ha risposto in maniera impertinente. Desidero renderle noto questo comportamento. Cordialmente, prof.ssa A. Giacci.

Babi chiude il diario. Guarda la professoressa. È proprio una stronza. Poi pensa a sua madre. Una nota, capirai! La metterà probabilmente in punizione. Ne farà una storia lunghissima. E chissà cos'altro ancora. Di una cosa è sicura. Sua madre non le dirà mai: "Brava Babi, sei una capa".

14.

Un cane lupo corre veloce sulla spiaggia con un bastone in bocca. Raggruppa le gambe e subito le slancia, quasi sfiorando la sabbia, alzandone degli spruzzi. Raggiunge Step. Si lascia sfilare il bastone di bocca sbavando un po'. Poi si accuccia, con la testa piegata tra le zampe anteriori, unite, distese vicine a terra. Step fa finta di tirare il bastone a destra. Il cane fa uno scatto, ma poi si accorge che sarebbe inutile. Step finta di nuovo.

Alla fine lancia il bastone lontano, nell'acqua. Il cane parte. Si tuffa nel mare senza indugio. Con la testa sollevata avanza fra qualche piccola onda e una lieve corrente. Il pezzo di legno galleggia poco più in là. Step si siede a guardare. È una bella giornata. Non c'è ancora nessuno. Improvvisamente, un forte rumore. Una gran luce. Il cane sparisce. L'acqua anche, il mare, le montagne lontane, le colline lì a destra, la sabbia.

"Che cavolo succede?"

Step si gira nel letto coprendosi la faccia con il cuscino.

"Che cazzo è quest'invasione?" Pollo dopo aver tirato su la tapparella apre la finestra.

"Mamma mia che puzza! Meglio che apriamo un po'. Tieni, ti ho portato dei tramezzini." Pollo gli butta la busta verde di Euclide sul letto. Step si tira su e si stiracchia un po'.

"Chi t'ha aperto, Maria?"

"Sì, sta facendo il caffè."

"Ma che ore sono?"

"Le dieci."

Step si alza dal letto.

"Mortacci tua, ma non mi potevi far dormire un po' di più?" Step va in bagno. Tira su la tavoletta che sbatte contro le mattonelle facendo un rumore secco. Nell'altra camera Pollo apre il "Corriere dello Sport" e alza un po' la voce.

"Mi devi accompagnare a ritirare la moto da Sergio. Mi ha telefonato che è pronta. Oh, hai visto che la Lazio ha confermato Stam, il difensore del Manchester. Troppo forte Jaap."

Pollo comincia a leggere un articolo, poi, sentendo che Step non accenna a finire:

"Oh ma che, ti sei bevuto un fiume?".

Step spinge il pulsante dello scarico.

Torna in camera da letto, prende il pacchetto di Euclide.

"Sei giustificato solo perché ti sei presentato con questi." Poi va in cucina seguito da Pollo. La caffettiera ancora fumante è posata su un piattino di legno. Vicino c'è un pentolino con il latte scaldato e dell'altro freddo nel solito cartone azzurro, il tipo intero.

Maria, la donna delle pulizie, è una piccola signora di circa cinquant'anni. Esce dallo stanzino lì vicino dove ha appena finito di stirare.

"Maria, lo vede questo?" Step indica Pollo. "Qualunque cosa fa o dice, in questa casa lui non deve entrare prima delle undici." Maria lo guarda un po' preoccupata.

"Gliel'ho detto che lei voleva dormire. Ma sa cosa mi ha risposto? Che se non aprivo sfondava la porta." Step guarda Pollo.

"Hai detto così a Maria?"

"Ma veramente..." Pollo sorride. Step finge di essere arrabbiato.

"Le hai detto questa cosa? Mi intimorisci Maria...?" Step prende al volo il collo tozzo di Pollo portandoselo sotto il braccio e immobilizzandogli la testa. "Hai detto così, eh? Fai il nazista a casa mia e mo' so' cavoli tuoi." Prende il bricco del latte bollente e glielo avvicina alla faccia.

Pollo avverte il calore e urla esagerando. "Ahia Step, brucia... Dai cazzo, mi fai male." Step stringe un po' di più.

"Ah, dici pure le parolacce, ma allora sei pazzo. Chiedi subito scusa a Maria. Avanti, chiedile scusa." Maria guarda preoccupata la scena. Step avvicina ancora di più il bricco alla faccia di Pollo.

"Ahia, mi hai bruciato. Mi scusi Maria, scusi." Maria si sente colpevole di tutto quello che sta accadendo.

"Step lo lasci. Mi sono sbagliata. Non ha detto che sfondava la porta. Sono io che ho capito male. Ecco, ha detto che passava più tardi. Sì, ora mi ricordo, ha detto proprio così." Step lascia Pollo. I due amici si guardano. Poi scoppiano a ridere. Maria li guarda non capendo bene. A un certo punto Step si riprende.

"Va bene Maria. Grazie. È che questo tipo avrebbe bisogno

di una lezione. Può andare di là. Vedrà che da oggi in poi si comporterà meglio."

Maria guarda dispiaciuta Pollo. Con un'occhiata cerca di fargli capire che non avrebbe voluto che si arrivasse a tanto. Poi prende della roba appena stirata e la porta di là. Step divertito la guarda allontanarsi. Poi si gira verso Pollo. "Ma che, sei scemo? Dai, mi terrorizzi la cameriera?"

"Ma quella non voleva aprirmi."

"Va bene, ma tu chiedi per favore no? Che fai, le dici che sfondi la porta? La prossima volta te la brucio sul serio quella facciaccia che c'hai."

"Allora tu lasciami le chiavi, no?"

"Sì, così quando sto fuori mi ripulisci casa."

"Ma che, stai scherzando? Veramente pensi che potrei fare una cosa simile?"

"No, forse no. Nel dubbio però è meglio non darti questa possibilità."

"Che infame che sei, restituiscimi subito i tramezzini."

Step sorride e ne fa sparire immediatamente uno divorandolo. Pollo apre il giornale e fa finta di essersi offeso. Step si versa del caffè, poi ci mette il latte caldo e un po' di quello freddo. Poi guarda Pollo. "Vuoi un po' di caffè?"

"Sì, grazie" risponde con finto distacco. Non è ancora disposto a cedere del tutto. Step gliene versa un po' in una tazza.

"Dai, mi faccio una doccia e ti accompagno a prendere la moto." Pollo beve un po' di caffè.

"C'è solo un piccolo problema. Mi mancano duecento euro."

"Ma come, con tutta la roba che ti sei fottuto ieri sera?"

"Avevo un sacco di debiti. Ho dovuto pagare gli alimentari, la tintoria e poi dovevo restituire dei soldi a Furio, quello del Toto."

"Che cazzo giochi al Toto nero se non hai mai un euro."

"È per quello, tento il colpo gobbo. Comunque mi sono tenuto centocinquanta euro per la moto. Invece Sergio mi ha telefonato e ha detto che ha dovuto cambiare anche l'altro pistone, cuscinetti e tutto il resto. Poi cambio olio completo e altre cose che non mi ricordo. Morale: quattrocento euro. Cazzo, la moto mi serve. Stasera c'è la corsa, lì dovrei alzare almeno un centone. Tu che fai, vieni?"

"Non lo so. Intanto dobbiamo trovare i duecento euro."

"Già. Sennò non si va da nessuna parte."

"Tu non vai da nessuna parte." Step gli sorride, poi va nella camera di Paolo, suo fratello. Comincia a frugare nelle giacche. Apre i cassetti dell'armadio. Poi passa al comodino del letto. Pollo è sulla porta che lo guarda. Controlla in giro. Step se ne accorge.

"Che cazzo stai a fare lì impalato. Ti metti a fare il palo a casa mia? Dai, dammi una mano."

Pollo non se lo fa ripetere due volte. Va dall'altra parte del letto. Apre il cassetto dell'altro comodino.

"Tipo prudente tuo fratello, eh?" Pollo guarda Step. Ha in mano una scatola di Settebello e un sorriso ebete sulla faccia.

"Prudentissimo! È così prudente che non lascia più neanche mezzo euro in giro."

"Be', ha ragione. Dopo tutte le volte che lo abbiamo ripulito..." Pollo si mette tre preservativi in tasca prima di rimettere a posto la scatola. Malgrado tutto è un ottimista. Step cerca ancora in qualche possibile nascondiglio.

"Niente da fare, non c'è un cazzo da nessuna parte. Io non ho un euro da prestarti." Sulla porta passa Maria con alcune magliette e felpe di Step nella mano destra e le camicie di Paolo perfettamente stirate in quella sinistra.

Pollo la indica con la testa. "E a lei? Possiamo chiederli?"

"Macché! Le devo ancora i soldi dei giornali dell'altra settimana."

"E allora come facciamo?"

"Ci sto pensando. Il Siciliano c gli altri sono più accannati di noi, quindi neanche a parlarne. Mia madre è fuori."

"Dove?"

"Alle Canarie credo, o alle Seychelles. Comunque anche se fosse qui non sarebbe proprio il caso." Pollo annuisce. Sa perfettamente come sono i rapporti tra Step e sua madre.

"E tuo padre? Non te li potrebbe prestare?" Step prende una maglietta appena stirata e la mette sul letto dove ha già preparato dei boxer neri e i jeans.

"Sì, ci vado oggi a mangiare. Mi ha chiamato ieri dicendo che mi deve parlare. Tanto già lo so che mi dice. Mi chiederà cosa ho intenzione di fare con l'università e tutto il resto. E io che faccio? Invece di rispondergli gli dico: papà dammi duecento euro che devo ritirare la moto di Pollo, eh? Direi proprio di no. Maria!" La donna compare sulla porta. "Scusi, dove sta il giubbotto blu?"

"Quale, Stefano?"

"È come quello verde militare, solo blu, l'ho comprato l'altro giorno. È tipo quello dei poliziotti."

"Ah, ho capito qual è, l'ho messo all'entrata, nell'armadio di suo fratello. Pensavo fosse suo." Step sorride. Paolo con un giubbotto del genere. Sarebbe tutto un programma. Lui e i suoi completi. Step va nel corridoio. Apre l'armadio. Eccolo lì il suo giubbotto. Facile da trovare. È l'unico fra tutte quelle giacche a quadri e quei completi grigi.

Step ne approfitta e rovista anche tra quelli, niente da fare. Poi torna in camera. Pollo è sul letto. Ha il portafoglio aperto. Ricontrolla le sue finanze sperando in un miracolo che non è avvenuto. Lo chiude sconfortato. "Allora?"

"Stai allegro. Ho trovato la soluzione."

Pollo guarda speranzoso l'amico.

"E sarebbe?"

"I soldi ce li darà mio fratello."

"E perché dovrebbe darceli?"

"Perché io lo ricatterò."

Pollo è più tranquillo. "Ah certo!" D'altronde per lui ricattare un fratello è la cosa più naturale del mondo. Per un attimo gli dispiace di essere figlio unico.

15.

Paolo, il fratello di Step, è nel suo ufficio. Vestito elegantemente, seduto a una scrivania che non gli è da meno, controlla alcune pratiche del signor Forte, uno dei più importanti clienti della finanziaria. Paolo ha studiato alla Bocconi. Laureato con lode, è tornato da Milano e ha trovato subito un ottimo posto come commercialista. D'altronde è un bocconiano. In realtà il padre, con tutte le sue conoscenze, lo ha raccomandato. Ma se è riuscito a mantenere il posto e ha la stima di tutto il piano è merito suo. È anche vero però che in quella finanziaria non hanno mai cacciato nessuno.

Una giovane segretaria con una camicia di seta color crema, forse un po' troppo trasparente per quel mondo di tasse e sgravi fiscali dove la trasparenza non è proprio all'ordine del giorno, entra nell'ufficio di Paolo.

"Dottore?"

"Sì, mi dica." Paolo smette di controllare le carte per dedicarsi interamente al reggiseno della segretaria e subito dopo a quello che ha da dirgli.

"C'è suo fratello con un amico. Li faccio entrare?"

Paolo non fa in tempo a inventare una scusa. Step e Pollo piombano nel suo ufficio.

"Certo che mi fa entrare. Cazzo, sono suo fratello! Sangue del suo sangue, signorina. Noi ci dividiamo tutto. Ha capito? Tutto." Step tocca il braccio della segretaria alludendo così all'eventuale ma remota possibilità che a Paolo quella giovane e bella ragazza oltre alle pratiche e alla lista delle telefonate passi qualcos'altro. "Quindi io qui posso entrare sempre, vero Pa'?" Paolo annuisce.

"Certo." La segretaria guarda Step; pur essendo abituata a trattare con signori più anziani, subdoli e incravattati, lo tratta con rispetto.

"Mi scusi. Non lo sapevo."

"Bene, ora lo sa." Step le sorride. La segretaria si guarda il braccio trattenuto da Step.

"Posso andare ora?"

Paolo, che malgrado i nuovi occhiali non si è accorto di nulla, le dà il permesso. "Certo, grazie, vada pure signorina." Rimasti soli, Pollo e Step si siedono sulle due poltrone girevoli di pelle davanti alla scrivania di Paolo. Step ci si sbraca proprio. Poi si dà una spinta con il piede.

"Mazza, te le scegli bene le tue segretarie." Step fa un giro completo e torna di fronte al fratello. "Di' la verità, te la sei fatta, eh? O te la sei fatta o hai tentato di fartela e lei non c'è stata. In questo caso la licenzierei, che te frega."

Paolo lo guarda scocciato. "Step, è possibile che ti devo ripetere sempre le stesse cose? Quando vieni qua dentro non potresti dire meno parolacce, fare meno casino? Io qua ci lavoro. Mi conoscono tutti."

"Perché, che ho fatto? Ho fatto qualcosa Pollo? Diglielo anche tu che non ho fatto niente."

Pollo guarda Paolo cercando di fare il più possibile una faccia convincente. "È vero, non ha fatto niente."

Paolo sospira.

"Tanto è inutile parlare con voi due, è solo fatica sprecata. Come ieri sera. Te l'ho chiesto mille volte quando torni tardi di fare piano, e tu niente. Fai sempre un gran macello."

"No Pa', scusa. Ieri sono tornato che avevo fame. Che facevo, non mangiavo? Mi sono solo preparato una bistecca."

Paolo fa un sorriso ironico al fratello.

"Non è che io non voglio che mangi. Il problema è come lo fai, come fai tutto... Sempre facendo rumore, sbattendo gli sportelli, il frigorifero, fregandotene del fatto che ci sono io che dormo, che mi devo svegliare presto! Intanto a te che ti frega? Ti alzi quando ti pare... Piuttosto, so che oggi vai a pranzo da papà."

Step si siede meglio.

"Sì, perché? Avete parlato di me?"

"No, me l'ha detto lui. Mi ha telefonato prima. Figurati se parliamo di te, io non so mai niente di te." Paolo guarda meglio il fratello. "So solo che ti vesti sempre così male, con questi giubbotti scuri, con i jeans, le scarpe da ginnastica. Sembri proprio un teppista."

"Ma io *sono* un teppista."

"Step, smettila con questa cretinata. Piuttosto, perché sei venuto qua? Sul serio... Che, c'è qualche problema?"

Step guarda Pollo, poi di nuovo il fratello.

"Nessun problema, mi dovresti dare trecento euro."

"Trecento euro? Ma che, sei pazzo? E che, io i soldi li trovo così?"

"Va bene, allora dammene duecento."

"Ma neanche a parlarne, non ti do un bel niente."

"Ah sì?" Step si sporge verso di lui sulla scrivania. Paolo impaurito indietreggia. Step gli sorride. "Ehi fratello, calma, non ti farei mai nulla, lo sai." Poi spinge l'interfono collegato con la segretaria. "Signorina, può venire un momento?"

La segretaria non fa caso alla differenza di voce.

"Arrivo subito."

Step si siede comodo sulla poltrona, poi sorride a Paolo.

"Allora caro fratellino, se non mi dai subito i duecento euro, quando arriva la tua segretaria io le strappo via le mutande."

"Cosa?" Paolo non fa in tempo a dire altro. La porta si apre. La segretaria entra.

"Sì, dottore?"

Paolo cerca di salvarsi. "Niente, signorina, vada pure." Step si alza.

"No, signorina, scusi, aspetti un momento." Step va vicino alla segretaria. La ragazza rimane a guardare tutti e tre in silenzio senza capire bene che fare. Quella situazione è un po' diversa dai compiti che deve solitamente svolgere. La segretaria guarda interrogativa Step.

"Cosa c'è?" Step la guarda sorridente.

"Vorrei sapere quanto costano le mutande che porta."

La segretaria lo guarda imbarazzata. "Ma veramente..."

Paolo si alza.

"Step ora basta! Signorina, può andare..." Step la ferma per un braccio.

"Aspetti solo un attimo, scusi. Paolo? Dai a Pollo quello che gli devi e dopo la signorina se ne può andare!" Paolo prende il portafoglio dalla tasca interna della giacca, tira fuori alcune banconote da cinquanta euro e le mette con rabbia in mano a Pollo. Pollo le conta, poi fa segno a Step che è tutto a posto. Step lascia andare la segretaria sorridendole... "Grazie signorina, lei è il massimo dell'efficienza. Senza di lei non avremmo saputo proprio come fare."

La segretaria si allontana scocciata. Non è completamente stupida, e soprattutto non la diverte affatto andare in giro a dire quanto costi la sua biancheria intima. Paolo si alza dalla poltrona e fa il giro della scrivania.

"Bene, avete avuto i soldi. Ora fuori di qui, che mi avete scocciato." Fa per spingerli, poi ci ripensa. È meglio colpirli verbalmente. "Step, continua così, finirai nei guai come al solito!"

Step guarda il fratello. "Scherzi? Quali guai? Io non sto mai nei guai. Io e i guai siamo due cose che non si sono mai incontrate. I soldi li devo prestare a un mio amico, uno che ha un piccolo problema, tutto qui." Pollo sentendosi tirato in ballo sorride con gratitudine all'amico. "E poi Paolo, che figura ci fai davanti a Pollo? Sono solo duecento euro. Sembra che ti abbia chiesto chissà che. Ne stai facendo una storia infinita." Paolo si siede sul bordo della scrivania.

"Non so com'è, ma con te finisce che sono sempre in torto io..."

"Non dire così, magari a furia di stare in questo ufficio, a trattare tutti quei soldi, vi viene una specie di malattia e non riuscite più a dare, a prestare qualcosa."

"Allora si tratta di un prestito?"

"Certo, ti ho sempre restituito tutto, no?" Paolo fa una faccia poco convinta. Le cose non sono andate proprio così. Step fa finta di non accorgersene. "Allora di che ti preoccupi? Ti restituirò anche questi. Piuttosto, dovresti svagarti un po'. Divertirti. Sei così pallido... Perché non ti vieni a fare un bel giro in moto con me?"

Paolo in un eccesso di simpatia si toglie gli occhiali.

"Cosa? Stai scherzando? Mai. Piuttosto la morte. A proposito di morte... visto che ci è andato molto vicino. Ieri sera sono andato al Tartarughino e sai chi ho incontrato?"

Step ascolta distratto. Al Tartarughino non potrebbe mai andarci qualcuno che lo interessa. Comunque decide di far felice il fratello. In fondo, gli ha pur sempre dato duecento euro.

"No, chi c'era?"

"Giovanni Ambrosini."

Step ha una specie di sussulto. Un tuffo al cuore. Subito la rabbia monta dentro di lui, ma lo nasconde perfettamente.

"Ah sì?"

Paolo continua il suo racconto.

"Stava con una bella donna, una molto più grande di lui. Quando mi ha visto si è guardato preoccupato in giro. Sembrava terrorizzato. Secondo me aveva paura che ci fossi anche tu. Poi, quando ha visto che non c'eri, si è tranquillizzato. Mi ha perfino sorriso. Se così si può definire una specie di smorfia. La mascella non gli è più tornata a posto. E poi lo sai meglio di me. Ma si può sapere perché lo hai menato in quel modo, non me l'hai mai detto..."

È vero, pensa Step. Lui non lo sa. Non ha mai saputo nulla. Step prende Pollo sottobraccio e va verso l'uscita. Sulla porta si gira. Guarda il fratello. Sta lì seduto alla sua scrivania. Con quegli occhialetti tondi, i capelli dal taglio costoso perfettamente pettinati, vestito in maniera impeccabile con quella camicia stirata proprio come lui stesso ha insegnato a Maria. No, non avrebbe mai dovuto sapere. Step gli sorride.

"Vuoi sapere perché ho menato Ambrosini?"

Paolo annuisce.

"Sì, magari."

"Perché mi diceva sempre di vestirmi meglio."

Escono così come sono entrati. Strafottenti e divertiti. Con quell'andatura ciondolante, un po' da duri. Passano accanto alla segretaria. Step le dice qualcosa. Lei rimane a guardarlo. Poi prendono l'ascensore. Arrivano al pianoterra. Step saluta il portiere.

"Ciao Martinelli. Offrici due svapore, va'."

Martinelli tira fuori dalla tasca della giacca un pacchetto morbido di sigarette poco costose. Fa uno scatto con la mano verso l'alto facendone spuntare fuori alcune. Pollo e Step saccheggiano il pacchetto. Ne prendono più del dovuto. Poi, senza aspettare che il portiere gliele accenda, si allontanano. Martinelli guarda Step. Com'è diverso dal fratello. Il dottore dice sempre grazie, per qualsiasi cosa.

In quel momento il citofono lì vicino suona. Martinelli guarda l'interno. È proprio quello dell'ufficio del fratello di Step. Martinelli collega lo spinotto.

"Pronto dottor Mancini, mi dica."

"Può salire un attimo da me, per favore?"

"Certo, arrivo subito."

"Grazie."

Martinelli prende l'ascensore e sale al quarto piano. Paolo è lì che lo aspetta sulla porta dell'ufficio.

"Venga Martinelli, entri." Paolo lo fa accomodare, poi chiude la porta. Il portiere rimane lì di fronte a lui, in piedi, leggermente a disagio. Paolo si siede. "Prego Martinelli, si accomodi." Martinelli prende posto nella poltrona di fronte a Paolo, sedendosi con rispetto, quasi in punta, preoccupato di occupare troppo posto. Paolo incrocia le mani. Gli sorride. Martinelli ricambia, ma è sulle spine. Vuole sapere il perché di quell'incontro. Ha fatto qualcosa di male? Ha sbagliato? Paolo sospira. Sembra deciso a svelargli il mistero. "Senta Martinelli, lei dovrebbe farmi un favore." Martinelli sorride rilassato. Si tranquillizza e occupa più posto sulla sedia.

"Mi dica, dottore. Faccio tutto quello che vuole, se posso."
Paolo si appoggia allo schienale.
"Non faccia più entrare qui mio fratello."
Martinelli sgrana gli occhi.
"Cosa, Dottore? Veramente non lo devo fare più passare? E che gli dico? Se quello si arrabbia, ci vorrebbe Tyson giù alla porta." Paolo guarda meglio quel signore tranquillo, i suoi grigi vestiti in tinta con il colore dei capelli e con quello di tutta un'esistenza. Immagina Martinelli bloccare Step sul portone: "Mi scusi, ho avuto delle disposizioni. Lei non può entrare". La discussione. Step che si altera. Martinelli che alza la voce. Step che si ribella. Martinelli che lo spinge via. Step che lo prende per la giacca, lo sbatte al muro e poi sicuramente il resto, come da copione...

"Ha ragione, Martinelli. È stata un'idea sbagliata. Lasci perdere, me ne occuperò io. Ci parlerò a casa." Martinelli si alza.

"Qualunque altra cosa, dottore, la faccio volentieri. Sul serio, ma questa..."

"No, no, ha ragione. Ho sbagliato io a chiederglielo. Grazie, grazie lo stesso." Martinelli esce dall'ufficio. Prende l'ascensore e torna giù al pianoterra. Se l'è vista brutta. E chi lo ferma quell'energumeno? Tira fuori il pacchetto. Decide di festeggiare con una bella sigaretta lo scampato pericolo. Meno male che il dottore è un tipo comprensivo. Non come suo fratello. Step gli ha fregato mezzo pacchetto e non ha neanche detto grazie. Nemmeno una volta.

E poi dicono che fare il portiere è un lavoro tranquillo. Martinelli sospira, poi si accende una MS.

Al quarto piano Paolo guarda fuori dalla finestra. Prova uno strano senso di soddisfazione. In fondo, ha fatto una buona azione. Ha salvato la vita a Martinelli. Torna a sedersi. Be', senza esagerare. Gli ha risparmiato un sacco di guai. Entra la segretaria con alcuni fascicoli.

"Tenga, queste sono le pratiche che mi ha chiesto..."
"Grazie signorina."
La segretaria lo guarda un attimo.
"È un tipo strano suo fratello. Non vi assomigliate molto voi due."

Paolo si toglie gli occhiali, nel vano tentativo di essere più affascinante.

"È un complimento?"
La segretaria mente.
"In un certo senso sì. Spero che lei non vada in giro a chiedere alle ragazze quanto costano le loro mutandine..."

Paolo sorride imbarazzato.

"Oh no, questo certo no."

Anche se senza occhiali non ci vede poi molto, i suoi occhi finiscono inevitabilmente sulla camicetta trasparente. La segretaria se ne accorge ma non fa assolutamente nulla.

"Ah, suo fratello mi ha detto di dirle che lei è troppo buono con me, che non avrebbe dovuto pagare e fargli fare quella cosa." La segretaria diviene stranamente insistente. "Se posso chiederglielo... Quale cosa dottore?"

Paolo guarda la segretaria. Il suo bel corpo. Quella gonna perfetta e impeccabile che copre le sue gambe tornite. Forse suo fratello ha ragione. Immagina la segretaria mezza nuda con Step che le strappa via le mutandine. Si eccita.

"Niente signorina, era solo uno scherzo."

La segretaria se ne va leggermente delusa. Paolo fa appena in tempo a inforcare gli occhiali e a mettere a fuoco quel provocante fondoschiena che si allontana più o meno professionalmente.

Che coglione! Avrei dovuto farglielo fare. Se Step non gli avesse restituito quei soldi, sarebbe stato il peggiore affare degli ultimi anni. No, non il peggiore. Quello lo ha fatto il signor Forte. Ha affidato i suoi gravi problemi fiscali a un commercialista che ancora deve risolvere i suoi problemi familiari. Non si può passare una mattinata a discutere con il fratello e alla fine pagarlo pur di non fargli togliere le mutande alla segretaria.

Con un senso di colpa, Paolo torna alla pratica del signor Forte.

16.

In una piccola via stretta, dentro un semplice garage, c'è Sergio, il meccanico. Indossa una tuta blu con un rettangolo bianco, verde e rosso della Castrol sulla schiena. Non si capisce se è stato sponsorizzato per le corse che ha fatto diversi anni prima o per tutto l'olio che cambia ai motorini. Fatto sta che ogni volta, quando gli portano una moto, qualunque problema abbia, lui, dopo averla provata, finisce sempre allo stesso modo: "C'è da fare qualche lavoretto e poi facciamo un bel cambio completo dell'olio".

Mariolino, il suo assistente, è un ragazzo dall'aria non molto sveglia. Per lui Sergio è un genio, un idolo. Un dio dei motori. Quando lavorano Mariolino mette sempre su il disco di Battisti. *Io tu noi tutti*. Quando nella canzone *Sì, viaggiare* arriva il pezzo che dice "quel gran genio del mio amico, lui saprebbe come fare, lui saprebbe come aggiustare, ti regolerebbe il minimo alzandolo un po'" Mariolino fa un enorme sorriso. "Cazzo Se', sta proprio a parla' de te, eh?" Sergio continua a lavorare poi si passa una mano tra i capelli rendendoli ancora più unti.

"Certo, mica ce la può avere con te. Tu con un cacciavite in mano fai solo danni, altro che miracoli."

Un vecchio Free blu spinto da un giovane farlocco occhialuto si ferma davanti al garage. Sono arrivati tutti e due. Il Free ha la ruota posteriore bloccata. Il farlocco si toglie gli occhiali e si asciuga la faccia sudata. Sergio prende in consegna il motorino. Deciso e sicuro sfila il copritelaio. Sembrerebbe un chirurgo se non fosse che non indossa i guanti e che le sue mani sono tutte sporche d'olio. Inoltre un buon chirurgo non si sceglierebbe mai un secondo come Mariolino. Il farlocco è lì davanti. Guarda preoccupato quel lento meccanico sezionare il suo Free. Come il familiare di un paziente, preoccupato però non di quanto sia grave la sua malattia, ma, molto più materialmente, di quanto possa costare l'intera operazione.

"C'è da cambiare il variatore, non è uno scherzo."

La moto di Step frena davanti al garage. Un'ultima sgasata fa sentire quanto quella VF 750 non abbia affatto bisogno di cure. Sergio si asciuga le mani con uno straccio.

"Ciao Step, che c'è? Qualche problema?" Step sorride. Batte la mano affettuosamente sul serbatoio della sua Honda.

"Questa moto non conosce quella parola. Siamo venuti a ritirare il catorcio di Pollo." Pollo si è intanto avvicinato alla sua moto. Il vecchio Kawa 550. La tragica "cassa da morto".

"È tutto a posto. Ho dovuto cambiare i pistoni, le fasce e tutto il blocco motore. Ma alcuni pezzi te li ho presi usati." Sergio elenca altri lavori molto costosi. "E poi gli abbiamo fatto un cambio completo dell'olio." Pollo lo guarda. Con lui non attacca. Sergio non ci prova nemmeno. "Ma quello non te lo metto in conto. È un regalo."

Un anno prima Sergio aveva avuto una violenta discussione e da allora aveva imparato a trattare con quei due.

È primavera. Step gli porta la sua Honda appena comprata per fare il tagliando. "C'è anche da dare una guardata alla cupoletta laterale che vibra..."

Qualche giorno dopo Step torna da Sergio per ritirare la moto. Paga il conto senza fare discussioni, compreso il cambio dell'olio completo. Ma quando prova la moto, la cupoletta vibra ancora. Step torna lì con Pollo e glielo fa presente. Sergio gli assicura di averla aggiustata. "Se vuoi comunque te la metto a posto di nuovo, solo che devi prendere un altro appuntamento e naturalmente pagarmi il lavoro." Come se questo non bastasse, Sergio commette un errore enorme. Si avvicina a Step, gli batte con la mano sulla spalla e soprattutto se ne esce veramente male.

"E poi tu chissà come la porti quella moto. Per quello l'hai sfasciata di nuovo la cupoletta."

Step non ci vedo più. La sua moto è insieme a Pollo l'unica cosa alla quale tiene veramente. Inoltre odia quelli che ti parlano toccandoti.

"Ti sbagli. È molto facile sfasciare i pezzi laterali di una moto. Stai a guardare eh..."

Step va in fondo alla fila delle moto davanti al garage. Dà un calcio violento alla prima. Una Honda 1000, rossa e pesante si abbatte su quella che gli sta a fianco, una 500 Custom tenuta perfettamente. Anche questa va giù, su una suzuki 750 e poi giù ancora, su un SH 50 bianco e leggero. Moto costose e alla moda, motorini nuovi e modelli passati si abbattono uno sull'altra con un rumore di ferraglia terribile, finendo a terra, sospinti da quell'onda di distruzione, tipo un piccolo grande domino, giocato ad alto prezzo. Sergio prova a fermarle. È tutto inutile. Anche l'ultimo Peugeot cade a terra lateralmente rovinandosi la fiancata. Sergio rimane esterrefatto. Step gli sorride. "Hai visto come è facile?" Poi, prima che Sergio possa dire qualcosa, Step continua: "Se non mi aggiusti subito la moto, ti do fuoco al garage". Dopo nemmeno un'ora la cupoletta è a posto. Non vibrò mai più. Step naturalmente non pagò nulla.

Il farlocco aspetta silenzioso in un angolo guardando preoccupato il suo Free a motore aperto. Sergio entra per prendere le chiavi del Kawa di Pollo.

"Va bene ragazzo. Lasciamelo pure. Vediamo un po' che si può fare." Quest'ultima espressione preoccupa ancora di più il farlocco. Pensa giustamente che il suo Free sia ormai a una fase terminale.

"Quando posso passare?"

"Anche domani." Il giovane occhialuto a questa notizia si riprende un po'. Sorride e si allontana stupidamente felice. Sergio consegna le chiavi a Pollo. Il Kawasaki improvvisamente torna a ruggire. Il fumo esce potente dalle marmitte. I giri salgono veloci. Pollo dà gas due o tre volte, poi sorride felice. Step lo guarda. È proprio un bambino. Pollo sorride un po' meno quando Sergio gli fa il conto. Ma se l'aspettava. Ha grippato, e cambiare pistoni e tutto il resto non è certo uno scherzo. Pollo arriva per un pelo a pagare il conto. Sergio si mette i soldi in tasca. Naturalmente non emette fattura.

"Mi raccomando Pollo, adesso è come in rodaggio. Vacci piano." Pollo lascia la manopola del gas.

"Cazzo è vero, non ci avevo pensato. Stasera c'è la gara e io non ho la moto lo stesso. Tutto questo casino non è servito a niente."

Pollo guarda Step.

"Però tu potresti..."

Step, capendo al volo dove vuole arrivare, ferma subito l'amico.

"Alt. Frena. La mia moto non si tocca. Ti presto quello che vuoi, ma la moto no. Una volta tanto stai a guardare, eh."

"Sì, e che faccio?"

"Fai il tifo per me. Io stasera corro."

Sergio li guarda con un senso di invidia.

"Sul serio andate alla serra?"

"Vieni, no? Ci diamo un appuntamento e andiamo insieme."

"Non posso. A proposito, c'è sempre Siga?"

"Come no, sta sempre lì."

"Be', salutatemelo tanto. Gliene ho fatti fare di soldi, eh?"

"Be', come vuoi. Se ci ripensi sai dove trovarci."

Pollo e Step salutano, poi mettono la prima. Pollo sgasa più volte per riscaldare bene il motore. Poi sentendo quel bel rumore profondo e sicuro si piega e dà gas facendo una pinna. Step lo segue, alza la ruota davanti e dando gas si allontana con l'amico per la strada principale. Sergio rientra nel garage. Guarda le vecchie foto che ha appeso al muro. La sua moto, le corse. Era imbattibile. Ora sono altri tempi, sono passati tanti anni, è tardi. Si ricorda cosa disse una volta un suo amico: "Crescere vuol dire non prendere più i duecento". Forse è vero. Lui è cresciuto. Ora ha delle responsabilità. Una famiglia e anche un figlio. Sergio si avvicina alla vecchia radio sul tavolaccio nero d'olio. Rimette la cassetta. Ha solo quella. Sono anni che ascolta sempre le stesse canzoni.

Probabilmente mio papà e mia mamma, chi lo sa, desideravano non me, ma un altro bambino, pensa Sergio.

Poi guarda Mariolino. È lì, piegato sul motorino rimasto aperto in mezzo al garage. Non è solo questione di cellule, pensa Sergio. Mariolino si gira verso di lui.

"A Se', ma che c'ha 'sto Free?"

"A Marioli', non lo vedi che quel ragazzo è un gaggio? L'ha messo sulla bicicletta e gli si è bloccata la ruota. Questo Free non c'ha un cazzo, sposta la levetta del variatore e fagli un bel cambio d'olio completo e poi vedi che parte che è una scheggia."

Mariolino si piega sul Free. Ci mette qualche minuto prima di trovare la levetta. Sergio scuote la testa. È proprio vero, quando hai un figlio non vai più a duecento all'ora. Quando quel figlio poi è Mariolino non vai più da nessuna parte. Sergio prende il giubbotto e se lo mette sulla tuta. Decide di rischiare e uscire lo stesso. "Torno fra poco."

Mariolino lo guarda preoccupato.

"Dove vai papà?"

"A comprare il meglio di Battisti. È uscito oggi. È ora di cambiare cassetta."

17.

In piazza Euclide, davanti all'uscita della Falconieri, diverse macchine sono ferme in doppia fila. Dietro di loro altri automobilisti, pieni di impegni e privi di figlie che vanno a quella scuola, si attaccano ai clacson: il solito terribile concerto postmoderno.

Alcuni ragazzi con dei Peugeot e degli SH 50 si fermano proprio davanti alla scalinata. Anche Raffaella arriva in quel momento. Trova un piccolo buco dall'altra parte della strada, di fronte al benzinaio prima della chiesa, e ci si infila con la sua Peugeot 205 quattro porte. Palombi la riconosce. Memore della sera prima, decide che è meglio allontanarsi.

Raggiunge il gruppo di ragazzi ai piedi della scalinata. Argomento del giorno: la festa di Roberta e imbucati vari. Qualche ragazzo racconta la propria versione dei fatti. Deve essere vera a giudicare dai segni delle botte che ha preso. Se non altro c'è stato e gliele hanno date, il resto può forse anche essere inventato. Brandelli raggiunge il gruppo.

"Ciao Chicco, come va?"

"Bene" mente spudoratamente. Il suo amico però gli crede. Ormai Chicco è diventato un esperto in fatto di bugie. Ne ha provate di tutti i tipi quella mattina quando suo padre ha visto com'era ridotta la BMW. Peccato che suo padre non sia abboccone come l'amico. Non ha minimamente creduto alla storia del furto. Quando Chicco poi ha deciso di raccontargli la verità, suo padre si è addirittura arrabbiato. In effetti a ripensarci bene tutta la storia è assurda. Quei tipi sono assurdi, pensò Chicco. Distruggermi la macchina in quel modo. Anche se mio padre non ci crede, gliela farò vedere. Troverò quei teppisti, scoprirò i loro nomi e li denuncerò. Ecco che farò! Bene! Tanto prima o poi li incontro, sono sicuro.

Chicco si blocca. I suoi desideri si sono immediatamente avverati. Ma lui non sembra più esserne così felice. Step e Pollo compaiono a tutta velocità dalla curva con le moto piegate vicine. Scalano superando in velocità una macchina. Poi si fermano a qualche metro da Brandelli. Chicco, prima che Step lo riconosca, si gira su se stesso. Sale sulla Vespa, l'unico mezzo che ormai ha a disposizione, e si allontana veloce. Step si accende una delle sigarette fregate a Martinelli e si rivolge a Pollo.

"Ma sei sicuro che è qui?"

"Come no. L'ho letto sulla sua agenda. Ci siamo dati appuntamento ieri sera per andare a pranzo insieme."

"Mortacci tua. Ma se non c'hai un euro. E fai pure lo splendido?"

"Ma che vuoi? Ti ho portato pure la colazione. Allora stai zitto!"

"Sì, per due miseri tramezzini."

"Ah, miseri? Ogni giorno due tramezzi, alla fine del mese sono una cifra. Comunque non ti preoccupare, mi ha invitato lei, sono suo ospite, non pago."

"'Mazza che culo, hai trovato pure quella ricca che offre. Com'è?"

"Carina. Mi sembra pure simpatica. È un po' strana magari."

"Qualcosa di strano lo deve avere per forza se decide di venire a pranzo con te e di offrire. O è strana, o è un cesso!" Step scoppia a ridere.

La campanella dell'ultima ora suona. Dall'alto della scalinata sbucano alcune ragazze. Sono tutte più o meno in divisa. Bionde, brune, castane. Scendono saltellando, di corsa, lente o a gruppi. Chiacchierando. Qualcuna allegra per l'interrogazione andata bene. Qualcun'altra incavolata per il brutto voto del compito in classe. Alcune speranzose guardano giù il ragazzo appena conquistato o quello che le ha mollate sperando in una riappacificazione. Altre, meno carine, controllano se c'è quello bello, quello che piace a tutte loro, le sfigate. Quello che sicuramente si metterà con una di un'altra classe. Alcune ragazze che sono andate a scuola in motorino si accendono una sigaretta. Daniela scende veloce gli ultimi scalini e corre incontro a Palombi. Raffaella vede sua figlia e suona il clacson. Le fa segno di salire subito in macchina. Daniela annuisce. Poi si avvicina a Palombi e lo saluta con un bacio frettoloso sulla guancia. "Ciao, c'è mia madre, devo andare. Ci sentiamo oggi pome? Mi devi chiamare a casa perché il cellulare da me non prende..."

"Va bene. Come va la guancia?"

"Meglio, molto meglio! Vado però, perché non vorrei avere una ricaduta."

Escono le altre classi. Alla fine è la volta dell'ultimo anno.

Babi e Pallina compaiono sulla scalinata. Pollo dà una pacca a Step. "Ecco, è quella là." Step guarda su. Vede alcune ragazze più grandi che scendono le scale. Fra queste riconosce Babi. Si gira verso Pollo.

"Qual è?"

"Quella con i capelli neri sciolti, quella piccoletta." Step riguarda su. Deve essere la ragazza vicino a Babi.

Non sa perché, ma gli fa piacere che non sia Babi la tipa strana che porta a pranzo Pollo, per di più offrendo.

"Carina, io conosco quella che le sta accanto."

"Ma dai? E come mai?"

"Ci ho fatto la doccia ieri sera."

"Ma che cazzo dici..."

"Te lo giuro. Chiediglielo."

"Ti pare che glielo chiedo? Che faccio, vado là e le dico: scusa, che, tu ieri hai fatto la doccia con Step? Ma smettila!"

"Allora glielo dico io."

Pallina sta ipotizzando con Babi i vari modi possibili di presentare la nota a Raffaella, quando vede Pollo.

"Oh, no!"

Babi si gira verso di lei. "Che c'è?"

"C'è quello che ieri mi ha fregato i soldi della settimana."

"Qual è?"

"Quello lì sotto." Pallina indica Pollo. Babi guarda in quella direzione. Pollo è in piedi e lì vicino, seduto sulla moto, c'è Step.

"Oh, no!"

Pallina guarda preoccupata l'amica. "Che c'è? Ti ha fregato i soldi pure a te?"

"No, l'amico suo, quello che gli sta vicino, mi ha trascinato sotto la doccia!"

Pallina annuisce, come se fosse normalissimo che dei tipi rubino nelle loro borse e le trascinino sotto la doccia.

"Ah, ho capito, non me l'avevi detto!"

"Speravo di dimenticarlo. Andiamo."

Scendono decise gli ultimi scalini. Pollo va incontro a Pallina. Babi li lascia alle loro spiegazioni e si dirige spedita verso Step.

"Che ci fai qua? Si può sapere che sei venuto a fare?"

"Ehi, calmina! Prima di tutto questo è un luogo pubblico, e poi sono venuto ad accompagnare Pollo che va a pranzo con quella là."

"Si dà il caso che 'quella là' è la mia migliore amica. E che Pollo invece è un ladro, visto che le ha rubato i soldi."

Step le fa il verso: "Si dà il caso che Pollo è il mio migliore amico e non è un ladro. È lei che lo ha invitato a pranzo, e tra l'altro paga lei. Ehi, ma poi perché sei così acida? Che c'è, stai rosicando perché io non ti porto a pranzo? Ma ti ci porto se vuoi. Basta che paghi tu...!".

"Ma sentilo..."

"Allora facciamo così: tu domani porti i soldi, prenoti in un bel posto e io magari ti vengo a prendere... Va bene?"

"Ma figurati se io vengo con te!"

"Be', ieri sera ci sei venuta, e stringevi pure."

"Cretino."

"Dai, monta che ti accompagno."

"Deficiente."

"È possibile che sai dire solo parolacce? Una brava ragazza come te con la divisa che viene qui alla Falconieri tutta perbenino e poi si comporta così! Non sta bene, no!"

"Stronzo."

Pollo si avvicina in tempo per sentire quell'ultimo complimento.

"Vedo che state facendo amicizia. Allora, venite a pranzo con noi?"

Babi guarda sbalordita l'amica.

"Pallina, non ci posso credere! Vai a pranzo con quel ladro?"

"Be', almeno recupero qualcosa, paga lui!"

Step guarda Pollo: "Che infame...! Mi avevi detto che offriva lei".

Pollo sorride all'amico. "Be', infatti è vero. Tu lo sai che io non mento mai. Ieri le ho fregato i soldi e pago con quelli. Quindi, in un certo senso, offre lei. Che fate allora, venite o no?"

Step con aria strafottente guarda Babi: "Mi dispiace ma devo andare a pranzo da mio padre. Non ci rimanere male. Allora, facciamo domani?".

Babi cerca di controllarsi. "Mai!"

Pallina monta dietro a Pollo. Babi la guarda amareggiata, si sente tradita. Pallina cerca di calmarla: "Ci vediamo più tardi eh, passo da te!".

Babi fa per andarsene. Step la ferma.

"Ah, aspetta. Se no passo per bugiardo. Dillo, per favore. È vero che ieri abbiamo fatto la doccia insieme?"

Babi si libera.

"Ma va' a quel paese!"

Step sorride a Pollo.

"È il suo modo di dire sì!"

Pollo scuote la testa e parte con Pallina. Step rimane a guardare Babi che attraversa la strada. Cammina decisa. Una macchina frena per non metterla sotto. Il conducente si attacca al clacson. Babi, senza neanche girarsi, sale in macchina.

"Ciao mamma!"

Babi bacia Raffaella.

"È andata bene a scuola?"

"Benissimo" mente. Prendere due in latino e una nota sul diario non è proprio quello che si dice andare benissimo.

"Pallina non viene?"

"No, torna per conto suo." Babi pensa a Pallina che va a pranzo con quel tipo, Pollo. Assurdo. Raffaella suona il clacson spazientita.

"Ma insomma, che fa Giovanna? Daniela, te l'avevo detto di dirglielo."

"Eccola, sta arrivando."

Giovanna, una ragazza bionda dall'aria un po' mortona, attraversa lentamente la strada e sale in macchina.

"Mi scusi signora." Raffaella non dice nulla. Mette la prima e scatta in avanti. La violenza di quella partenza è abbastanza eloquente. Daniela guarda dal finestrino. La sua amica Giulia è davanti alla scuola che parla con Palombi. Daniela si arrabbia.

"Non è possibile! Ogni volta che mi piace uno, Giulia è lì che ci parla e fa la deficiente. Guarda che è pazzesca. Sembra che lo fa apposta. Lei prima Palombi lo odiava, e ora eccola lì che ci parla."

Giulia vede passare la Peugeot. Saluta Daniela e le fa segno con la mano che si sarebbero sentite nel pomeriggio. Daniela la guarda con odio e non risponde. Poi si volta verso la sorella.

"Babi, ma Step era venuto a prendere te?"

"No."

"Ma come no, ho visto che parlavate."

"È passato per caso."

"Be', potevi tornare con lui. Eccolo!"

Proprio in quel momento Step passa a tutto gas con la sua moto vicino alla Peugeot. Raffaella sterza di botto spaventata. Inutilmente. Step non l'avrebbe mai presa. Calcola la distanza sempre al millimetro.

L'Honda 750 si piega due o tre volte facendo il pelo alle altre macchine. Poi Step, con i Ray-Ban scuri agli occhi, gira leggermente la testa e sorride. È sicuro che Babi lo stia guardando. Infatti non si sbaglia. Step scala e senza fermarsi al semaforo rosso imbocca via Siacci a tutta velocità. Una macchina che viene da destra suona giustamente il clacson. Un vigile non fa in tempo a leggere la targa. La moto sparisce superando altre macchine. Raffaella si ferma al semaforo e si volta verso Babi.

"Se solo ti azzardi a salire dietro quel tipo non so che ti faccio. È un cretino. Hai visto come guida? Guarda Babi, non sto scherzando, non voglio che ci vai."

Forse sua madre ha ragione. Step guida come un pazzo. Eppure la sera prima dietro di lui, nella notte, a occhi chiusi, in silenzio, lei non ha avuto paura. Anzi, quella corsa le è piaciuta. Babi apre la busta della spesa e strappa un morbido pezzo di pizza bianca. Non ci si può controllare sempre. Poi, in un impeto di trasgressione totale, decide che quello è il momento giusto.

"Mamma, oggi ho preso una bella nota."

18.

Step si versa una birra, poi accende la tele. Mette il canale dieci. Su MTV c'è il vecchio video degli Aerosmith: *Love in an elevator*. Steven Tyler viene accolto in ascensore da una fica spaziale. Tyler, con una faccia dieci volte meglio di Mick Jagger, apprezza giustamente la ragazza. Step pensa a suo padre seduto di fronte a lui. Chissà se l'apprezza anche lui. Il padre prende il telecomando dal tavolo e spegne la televisione. Suo padre è come Paolo, non sa apprezzare le cose belle.

"Non ci vediamo da tre settimane e ti metti a guardare la tivù. Parliamo, no?"

Step beve la birra.

"Va bene, parliamo. Di cosa vuoi parlare?"

"Vorrei sapere cosa hai deciso di fare..."

"Non lo so."

"Cosa vuol dire non lo so?"

"È semplice... Vuol dire che ancora non lo so."

La cameriera entra con il primo. Mette la pasta al centro del tavolo. Step guarda la tele spenta. Chissà se Steven Tyler ha già fatto il suo salto mortale a chiusura del pezzo. Cinquantacinque anni e ancora sta così. Un fisico eccezionale. Una forza della natura. Guarda suo padre. Ha qualche difficoltà anche a mettersi gli spaghetti nel piatto. Step se lo immagina qualche anno prima fare un salto mortale. Impossibile. È più facile che Paolo vada con la sua segretaria.

Il padre gli passa la pasta. È condita con il pane grattugiato e le acciughe. Proprio quella che piace a lui, quella che gli faceva sempre sua madre. Non ha un nome particolare. Sono gli spaghetti con il pane grattugiato e basta. Anche se ci sono le acciughe. Step si serve. Si ricorda le volte che le aveva mangiate a quella stessa tavola, in quella casa, con Paolo e sua madre. Di solito, in un piccolo piattino di porcellana veniva servito un altro po' di condimento. Paolo e suo padre non lo vo-

levano, toccava sempre a lui. Sua madre gliene metteva un po'
sulla pasta con un cucchiaino. Alla fine gli sorrideva e rove-
sciava il piattino versandocelo tutto. Era la sua pasta preferita. Chissà se suo padre lo ha fatto apposta. Decide di non parlarne. Quel giorno il piattino non c'è. Anche molte altre cose
non ci sono più. Suo padre si pulisce educatamente la bocca
con il tovagliolo.

"Hai visto, ho fatto fare la pasta che ti piace. Com'è venuta?"

"Buona. Grazie papà. È venuta benissimo."

Non è male, in effetti.

"L'unica cosa è che doveva essere magari un po' più condita. Si può avere un'altra birra?"

Il padre chiama la cameriera.

"Non per essere noioso, ma perché non ti iscrivi all'università?"

"Non lo so. Ci sto pensando. E poi dovrei decidere la fa-
coltà."

"Potresti fare Legge o Economia, come tuo fratello. Una
volta laureato ti potrei aiutare a trovare un posto."

Step si immagina vestito come suo fratello, nel suo ufficio,
con tutte quelle pratiche. Con la sua segretaria. Quell'ultima
idea per un attimo gli piace. Poi ci pensa meglio. In fondo può
sempre invitarla a uscire e continuare a non fare un cazzo.

"Non lo so. Non mi sento portato."

"Ma perché dici così? A scuola andavi bene. Non dovresti
avere problemi. Alla maturità hai preso settanta, non è andata male."

Step beve la birra appena arrivata. Sarebbe anche andata
meglio, se non ci fossero stati tutti quei casini. Dopo quella storia non ha più aperto libro. Non ha più studiato.

"Papà, non è quello il problema. Non lo so, te l'ho già detto. Magari dopo quest'estate. Adesso non mi va proprio di pensarci."

"Cosa ti va di fare adesso, eh? Vai in giro a fare macello. Stai
sempre per strada e torni sempre tardi. Paolo me l'ha detto."

"Ma che t'ha detto Paolo se non sa un cavolo!"

"No, però lo so io. Forse era meglio se ti facevi un anno di
militare, che almeno ti inquadrava un po'."

"Sì, ci mancava solo il militare."

"Be', se sono riuscito a farti esonerare per farti stare per strada e continuare a fare a botte, allora era meglio se partivi."

"Ma chi ti dice che faccio a botte... A papà, ma sei fissato!"

"No, sono spaventato. Ti ricordi cosa ha detto l'avvocato
dopo il processo? Suo figlio deve stare attento. Da questo mo-

mento qualunque denuncia, qualunque altra cosa succeda, scatta automaticamente la decisione del giudice."

"Certo che me lo ricordo, me l'hai ripetuto almeno venti volte. A proposito, l'hai più visto l'avvocato?"

"L'ho visto l'altra settimana. Ho pagato l'ultima parte della parcella."

Lo dice con un tono pesante come a sottolineare che è stata sicuramente molto costosa. In questo è proprio uguale a Paolo. Stanno sempre a contare i soldi. Step decide di non farci caso.

"Porta ancora quella cravatta tremenda?"

"No, è riuscito a mettersene una ancora più brutta."

Il padre sorride. Tanto vale fare il simpatico. Con Step non serve a niente la linea dura.

"Ma dai, mi sembra impossibile. Con tutti i soldi che gli abbiamo dato..." Step si corregge. "Scusa papà, che gli *hai* dato, si potrebbe comprare qualche bella cravatta."

"Se è per quello potrebbe rifarsi il guardaroba..."

La cameriera porta via i piatti e torna con il secondo. È una bistecca al sangue. Per fortuna non è collegata a nessun ricordo. Guarda suo padre. È lì, piegato sul piatto a tagliare la carne. Tranquillo. Non come quel giorno. Tanto tempo fa, quel terribile giorno.

Stessa stanza. Il padre cammina su e giù, veloce, agitato.

"Come 'Perché sì! Perché mi andava'? Ma allora tu sei una bestia, un animale, uno che non ragiona. Io ho per figlio un violento, un pazzo, un criminale. Hai rovinato quel ragazzo. Te ne rendi conto? Potevi ucciderlo. O non ti rendi conto neppure di questo?"

Step sta seduto con lo sguardo basso senza rispondere. L'avvocato interviene:

"Signor Mancini, ormai quel che è successo è successo. È inutile sgridare il ragazzo. Io credo che dei motivi, anche se nascosti, ci siano stati".

"Va bene avvocato. Allora mi dica lei: cosa dobbiamo fare?"

"Per organizzarci per la difesa, per poter rispondere in tribunale, dovremmo scoprirli."

Step alza la testa. Ma cosa sta dicendo? Cosa sa? L'avvocato guarda Step con comprensione. Poi gli si avvicina.

"Stefano, ci sarà stato qualcosa. Uno screzio passato. Un litigio. Una frase che questo ragazzo ha detto, qualcosa che ti ha fatto... sì insomma, che ha scatenato la tua rabbia?"

Step guarda l'avvocato. Ha una terribile cravatta a losanghe grigie su fondo laminato. Poi si gira verso sua madre. È lì, seduta su una sedia in un angolo del salotto. È elegante come sempre. Fuma tranquilla una sigaretta. Step abbassa di nuovo lo sguardo. L'avvocato lo guarda. Rimane un attimo a riflettere in silenzio. Poi si volta verso la madre di Step e le sorride in maniera diplomatica.

"Signora, ha mai saputo se suo figlio ha avuto qualcosa a che fare con questo ragazzo? Se hanno mai avuto qualche discussione?"

"No avvocato, non credo. Non sapevo neanche che si conoscessero."

"Signora, Stefano andrà in tribunale. È stato denunciato. Ci sarà un giudice, una sentenza. Con le lesioni che quel ragazzo ha riportato, saranno severi. Se noi non avremo niente da ribattere... una prova, qualcosa, una minima ragione, suo figlio finirà nei guai. Guai seri."

Step sta con la testa bassa. Si guarda le ginocchia. I suoi jeans. Poi socchiude gli occhi. Oh Dio, mamma, perché non parli? Perché non mi aiuti? Io ti voglio così bene. Ti prego, non mi lasciare. Alle parole della madre Step ha una stretta al cuore.

"Mi spiace avvocato. Non ho niente da dirle. Non so nulla. Le pare che, se avessi qualcosa da dire, se potessi aiutare mio figlio, non lo farei? E ora scusatemi, devo andare." La madre di Step si alza. L'avvocato la guarda uscire dalla stanza. Poi si rivolge per l'ultima volta a Step.

"Stefano, sei sicuro che non hai nulla da dirci?"

Step neanche gli risponde. Senza guardarlo si alza e va alla finestra. Guarda fuori. Quell'ultimo piano proprio di fronte al suo. Pensa a sua madre. E in quel momento la odia, così come l'ha tanto amata. Poi chiude gli occhi. Una lacrima scende lungo la guancia. Non riesce a fermarla e soffre come non mai, per sua madre, per ciò che non sta facendo, per quello che ha fatto.

"Stefano, tieni, lo vuoi il caffè?" Step smette di guardare fuori dalla finestra e si gira. Di nuovo nella stessa stanza. Ora. Suo padre è lì tranquillo, con la tazzina in mano.

"Grazie papà." Lo beve veloce. "Ora devo proprio andare. Ci sentiamo la prossima settimana."

"Va bene. Ci pensi alla storia dell'università?"

Step nell'ingresso si infila il giubbotto.

"Ci penserò."

"Telefona ogni tanto a tua madre. Ha detto che non ti sente da tanto!"

"Ma papà, non c'ho mai tempo."

"Ma che ci vuole, solo una telefonata."

"Va bene, la chiamerò." Step esce di fretta. Il padre rimasto solo in salotto, si avvicina alla finestra e guarda fuori. All'ultimo piano in quell'attico di fronte al suo, le finestre sono chiuse. Giovanni Ambrosini ha cambiato casa, così, da un giorno all'altro, proprio come ha cambiato la loro vita. Come può avercela con suo figlio?

Step in ascensore si accende l'ultima sigaretta di Martinelli. Si guarda allo specchio. È andata. Quei pranzi lo distruggono. Arriva al pianoterra. Quando le porte d'acciaio si aprono, Step che è sovrappensiero si prende un colpo.

La signora Mentarini, un'inquilina del palazzo con i capelli malamente mesciati e il naso adunco, è lì davanti a lui.

"Ciao Stefano, come stai? È tanto tempo che non ti vedo."

E per fortuna, pensa Step. Un mostro così vederlo troppo spesso fa male. Poi si ricorda di Steven Tyler e della fica bestiale che entra nel suo ascensore. A lui invece tocca la signora Mentarini. Ingiustizie del mondo. Si allontana senza salutare. Nel cortile butta via la sigaretta. Fa una corsa veloce, batte i piedi e buttando le mani a terra si tuffa in avanti. Non c'è paragone. Il salto mortale lo fa molto meglio lui. D'altronde Tyler ha cinquantacinque anni e lui solo diciannove. Chissà cosa farà fra trent'anni. Una cosa è sicura: non il commercialista.

19.

Pallina, con una tuta Adidas felpata bluette proprio come l'elastico che le stringe il ciuffo, corre quasi rimbalzando sul le Nike chiare.

"Allora, non mi chiedi com'è andata?"

Babi, con una tuta scura bassa in vita con la scritta Danza e una fascia rosa che le tiene i capelli, guarda l'amica.

"Com'è andata?"

"No, se me lo chiedi così, non te lo racconto."

"Allora non me lo raccontare."

Continuano a correre in silenzio, sempre allo stesso ritmo. Poi Pallina non ce la fa più.

"Va bene, visto che ci tieni tanto, te lo dico lo stesso. Mi sono divertita da morire. Non sai dove mi ha portato."

"No, non lo so."

"E dai, non fare l'antipatica!"

"Non condivido certe amicizie e basta."

"Ehi, ma ci sono uscita solo una volta, che sarà?"

"Può essere come vuoi, basta che sia l'ultima!"

Pallina rimane un attimo in silenzio. Un ragazzo dalla tuta impeccabile le supera. Le guarda tutt'e due. Poi, anche se sfinito, controlla un cronometro che ha in mano e per darsi tono aumenta l'andatura, sparendo lungo una stradina.

"Be', insomma, mi ha portato a mangiare in un posto fichissimo. È vicino a via Cola di Rienzo, credo che sia via Crescenzio, una traversa di quelle. Si chiama La Piramide."

Babi non mostra un interesse particolare.

Pallina continua a raccontare, un po' più affannata. "La cosa divertentissima è questa: in ogni tavolo c'è un telefono."

"Fino a qui non mi sembra molto interessante."

"Oh insomma, che noia che sei! Questi telefoni hanno un numero che va, fai conto, da 0 a 20."

"E tu come lo sai?"

"C'è scritto sul menù."

"Ah, perché si mangia pure! Pensavo ti avesse portato alla Telecom!"

"Senti, se vuoi che te lo racconto chiudi quella bocca da sfigata acida."

"Cosa?" Babi la guarda fingendo stupore. "Sfigata acida a me? Ma se sono la più corteggiata della Falconieri! Hai visto quello che è passato prima come mi guardava? Cosa credi, che avesse gli occhi di fuori per te?"

"Certo!"

"Ma se si è accorto che eravamo in due è grasso che cola."

"Qui a colare è solo il mio sudore e non mi dona affatto. Non potremmo sederci su quella panchina e chiacchierare normalmente?"

"Non se ne parla proprio. Io corro. Devo perdere almeno due chili. Se ti va di venire con me, bene, se no mi metto il Sony. Tra l'altro c'è dentro l'ultimo cd degli U2."

"Sony? E da quando ce l'hai?"

"Da ieri!"

Babi si alza la felpa mostrando il walkman MP3 della Sony, legato in vita. Pallina non crede ai suoi occhi.

"Ma dai! Con cd e radio. Ma dove l'hai preso? Qui in Italia non si trova."

"Me l'ha portato mia zia che è tornata ieri da Bangkok."

"Favoloso."

"Come vedi, ti ho pensato."

Babi mostra a Pallina due cuffie.

"Se mi pensavi veramente te ne facevi portare due."

"Parli sempre a sproposito! Io gliene avevo chiesti due. Ma mia zia ha finito i soldi e ne ha preso uno soltanto. Che ti importa! Tanto questo ha due cuffie e noi corriamo sempre insieme."

Pallina sorride all'amica. "Hai ragione."

Babi la guarda seria. "Lo so! Ma vuoi finire o no questa storia del telefono che si mangia?"

Babi e Pallina si guardano, poi scoppiano a ridere. Due ragazzi le incrociano. Vedendole così allegre le salutano speranzosi. Il loro coraggio però non è premiato. Pallina riprende il racconto.

"Allora, ogni telefono corrisponde a un numero, ma nessuno sa a quale. Quindi tu componi un numero da 0 a 20 ti risponde un altro tavolo ma tu non sai qual è. Per esempio, tu fai il 18 e ti risponde uno che magari sta nell'altra stanza. Puoi parlarci, raccontare barzellette, descriverti inventando di essere molto più bella di quello che sei o, come nel mio caso, molto meno. Chiaro no?"

Babi guarda l'amica alzando il sopracciglio.

Pallina fa finta di non farci caso. "Se sei sola o con delle amiche puoi prendere appuntamenti, fare la cretina. Capito? Forte, no?"

Babi sorride.

"Sì, mi sembra molto divertente. È proprio carino." Pallina cambia espressione.

"Certo non quando ti chiama un maleducato..."

"Perché, che è successo?"

"Be', a un certo punto arriva la pasta. Avevamo preso tutti e due penne all'arrabbiata. Non sai come erano forti, un pizzicore... Scottavano, poi. Ci soffiavo sopra per farle freddare e intanto chiacchieravo con Pollo. Poi squilla il telefono. Pollo fa per rispondere, ma io sono molto più veloce di lui, prendo la cornetta e faccio: "Qui la segretaria del dottor Pollo. Sempre molto simpatica io". Pallina fa una smorfia. Babi sorride. La storia inizia a interessarle.

"Be'? Continua!"

"Insomma, questo cafone dall'altra parte del telefono non sai che mi dice."

"Che ti dice?"

"Mi ha detto: 'Sei la segretaria del dottor Pollo. Be', te lo faccio senti' su fino al collo'."

"Carino, molto inglese."

"Sì, molto boro. Io prendo e gli sbatto il telefono in faccia e sicuramente sarò diventata rossa. Allora Pollo mi ha chiesto cosa mi avevano detto al telefono, ma io non gli ho risposto. Mi scocciava. Mi vergognavo. Allora sai lui che ha fatto? Mi ha preso per il braccio e mi ha portato in giro per il locale. Così ha pensato che quel boro vedendomi avrebbe avuto qualche reazione..."

"Sì, va bene, ma quello che ne sapeva che eri tu la ragazza che aveva risposto al telefono?"

"Lo sapeva, lo sapeva..."

"E perché lo sapeva?"

"Perché ero l'unica ragazza del ristorante."

Babi scuote la testa.

"Bel posto dove andare a mangiare. L'unica ragazza con tutti quei maniaci che ti telefonano per dire porcate... Be', allora come continua?"

"Continua che uno vedendomi scoppia a ridere. Pollo lo prende, gli sbatte la faccia nel piatto e gli versa la birra in testa!"

"Ben gli sta, così impara a dire certe cose!"

"Be', magari la lezione non l'ha capita tanto."

"Perché?"

"Perché quando Pollo è andato a pagare..."

"Eh certo... con i soldi tuoi..."

"Uffa... Un tipo basso mi si avvicina e mi dice: 'Oh, che fai, te ne vai? Mica ti sarai offesa eh? Io stavo scherzando, eh...'. Il boro era quest'altro. Capisci, quel poveraccio di prima non c'entrava niente..."

"Glielo hai detto a Pollo?"

"Scherzi? Così menava pure quell'altro?"

"No, che aveva sbagliato! Questi si comportano come dei giudici. Puniscono, picchiano e per di più commettono anche degli errori. La cosa tragica è che magari ti sei pure divertita."

Babi ora è veramente seria. Pallina se ne accorge. Per un po' corrono in silenzio, recuperando il fiato. Poi Pallina parla di nuovo. Questa volta anche lei è seria.

"Non so se mi sono divertita. So solo che ho avvertito una sensazione nuova, che non avevo mai provato prima. Mi sono sentita tranquilla e sicura. Sì, Pollo è andato lì, ha picchiato quello sbagliato ma mi ha difesa, capisci. Mi ha protetta."

"Ah sì? Be', è molto bello. Ma dimmi una cosa... chi è che ti protegge da lui?"

"Che noiosa che sei... mi proteggi tu, no?"

"Scordatelo. Io quello lì e l'amico suo non li voglio vedere. Assolutamente."

"Allora mi sa che non ci vedremo neanche noi."

"E perché mai?"

"Mi ci sono messa insieme."

Babi si ferma di botto.

"No, questo non me lo puoi fare!" Pallina continua a correre. Senza girarsi fa segno all'amica di seguirla.

"Dai, dai, forza, corri, non fare così. Lo so che sei felice. Sotto sotto magari, ma sei felice."

Babi riprende a correre. Allunga un po' il passo raggiungendola.

"Pallina, ti prego, dimmi che stai scherzando."

"Niente da fare, e mi piace un sacco."

"Ma come può piacerti un sacco?"

"Non lo so, mi piace e basta."

"Ma ti ha fregato i soldi."

"Me li ha restituiti, mi ha offerto il pranzo."

"Ma che vuol dire, allora è come se avessi pagato tu!"

"Meglio, così mi ci sono messa perché mi andava e non perché dovevo. Di solito, quando esci con un ragazzo e ti offre pizza e tutto il resto, dopo ti sembra quasi un obbligo baciarlo. Invece così è stata una libera scelta!"

Babi rimane per un po' in silenzio, poi si ricorda di una cosa.

"Glielo hai detto a Dema?"

"No che non gliel'ho detto!"

"Glielo dovrai dire!"

"Dovrai, dovrai. Glielo dirò quando mi andrà..."

"No, diglielo subito. Se lo viene a sapere da qualcun altro starebbe troppo male. È innamorato di te."

"Sei tu che sei fissata con questa storia. Non è assolutamente vero."

"È verissimo, e lo sai. Quindi quando torni a casa gli telefoni e glielo dici."

"Se mi va lo chiamo, se no, no."

"Sai che ti dico, sono felice che mia zia abbia portato un Sony solo, non te lo meriti." Babi comincia a correre più veloce. Pallina stringe i denti e decide di non mollare. "Tanto, se lo voglio, il Sony me lo regala Pollo."

"Eh certo, lo frega a me."

Pallina si mette a ridere. Babi fa ancora per un po' l'arrabbiata. Pallina le dà una piccola spinta.

"Dai, non litighiamo. Lo so che sei un'amica. Oggi ti sei pure sacrificata per salvarmi dall'interrogazione. Come ha preso tua madre la storia della nota?"

"Meglio di come ho preso io quella di Pollo!"

"La vedi molto tragica?"

"Drammatica."

"Senti, tu non lo conosci bene. È uno pieno di problemi. Non ha soldi, il padre lo tratta male. E poi è molto simpatico, con me è carino, sul serio."

"Non ti importa che non lo sia con gli altri?"

"Magari migliorerà."

Babi pensa che è tutto inutile. Quando Pallina si mette una cosa in testa, è quella.

"Va bene, basta. Staremo a vedere."

"Oh, così mi piaci." Pallina sorride. "Ti prometto che quando torno a casa telefono a Dema."

Be', Babi almeno una cosa l'ha ottenuta.

Babi e Pallina continuano a correre, in silenzio, per recuperare un po' di fiato. Sbucano nello spiazzo attrezzato per fare ginnastica. Dei bambini si lanciano giù, lungo gli scivoli, urlando. Madri preoccupate li seguono da vicino pronte a soccorrerli in quei tuffi da kamikaze. Un bel ragazzo alto e biondo e una ragazza un po' più bassa tentano di fare alcuni esercizi alle sbarre. Babi e Pallina correndo gli passano vicino. Il ragazzo vedendole smette di fare gli esercizi.

"Babi!"

Babi si ferma. È Marco. Sono più di otto mesi che non si vedono. Anche Pallina si ferma. Babi diventa rossa. È imbarazzata. Ma il cuore stranamente non comincia a batterle veloce come al solito. Marco la bacia sulla guancia. "Come stai?" Babi ha ritrovato il controllo.

"Bene, e tu?"

"Benissimo. Ti presento Giorgia." Marco le indica la ragazza. Babi le dà la mano e stranamente non si dimentica subito il suo nome come accade di solito quando ti presentano qualcuno. Anche Pallina la saluta, ma si vede benissimo che vorrebbe evitare quell'incontro. Marco comincia a parlare. Al solito. Frasi già sentite. Ti ho telefonato. Non ti fai mai sentire. Ho visto una tua amica o un tuo amico. Che stai facendo? Ah, certo, hai la maturità. Mi raccomando, fatti onore. Un tentativo di essere simpatico. Babi non ascolta quasi. Si ricorda tutti i momenti passati con lui, l'amore che ha provato, la delusione, le lacrime. Che sofferenza. Per uno così, poi. Lo guarda meglio. È ingrassato. Ha i capelli sporchi. Gli sembrano di meno. E che sguardo smorto. È privo di vita. Come ha potuto piacerle così tanto? Uno sguardo alla ragazza. Non merita neanche di essere presa in considerazione. Terribile, l'indifferenza. Si salutano così. Dopo aver parlato per cinque minuti e non essersi detti niente. Quel magico ponte è andato perduto. Babi ricomincia a correre. Si chiede dov'è andato a finire tutto l'amore che c'era. Come posso non provarlo più? Eppure era così grande. Si mette la cuffia del Sony. Gli U2 attaccano il loro ultimo successo. Babi alza il volume. Guarda Pallina. Lei le sorride con affetto. Il suo ciuffo balla nel vento. Le passa una cuffia. Se la merita. In fondo, Babi non lo sa, ma è lei che l'ha salvata.

20.

L'anno prima.

"Babi, Babi." Daniela bussa alla porta del bagno urlando. Ma Babi non sente. Sta sotto la doccia e come se non bastasse la radio lì vicina trasmette a tutto volume una canzone dell'anno precedente degli U2. Alla fine Babi sente qualcosa. Come un forte battere che va fuori tempo con il ritmo del batterista. Chiude l'acqua, poi, ancora gocciolante, allunga il braccio abbassando il volume.

"Che c'è?"

Daniela da fuori sospira.

"Finalmente, è un'ora che busso. C'è Pallina al telefono."

"Dille che sono sotto la doccia, la richiamo io fra cinque minuti."

"Ha detto che è una cosa urgentissima."

Babi sbuffa.

"Va bene! Dani, mi porti il telefono?"

"Già fatto." Babi apre la porta. Daniela è lì con il cordless in mano.

"Non starci troppo, che aspetto una telefonata di Giulia."

Babi si asciuga l'orecchio prima di poggiarlo sul telefono. "Che c'è di così urgente?"

"Niente, ti volevo salutare! Che fai?"

"Stavo facendo la doccia. Non so com'è, ma mi telefoni sempre quando sto sotto l'acqua."

"Ma non esci con Marco?"

"No, stasera andava a casa di un amico suo a ripetere. Ha l'esame fra due giorni. Biologia."

Pallina rimane per un po' in silenzio. Decide di non dire nulla.

"Benissimo, allora ti passo a prendere tra dieci minuti."

Babi prende un asciugamano piccolo e si friziona i capelli.

"Non posso."

"Dai vieni, ci andiamo a fare una pizza."

"E se poi mi chiama Marco? Lui ha staccato il suo telefonino, deve studiare... lui!"

"Lasci detto a Dani di telefonare più tardi, oppure ti trova sul tuo. Dai, torniamo presto!"

Babi cerca di replicare. Ma tutte le sue scuse – stanchezza, compiti non finiti e un incredibile desiderio di stare a casa in vestaglia e camicia da notte davanti alla tivù – sono inutili. Poco dopo è seduta in Vespa dietro Pallina che guida spericolata nel traffico delle nove.

Babi ha i capelli ancora bagnati, una felpa blu con la scritta California e l'aria scocciata.

"Mi farai prendere un accidente."

"Ma se fa caldo stasera!"

"Parlavo della tua guida."

Pallina rallenta e gira a destra a Ponte Milvio.

Babi si avvicina alla guancia di Pallina per farsi sentire.

"Che strada stai facendo?"

"Perché?"

"Non andiamo da Baffetto?"

"No."

"E che è successo?"

"Ogni tanto bisogna cambiare. Babi, sei diventata una metodica. Sempre da Baffetto, sempre otto in latino, sempre tutto uguale! A proposito, con chi stai adesso?"

"Come con chi sto? Con Marco no?"

Babi guarda sbalordita Pallina. Non sa perché, ma è sicura che a lei Marco non piaccia.

"Vedi Babi, anche lì sei troppo noiosa. Dovresti cambiare."

"Scherzi? Sono stracotta!"

"Non esagerare..."

"No, Pallina, sul serio. Mi importa un sacco!"

"Come può importartene così tanto, se ci stai da appena cinque mesi?"

"Lo so, però sono innamorata persa, forse perché è la mia prima storia importante."

Pallina scala le marce con rabbia. Già, la tua prima storia importante e proprio con quel verme, pensa Pallina. Poi mette la terza e imbocca piazza Mazzini. Poi scala in seconda e piega a destra. Babi le stringe i fianchi mentre a tutta velocità imboccano la terza traversa, quella della Nuova Fiorentina. Fabio, il figlio del proprietario, è sulla porta. Quando le vede, le saluta andando loro incontro. È molto legato a tutte e due. In realtà ha un debole per Babi, anche se l'ha sempre tenuto nascosto. Fabio le fa accomodare nella fila di tavoli a destra, appena entrati, vicino alla cassa. Da lì si può vedere tutto il locale. Un cameriere porta subito due liste per mangiare. Ma Pallina sa già cosa prendere.

"Qui fanno un calzone favoloso! C'è tutto: formaggio con le uova, mozzarella e pezzetti di prosciutto. Una cosa da svenire!"

Babi controlla sul menù se c'è qualcosa di meno deleterio per la sua dieta. Ma Pallina è convincente.

"Allora due calzoni e due birre medie chiare."

Babi guarda preoccupata l'amica.

"Pure la birra? Hai deciso di farmi scoppiare."

"Capirai, per una volta! Stasera dobbiamo festeggiare!"

"Che cosa?"

"Be', è un sacco che non uscivamo da sole."

Babi pensa che è vero. Ultimamente le poche volte che è uscita l'ha fatto sempre con Marco. Le fa piacere essere lì in quel momento, con la sua amica. Pallina sta trafficando con le tasche del suo giubbotto. Alla fine tira fuori un pettinino con degli strass e dei cuoricini di pietra dura colorata, si raccoglie i capelli e li trafigge bloccandoli.

Il suo bel viso tondo appare in tutta la sua chiarezza. Babi le sorride.

"È bellissimo quel pettinino. Ti sta molto bene."

"Ti piace? L'ho comprato a piazza Carli da Bruscoli."

"Ti spiace se ne prendo uno anch'io? Magari un po' diverso. Ne avevo uno sul genere ma l'ho perso."

"Scherzi, sono abituata a essere copiata. Sono una ragazza che fa tendenza. Lo sai che quando vado nei negozi ormai mi danno la roba gratis? Basta che me la metta. Da domani ho deciso, chiedo anche la percentuale!"

Ridono. In quel momento arrivano le birre. Babi le guarda. Sono enormi.

"E questa è la media? E se fosse stata la grande?"

Pallina tira su il suo boccale.

"Dai, non fare storie." Lo sbatte con forza contro quello di Babi. Un po' di birra schizza fuori spumeggiando sulla tovaglia.

"Alla nostra libertà."

Babi la corregge: "Provvisoria...".

Pallina le fa un piccolo sorriso come a dire: concesso. Poi bevono tutte e due. Babi è la prima a cedere. Arrivata a un quarto di boccale, smette di bere. Pallina continua ancora per un po' scolandosi più di metà birra.

"Ahhh." Pallina sbatte il boccale sul tavolo. "Questa ci voleva proprio."

E si pulisce la bocca strusciandosela violentemente con il tovagliolo. Ogni tanto la diverte assumere quell'aria da dura. Babi apre una busta dei grissini. Ne tira fuori uno leggermente abbrustolito e lo sgranocchia. Poi si guarda intorno nel locale. Gruppi di ragazzi chiacchierano divertiti facendo piccoli triangoli di una pizza al pomodoro. Ragazze raffinate si ostinano a mangiare con la forchetta perfino le olive ascolane. Una giovane coppia chiacchiera divertita aspettando di essere servita. Lei è una bella ragazza dai capelli scuri non troppo lunghi. Lui le versa gentilmente da bere. È di spalle. Babi non sa perché, ma gli sembra di conoscerlo. Un cameriere gli passa vicino. Il ragazzo lo ferma. Gli chiede che fine hanno fatto le loro pizze. Babi lo vede in faccia. È Marco. Il grissino le si spezza tra le mani mentre qualcos'altro le si spezza dentro. Ricordi, emozioni, momenti bellissimi, frasi dolci sussurrate cominciano a girare in un vortice di illusione. Babi sbianca. Pallina se ne accorge.

"Che succede?"

Babi non riesce a parlare. Le indica il fondo della sala. Pallina si volta. Il cameriere si sta allontanando da un tavolo. Pallina lo vede. Marco è lì, sorride a una ragazza seduta davanti a lui. Le accarezza la mano, fiducioso nell'arrivo delle pizze e soprattutto nel seguito della serata. Pallina si volta di nuovo verso Babi.

"Che figlio di puttana. Altro che frase comune. Gli uomini sono davvero tutti uguali! Aveva l'esame di biologia, eh? Quello lì si sta preparando per anatomia!" Babi in silenzio piega la testa verso il basso. Una lacrima ingenua le scivola lungo la guancia. Si ferma un attimo sul mento indecisa, poi, spinta dal dolore, spicca un salto nel vuoto.

Pallina guarda dispiaciuta l'amica.

"Scusa, non volevo."

Si toglie dalla tasca dei pantaloni una bandana colorata e gliela passa.

"Tieni, non è proprio indicata per la situazione, forse è un po' troppo allegra, ma è meglio di niente."

Babi scoppia in una strana risata che sa un po' di pianto. Poi si asciuga le lacrime e tira su con il naso. I suoi occhi lucidi, leggermente arrossati, tornano a guardare l'amica. Babi fa un'altra risata. In realtà suona come un singhiozzo. Pallina le accarezza il mento, portando via un'altra lacrima indecisa.

"Dai non fare così, non se lo merita quel verme. Quando la

trova più una come te? È lui che dovrebbe piangere. Non sa quello che ha perso. Sarà ridotto sempre a uscire con ragazze tipo quella."

Pallina si volta di nuovo a guardare il tavolo di Marco. Anche Babi lo fa. Un'altra fitta le stringe lo stomaco. La caccia al tesoro. Le passeggiate a Villa Glori, i baci al tramonto, guardarsi negli occhi e dirsi ti amo. Immagini dolcemente leggere svaniscono spazzate via da un vento di tristezza. Babi cerca di sorridere.

"Be', tanto brutta non mi sembra."

Pallina scuote la testa. Babi è incredibile, anche in questa situazione non riesce a non essere sincera. Babi prende la birra e ne beve un lungo sorso. Poi sbatte il boccale sul tavolo e si pulisce violentemente la bocca con il tovagliolo proprio come fa Pallina.

"Dio, come lo odio."

"Brava! Così mi piaci. Lo dobbiamo punire!" Pallina urta il boccale dell'amica, poi tutte e due finiscono la birra con un unico lungo e sofferto sorso. Babi leggermente confusa, non abituata a bere e a tutto il resto, sorride decisa all'amica.

"Hai ragione, gliela devo far pagare! Ho un'idea. Andiamo da Fabio!"

Marco ride divertito versando alla ragazza del freddo Galestro. Sa far divertire una donna almeno quanto non è in grado di scegliere un vino.

Quella sera la Nuova Fiorentina può andarne fiera. Non ha mai avuto un cameriere così carino. Una cameriera, per essere precisi. Babi avanza tra i tavoli con le pizze in mano. Non ha dubbi. Quella con la mozzarella senza alici è per Marco. Quante volte l'ha sentito ordinarla. Quante volte poi con amore gliene ha fatta assaggiare un pezzo, imboccandola.

Un'altra fitta. Decide di non pensarci. Si gira. Fabio e Pallina sono vicino alla cassa. Le sorridono incitandola da lontano. Babi prende coraggio. È stordita. La birra era buona e la sta aiutando ad arrivare al tavolo di Marco.

"Questa è per lei."

Posa la focaccia bianca al prosciutto con poco olio davanti alla ragazza che la guarda stupita.

"E questa è per te, verme!" Marco non fa in tempo a sorprendersi. La mozzarella senza alici gli cola sulla testa con tutto il pomodoro, mentre la pizza calda, bruciandolo, si trasforma in uno scomodo cappello. Fabio e Pallina scoppiano in un applauso, seguiti da tutto il ristorante. Babi, leggermente ubriaca, si inchina ringraziando. Poi si allontana con Pallina sottobraccio seguita dai divertiti commenti dei presenti e lo sguardo stupito della ragazza ignara.

Tornano in Vespa in silenzio. Babi si tiene abbracciata stretta stretta a Pallina. Ma non è paura. Per strada c'è molto meno traffico. Con la testa appoggiata sulla spalla dell'amica guarda gli alberi sfilare davanti a lei, le luci lontane rosse e bianche delle macchine. Un autobus arancione le passa vicino. Chiude gli occhi. Un brivido la prende, poi la abbandona. Sente freddo e caldo e si sente sola. Sempre in silenzio arrivano sotto casa. Babi scende dalla Vespa.

"Grazie Pallina."

"Di che? Non ho fatto niente."

Babi le sorride. "La birra era buonissima. Domani a scuola ti offro la merenda. Dobbiamo festeggiare."

"Che cosa?"

"La completa libertà." Pallina l'abbraccia. Babi chiude gli occhi. Le sfugge un singhiozzo, poi si stacca e scappa via. Pallina la guarda fare gli scalini di corsa e scomparire dentro il portone. Poi accende la Vespa e si allontana nella notte. Più tardi Babi mentre si spoglia tira fuori i soldi dalla tasca dei jeans. Quando infila la mano per vedere se c'è ancora qualcosa, rimane stupita. Fra tante lacrime, compare un sorriso. Il pettinino di Pallina con gli strass e i cuoricini colorati è lì. Glielo ha messo lei, mentre erano abbracciate.

Un piccolo regalo per farla stare su, per farla sorridere. C'è riuscita. Pallina è veramente un'amica. Marco invece, poveraccio, è stato veramente jellato. Babi sorride infilandosi il pigiama. In questa tragedia pensa che c'è qualcosa di divertente. Se fossimo andate come al solito da Baffetto non lo avremmo mai beccato. Babi si lava i denti. Che strano, proprio stasera abbiamo deciso di andare alla Nuova Fiorentina. Babi si infila sotto le lenzuola. Sì, Marco è stato proprio jellato, e spero che lo sia per tutta la vita.

Pallina gira a destra. Decide di passare a salutare il suo amico Dema.

Un gatto le attraversa la strada. Non controlla neanche se è nero o no. Pallina non crede alla sfiga. Lei preferisce mille volte la pizza di Baffetto al calzone della Nuova Florentina. Non la cambierebbe per nulla al mondo. Ma quella sera, quando Fabio le ha telefonato dicendole che lì da lui c'era il ragazzo di Babi con un'altra, non ha avuto dubbi. È l'occasione che aspettava da tempo. Ha saputo troppe storie sul conto di Marco. Non possono essere solo voci. Ma se gliel'avesse raccontato, era sicura che Babi non le avrebbe creduto. O forse sì. E allora si sarebbe rovinata un'amicizia. Meglio dare la colpa al destino. Pallina citofona a Dema. Le risponde una voce insonnolita.

"Pronto, ma chi è?"

"Pallina. Tutto fatto."

"L'avete beccato?"

"In flagrante! Come un topo con il formaggio in bocca o meglio come un verme con la pizza in testa!"

"Perché, che è successo?"

"Se scendi ti racconto."

"E come l'ha presa Babi?"

"Malino..."

"Aspetta, mi vesto e scendo."

Pallina si pettina indietro i capelli. Solo per un attimo rimpiange il suo pettinino. Povera Babi, ma meglio così. Forse avrebbe sofferto un po'. Ma meglio adesso che dopo. Quando sarebbe stata più presa. Presto sarebbe tornata allegra. E il sorriso di un'amica vale molto più di un pettinino, molto più di una pizza Margherita. Anche se da Baffetto.

21.

Sotto la doccia Babi si pettina i capelli pieni di balsamo. I 103.10 della radio trasmettono gli ultimi successi americani. Anastacia è salita al terzo posto. Babi manda la testa indietro cullata da quel lento motivo sotto la doccia. Una cascata d'acqua leggera porta via il balsamo, scivolandole lungo il viso, sfiorandole i tratti, le morbide sporgenze.

Qualcuno bussa alla porta.

"Babi... Ti vogliono al telefono."

È Daniela.

"Arrivo subito." Si avvolge rapida in un asciugamano e va alla porta. Daniela le dà il cordless.

"Fai presto che aspetto la telefonata di Andrea." Babi si chiude di nuovo in bagno e si siede sul morbido copritazza.

La voce di Pallina è squillante.

"Eri sotto la doccia?"

"Naturale, se no non mi avresti chiamato! Che c'è di così urgente?"

"Mi ha telefonato Pollo dieci secondi fa. Ha detto che è stato benissimo con me. Si è scusato per quello che è successo al ristorante e mi vuole vedere. Ha chiesto se stasera vado con lui alle corse."

"A quali corse?"

"Stasera vanno tutti quanti sull'Olimpica con le moto e fanno le gare. Velocità, su una ruota sola in due. Ti ricordi, ce l'ha raccontato Francesca che c'è stata. Ha detto che è fichissimo. Lei ha fatto perfino la camomilla...!"

"La camomilla?"

"Sì, quelle che vanno dietro le chiamano così perché hanno la cinta doppia di Camomilla per legarsi a quello che guida. La regola è che devono stare girate a faccia indietro."

"Girate a faccia indietro? Pallina ma che, sei diventata cretina? Quasi mi dispiace di essermi sacrificata per te..."

"Ma sacrificata di che?"

"Come di che? La nota e tutto il resto!"

"Capirai, ora la stai facendo lunga con questa nota!"

"Intanto sono in punizione e non posso uscire fino a lunedì."

"Va bene, ma infatti io mica ti sto chiedendo di venire con me. Volevo solo un consiglio. Che dici, ci vado?"

"Andare a vedere quelli che corrono è ancora più da deficienti che andare a correre con le moto. Poi fai come ti pare."

"Oh, forse hai ragione. A proposito. Gliel'ho detto a Dema che mi sono messa con Pollo. Sei contenta?"

"Io? Ma a me che m'importa. L'amico è tuo. Ti ho detto solo che, secondo me, se lo veniva a sapere da un altro, ci rimaneva male!"

"Sì, ho capito. Invece è rimasto benissimo. Anzi mi è sembrato felice. Vedi che ti eri sbagliata. Non è vero che è innamorato di me."

Babi si avvicina allo specchio. Con l'asciugamano toglie un po' di vapore. Appare la sua immagine con il telefono in mano e l'aria scocciata. A volte Pallina è proprio stressante.

"Be', meglio così, no?"

"Sai che ti dico, Babi? Mi hai convinto. Non ci vado alle corse."

"Brava! Ci sentiamo dopo."

Babi esce dal bagno. Passa davanti a Daniela e le restituisce il telefono. Daniela non dice nulla, ma ha l'aria scocciata, come a dire che la sorella è stata troppo al telefono. Babi va in camera sua e comincia ad asciugarsi i capelli. Entra Daniela con il telefono. "È Dema. È inutile dire che vale la stessa cosa di prima."

Babi spegne il phon e prende il telefono.

"Ciao Dema, come stai?"

"Malissimo."

Babi ascolta in silenzio. Sembra quasi che *Un'emozione per sempre*, la canzone di Eros, sia stata scritta per lui. "Vorrei poterti ricordare così..." Ma in che modo, se non ha niente da ricordare? Babi rinuncia a dirglielo. Anche perché Dema le fa mille domande.

"Ma come, dopo tutto il tempo che ho passato dietro a lei, si va a mettere con questo? Ma chi è poi?"

"Si chiama Pollo, non so altro."

"Pollo? Che nome! Cosa spera di trovarci? È un violento, uno di quei teppisti che sono venuti l'altra sera alla festa di Roberta! Bella gente, e Pallina se ne è innamorata!"

"Mah, innamorata Dema... Le piacerà!"

"No, no, innamorata. Me l'ha detto lei!"

"Sai quante cose dice Pallina no? La conosci meglio di me. Stasera per esempio vuole andare a vedere le corse sull'Olimpica... Cinque secondi dopo cambia idea. Vedi com'è? Magari fra un po' si accorge dello sbaglio che ha fatto e torna indietro. Su, Dema, vedrai che andrà così."

Dema rimane in silenzio. Ha creduto alle sue parole o comunque ha voluto crederci. Poveraccio, pensa Babi. E meno male che non era innamorato!

"Sì, forse hai ragione. Magari andrà proprio così."

"Vedrai, Dema, è solo questione di tempo."

"Sì, speriamo solo che non ce ne voglia troppo." Poi cerca di fare lo spiritoso. "Babi, per favore, non dire niente a Pallina di questa telefonata!"

"Figurati, e stai su, eh?"

"Sì, grazie." Attaccano.

Entra Daniela.

"Ma dai, Pallina si è messa con Pollo, pazzesco! E Dema naturalmente è distrutto!"

"Già, poveraccio, è una vita che le sta dietro."

"Non ha speranze! È il classico amico delle donne."

Dopo questo duro giudizio Daniela si allontana con il telefonino, ma non fa in tempo a uscire dalla stanza che risuona.

"Pronto. Sì, ciao, ora te la passo. Babi ti prego, non ci stare un'ora."

"Chi è?"

"Pallina."

"Tenterò!" Babi prende il telefono.

"Ti sei lasciata con Pollo?"

"No!"

"Peccato..."

"Con chi parli che è sempre occupato?"

"Con Dema, è distrutto."

"No!"

"Sì, l'ha presa malissimo! Poveraccio, mi ha detto di non dirtelo. Mi raccomando, fai finta di non sapere niente, eh!"

"Forse non dovevo dirgli che mi sono messa con Pollo."

"Ma che dici Pallina, lo veniva a sapere ed era peggio."

"Potevo sperare di rimandare fino all'ultimo."

"Ma all'ultimo che? Potevi non mettertici e basta."

"Non tocchiamo questo tasto. Piuttosto, ho deciso che nella vita è molto più divertente essere deficienti..."

"Quindi?"

"Quindi, vado alle corse."

Babi scuote la testa. I capelli ormai si stanno asciugando da soli.

"Bene, divertiti."

"Mi ha chiamato Pollo e mi passa a prendere fra un po'. Ma che dici, secondo te devo andare lì a divertirmi o fare quella che guarda le corse e un po' si annoia?"

Questo è troppo. Babi esplode.

"Senti Pallina. Vai alle corse, vai in moto, fai le pinne, mettiti con tutti i teppisti di questo mondo ma, ti prego, non fare Moretti!"

Pallina scoppia a ridere.

"Hai ragione. Senti, mi devi fare un ultimo piacere. Siccome non so a che ora finiscono le corse, ho detto a mia madre che poi vengo a dormire da te."

"E se chiama tua madre?"

"Ma figurati. Quella non mi cerca mai... Piuttosto devi lasciarmi le chiavi sotto il tappetino del portone. Al solito posto."

"Va bene."

"Oh, non te ne dimenticare eh! Povero Dema! Secondo te devo fare qualcosa?"

"Pallina, mi sembra che per oggi hai già fatto abbastanza."

Babi spegne il telefono. Daniela quasi glielo strappa dalle mani.

"Per fortuna che ti ho chiesto di starci poco, eh."

"Che ci posso fare! Hai sentito no che macello è successo. Mi raccomando, non dirlo a nessuno di Pollo e Pallina."

"A chi vuoi che lo dica?"

Il telefono squilla di nuovo. È Giulia.

"Si può sapere chi è caduto dentro la cornetta?"

"Ciao Giuli. Scusa eh, era mia sorella."

Daniela va in camera sua. Fa appena in tempo a chiudere la porta, poi non resiste.

"Giulia non sai la notizia. Pallina si è messa con Pollo!"

"No!"

"Sì! Dema è distrutto, ma mi raccomando, non dirlo a nessuno!"

"Ma certo, figurati." Giulia ascolta il resto della storia già pensando a cosa avrebbero detto più tardi Giovanna e Stefania.

22.

Babi esce dalla sua camera. Ha la vestaglia rosa morbida trapuntata, sotto un pigiama di felpa azzurro e ai piedi calde pantofole. Dopo la doccia si è ripresa dalla fatica del footing, ma non è affatto allegra. Quella sera la dieta non le permette altro che una misera mela verde. Attraversa il corridoio. Proprio in quel momento sente girare le chiavi nella toppa della porta. Suo padre.

"Papà!" Babi gli corre incontro.

"Babi."

Suo padre è infuriato. Babi si ferma.

"Che è successo? Non mi dire che non ho messo bene la Vespa, che non sei riuscito a entrare in garage..."

"Ma che mi frega della Vespa! Oggi sono venuti da me gli Accado."

A quelle parole Babi sbianca. Come ha fatto a non pensarci prima? Avrebbe dovuto raccontare ai suoi tutto quello che era successo.

Raffaella, che ha appena finito di lavare due mele verdi preparando così la cena, arriva in salotto.

"Che vogliono da te gli Accado? Che è successo? Che c'entra Babi?"

Claudio guarda sua figlia.

"Non lo so. Diccelo tu Babi, cosa c'entri?"

"Io? Io non c'entro niente!"

Daniela compare sulla porta.

"È vero, lei non c'entra niente!" Raffaella si gira verso Daniela.

"Stai zitta tu, nessuno ti ha interrogata."

Claudio prende Babi per un braccio.

"Forse non è colpa tua, ma quello che era con te c'entra eccome! Accado è andato all'ospedale. Ha il setto nasale fratturato in due punti. L'osso è rientrato, e il medico ha detto che bastava mezzo centimetro in più perché gli bucasse il cervello."

Babi rimane in silenzio. Claudio la guarda. Sua figlia è sconvolta.

Le lascia il braccio. "Forse non hai capito Babi, mezzo centimetro in più e Accado moriva..."

Babi deglutisce. La fame le è passata. Ora non le va più neanche la mela. Raffaella guarda preoccupata la figlia, poi, vedendola così sconvolta assume un tono calmo e tranquillo.

"Babi, per favore, puoi raccontarmi com'è andata questa storia?"

Babi alza gli occhi. Sono chiari e spaventati. È come se la vedesse per la prima volta quella sera. Comincia con un "Niente mamma" e va avanti raccontandole tutto. La festa, gli imbucati, Chicco che ha chiamato la polizia, quelli che hanno fatto finta di fuggire e invece li hanno aspettati sotto casa. L'inseguimento, la BMW distrutta. Chicco che si è fermato, quel ragazzo con la moto blu che lo ha picchiato, Accado che è intervenuto e quel ragazzo che ha menato pure lui.

"Ma come, e Accado ti ha lasciato con quel teppista? Con quel violento, e non ti ha portato via?"

Raffaella è sconvolta. Babi non sa cosa rispondere.

"Forse avrà pensato che era un mio amico, che ne so. So solo che dopo le botte sono scappati tutti e io sono rimasta sola con lui."

Claudio scuote la testa.

"E certo che Accado è scappato. Rischiava di morire dissanguato con quel naso rotto. Tanto è finita per quel ragazzo. Filippo l'ha denunciato. Oggi sono venuti da me in ufficio a raccontarmi tutta la storia per correttezza. Hanno detto che procederanno per vie legali. Vogliono sapere nome e cognome di quel ragazzo. Come si chiama?"

"Step."

Claudio guarda perplesso Babi.

"Come Step?"

"Step. Si chiama così. Almeno, io l'ho sempre sentito chiamare così."

"Ma che, è americano?"

Daniela interviene.

"Ma che americano papà! È un soprannome."

Claudio guarda le figlie.

"Ma questo ragazzo avrà pure un nome?"

Babi gli sorride.

"Certo che lo avrà, ma io non lo so."

Claudio perde di nuovo la pazienza.

"Ma come faccio io a dire agli Accado che mia figlia va in giro con uno che non sa neanche come si chiama."

"Io non vado in giro con lui. Stavo con Chicco... te l'ho già detto."

Raffaella interviene.

"Sì, ma poi sei tornata a casa in moto con lui."

"Mamma, ma se Chicco e gli Accado sono scappati, come tornavo? Stavo lì per strada, di notte? Che facevo, tornavo a casa da sola? Ci ho provato. Ma dopo un po' si è fermato uno tremendo con la Golf a darmi fastidio e allora mi sono fatta accompagnare."

Claudio non crede alle sue orecchie.

"Finisce che questo Step lo dobbiamo pure ringraziare!"

Raffaella guarda arrabbiata le figlie.

"Non possiamo fare una figura simile. Avete capito? Voglio sapere al più presto il nome di questo ragazzo. È chiaro?" Babi si ricorda di quella mattina quando ha parlato con Daniela. Era ancora presto, lei era ancora insonnolita, ma non ha dubbi.

"Dani, tu lo sai come si chiama. Diglielo!"

Daniela guarda Babi sbalordita. Ma che, è pazza? Diglielo? Denunciare Step? Si ricorda quello che hanno fatto a Brandelli e molte altre storie che ha sentito. Le avrebbero distrutto la Vespa, l'avrebbero picchiata, violentata. Ci sarebbero state scritte terribili sui muri della scuola con il suo nome e cose sconce che purtroppo non ha ancora mai fatto. Denunciarlo? In un attimo solo perde la memoria.

"Mamma, io so solo che si chiama Step."

Babi si scaglia contro la sorella.

"Bugiarda! Sei una bugiarda! Io non me lo ricordo, ma stamattina me l'hai detto come si chiama. Tu e le tue amiche lo conoscete benissimo."

"Ma che stai dicendo?"

"Sei solo una vigliacca, tu non lo vuoi dire perché hai paura! Tu lo sai come si chiama."

"No, non lo so."

"Sì che lo sai!"

Babi improvvisamente si ferma. È come se qualcosa nella sua mente si fosse aperto, slegato, chiarito. Se l'è ricordato.

"Stefano Mancini. Ecco, questo è il suo nome. Lo chiamano Step."

Poi guarda la sorella e cita le sue parole: "Io e le mie amiche lo chiamiamo 10 e lode".

"Brava, Babi." Claudio tira fuori dalla tasca un foglietto sul quale annota sempre tutto. Si segna il nome prima di dimenticarlo. Mentre scrive si innervosisce. Ha letto qualcosa che avrebbe dovuto fare, ma ormai è troppo tardi.

Daniela guarda la sorella.

"Ti senti forte, eh? Non capisci cosa ti faranno? Ti distruggeranno la Vespa. Ti picchieranno, scriveranno di te sui muri della scuola."

"Capirai, la Vespa è già distrutta. Sui muri dubito che scriveranno qualcosa, anche perché non credo proprio che qualcuno di loro sappia scrivere. E se vorranno farmi del male, mio padre mi proteggerà, vero?"

Babi si gira verso di lui. Claudio pensa ad Accado, immagina il dolore che si deve provare quando ti spaccano il naso.

"Certo Babi, ci sono io."

Si chiede quanto ci sia di vero in quell'affermazione. Forse poco. Ma è servita allo scopo. Babi, ora più tranquilla, va in cucina. Prende la sua mela verde e la lava di nuovo. Poi, tenendola sollevata nel vuoto per il picciolo, comincia a girarla. Ogni giro, una lettera. Quando il picciolo si stacca, ecco, quella è l'iniziale di chi ti pensa. A, B, C, D. Il picciolo si stacca con un rumore secco.

È uscita la D. Chi conosce che inizia per D? Nessuno, non le viene in mente nessuno. Per fortuna non è uscito S. È difficile che un picciolo resista tanto. Ma anche se fosse uscita quella lettera non se ne sarebbe preoccupata più di tanto. Non ha paura. Babi passa davanti a sua madre. Le sorride. Raffaella la guarda allontanarsi. È orgogliosa di sua figlia. Babi sì che ha preso da lei. Non come Daniela. La sua paura in fondo è giustificata. Daniela è tutta suo padre. Claudio mette il completo grigio sul letto.

"Ah, tesoro, hai comprato la caffettiera grande?"

"No, me ne sono dimenticata."

Raffaella si chiude in bagno. Ma come, pensa Claudio, l'ho pure scritto sulla lista della spesa. Decide di non dire nulla giustificando così ancora di più il carattere di Daniela. Claudio, scelta una camicia, la butta sul letto. Poi ci mette sopra la sua cravatta preferita. Chissà, forse stasera riuscirà a mettersela.

I genitori escono, raccomandandosi come ogni sera di non aprire a nessuno. Subito dopo Babi corre giù in vestaglia, e senza farsi vedere nasconde le chiavi di casa sotto il tappeto del portone. Chissà dov'è Pallina in questo momento. Alle corse delle moto sull'Olimpica. Contenta lei...

Daniela sta nel corridoio. Parla con Andrea Palombi al telefono mentre con una penna scarabocchia i loro nomi e alcuni cuoricini su un foglio. Andrea, sentendo che Daniela non risponde, si incuriosisce.

"Dani, ma che stai facendo?"

"Niente."

"Come niente? Sento dei rumori."

"Sto scrivendo."

"Ah, e che cosa scrivi?"

"Ma niente..." mente. "Sto facendo dei disegni."

"Ah, ho capito. E tu disegni mentre parli con me?"

"Ma no, ti ascolto. Ho capito tutto."

"Allora ripeti."

Daniela sbuffa.

"Il lunedì, mercoledì e venerdì vai in palestra e martedì e giovedì a inglese."

"A che ora?"

Daniela ci pensa un attimo.

"Alle cinque."

"Alle sei. Lo vedi che non stai ascoltando."

"Ma sì, è che non me lo ricordo. Hai capito invece perché prima non potevo parlare?"

"Sì, perché c'erano i tuoi che ti stavano salutando."

"Appunto: ti facevo sì, ehm, eh. E tu non capivi."

"Come faccio a capirlo se tu non me lo dici?"

"Come faccio a dirtelo se i miei stanno lì davanti? Ma guarda che sei forte! Ho un'idea: dobbiamo decidere una parola convenzionale per quando non possiamo parlare."

"Tipo?"

"Che ne so, pensiamoci..."

"Potremmo dire il nome della mia scuola di inglese."

"Qual è?"

"Allora lo vedi che non mi ascolti! British."

"Sì, British mi piace."

Babi passa in quel momento nel corridoio e si ferma davanti alla sorella.

"È possibile che stai sempre al telefono?"

Daniela non le risponde. Decide di sfruttare subito la nuova parola.

"British."

Andrea rimane un attimo perplesso. "Che c'è, non puoi parlare?"

"E certo! Se no perché dico British? Così, senza senso. Allora che lo abbiamo deciso a fare?"

"Va bene, ma che ne so che ora non puoi parlare?"

"Eh no, lo devi sapere. Ho detto British."

"Sì, però ho pensato che magari stai provando come ti suona."

La loro discussione non proprio metafisica è interrotta improvvisamente dalla voce inflessibile di una signorina Telecom. "Attenzione. Telefonata urbana urgente per il numero..."

Daniela e Andrea rimangono in silenzio. Attendono la prima cifra che avrebbe deciso chi dei due è più ricercato. "3... 2...". Daniela copre la voce della signorina. "È per me. Sarà Giulia!"

"Ci sentiamo dopo?"

"Sì, ti telefono quando ho finito. British!" Andrea ride. In quel caso vuole dire qualcosa tipo "Ti voglio bene".

"Anch'io." Attaccano. Babi guarda la sorella. Strano che abbia ubbidito così presto.

"Ci hanno fatto l'urbana urgente."

"Mi sembrava! È troppo strano che tu attacchi solo perché te l'ho detto io. Saranno papà e mamma scocciati che devono dirci qualcosa e trovano sempre occupato."

"Ma che! Questa è sicuramente Giulia, avevamo detto che ci risentivamo."

Rimangono così ad aspettare in silenzio vicino al telefono. Pronte ad alzare la cornetta al primo squillo. Come due partecipanti a un quiz televisivo dove devi spingere per primo il pulsante e dare la risposta esatta. Il telefono squilla. Daniela è più veloce.

"Giulia?" Risposta sbagliata. "Ah, mi scusi, sì ora gliela passo. È per te." Babi strappa la cornetta dalle mani di Daniela.

"Sì, pronto?"

Quel senso di soddisfazione diventa subito un grave imbarazzo. È la madre di Pallina. Daniela sorride. "Non ci stare molto, eh?"

Babi prova a colpirla con un calcio. Daniela lo schiva.

Babi si concentra sulla telefonata. "Ah, sì signora, buonasera." Ascolta la madre di Pallina. Naturalmente vuole sua figlia. "Veramente sta dormendo." Poi, rischiando come non mai: "Vuole che gliela sveglio?". Babi socchiude gli occhi e stringe i denti in attesa della risposta.

"No, non ti preoccupare. Posso dire a te."

È andata.

"Domani mattina sono riuscita a farmi dare appuntamento per le analisi del sangue. Quindi dovresti dirle di non mangiare appena sveglia e che la vengo a prendere io verso le sette. Entrerà alla seconda ora, se non facciamo troppo tardi." Babi ormai è rilassata.

"Sì, intanto la prima ora abbiamo religione..." Babi pensa che quella materia per la sua amica è del tutto inutile. L'anima di Pallina, tra bugie e fidanzati violenti, è andata completamente perduta.

"Mi raccomando Babi, non farla mangiare."

"No, signora. Non si preoccupi."

Babi attacca. Daniela le passa vicino pronta a impadronirsi di nuovo del telefono.

"Ti è andata bene, eh?"

"È andata bene a Pallina. Se la becca sono affari suoi. Io che c'entro?" Babi prova subito a chiamare sul telefonino di Pallina. Niente da fare: è staccato. E certo. Sta dormendo da me e a casa mia non prende. Che telefono a fare? Ma di che mi preoccupo? Al massimo rischia lei. Anzi, non mi devo neanche innervosire.

Babi si fa una camomilla. Due fette di limone, una bustina di Dietor ed eccola lì sul divano. Le gambe piegate all'indietro, i piedi infilati nella piega di un cuscino, lì dove fa più caldo. Si mette a guardare la televisione. Daniela naturalmente richiama Andrea. Gli racconta la storia di Pallina, la telefonata della madre, il bluff di Babi e tante altre cose che per loro sono divertentissime. Nella televisione del salotto un po' di zapping. Una trasmissione sulle civiltà antiche, una storia d'amore più contemporanea, un quiz troppo difficile. Babi rimane un attimo sul divano a pensare. No. Questa risposta proprio non la sa. La voce di Daniela arriva dal corridoio allegra e divertita. Parole d'amore si confondono dolci tra fresche risate. Babi spegne la tele. Pallina sarebbe tornata prima delle sette.

"Buonanotte Dani."

Daniela sorride alla sorella.

"Buonanotte."

Babi non tenta neanche di ripeterle di non tenere occupato il telefono. A cosa sarebbe servito poi? Si lava i denti. Mette sulla sedia la divisa per il giorno dopo, prepara la borsa e si infila nel letto. Dice una preghiera fissando il soffitto. Si ritrova un po' distratta. Poi spegne la luce. Si gira nel letto provando a prendere sonno. Niente da fare. E se Pallina fosse andata direttamente a scuola? Quella è capace di tutto. Magari fa nottata e si fa accompagnare da Pollo alla Falconieri mentre sua madre viene a prenderla da lei. Mannaggia a Pallina! Ma perché non fa l'innamorata semplice? Sta due ore al telefono come sua sorella e pace. Non fa tanti danni, solo una bolletta un po' più salata. No, lei deve andare alle corse. Deve fare la donna del duro. Mannaggia a Pallina! Scende dal letto e si veste veloce. Si infila giusto una felpa e un paio di jeans, poi va in camera di Daniela e prende le sue Superga blu. Passa davanti alla sorella. Naturalmente sta ancora al telefono.

"Vado ad avvisare Pallina."

Daniela la guarda sbalordita.

"Vai alla serra? Voglio venire anch'io."

"Alla serra? Vado sull'Olimpica. Dove fanno le corse."

"Eh! Si chiama la serra."

"E perché?"

"Per tutti i fiori che ci sono lungo la strada! Per quelli che sono morti."

Babi si passa la mano sulla fronte.

"Ci mancava solo questa... La serra!"

Prende il giubbotto appeso in corridoio e fa per uscire. Daniela la ferma.

"Ti prego, Babi, portami con te!"

"Ma che, siete diventate tutte matte? Te io e Pallina che ce ne andiamo in giro alla serra. Magari facciamo pure una corsa in moto, eh?"

"Se ti metti la cinta di Camomilla ti scelgono loro e ti portano dietro, dai prendi la mia, pensa che forza, fai la 'camomilla'..."

Babi pensa a quella che si è bevuta per andare a letto. Tutto inutile. Si tira su il bavero del giubbotto. Le sembra di essere seduta di fronte a un conduttore con un quiz tutto per lei. Cosa stai andando a fare laggiù? Perché vai alla serra, tra mazzi di fiori per quelli che sono morti? Su quella strada dove gruppi di scatenati in moto rischiano di fare la stessa fine? La risposta le sembra facile. Va ad avvisare Pallina di tornare prima delle sette. Quella Pallina che ama essere nei posti assurdi, la Pallina che non sa niente di latino. La Pallina alla quale lei ama suggerire anche se questo vuole dire prendere una nota. Sì, lei va lì soprattutto per la sua amica Pallina. O almeno questo è quello di cui vuole essere convinta.

"Daniela, non te lo ripeto più. Attacca quel telefono." Poi esce di corsa, con il pettinino con gli strass tra i capelli e il cuore che stranamente le batte forte.

23.

Ai bordi della grande strada dalla ampia curva c'è molta gente. Alcune jeep Patrol con le portiere aperte sparano musica a tutto spiano. Dei ragazzi coi capelli sul biondo tinto, con magliette e cappellini americani, dal fisico asciutto, si fingono surfisti e in pose statuarie si passano, salutisti, una birra. Poco più in là, vicino a un Maggiolone scoperto, un altro gruppetto, molto più realista, si adopera per farsi una canna.

Più avanti, alcuni signori, in cerca di una serata emozionante, sono intorno a una Jaguar. Vicino a loro, un'altra coppia di amici guarda divertita quell'assurdo carosello.

Motorini su una ruota sola, moto che sfrecciano veloci rombando, frenate e sgasate, ragazzi che passano in piedi sulle pedaline guardando in giro se c'è gente che conoscono, altri che salutano amici.

Babi con il suo Vespino truccato affronta la dolce salita. Arrivata in cima, rimane senza parole. Clacson diversi, acuti e profondi, suonano come impazziti. Motori rombanti si rispondono ruggendo. Luci di fari, colorati in maniera diversa, illuminano la strada come se fosse un'enorme discoteca.

In un piccolo slargo c'è un chioschetto di quelli mobili che vende bibite e panini caldi. Sta facendo affari d'oro. Babi si ferma lì davanti e mette il cavalletto alla Vespa. La chiude. Un Free su una ruota sola le sfreccia talmente vicino che Babi quasi perde l'equilibrio. Un ragazzo di quindici anni al massimo ricade sulla ruota davanti ridendo sguaiatamente. Frena facendo una sgommata e riparte nel senso inverso. Pinna di nuovo con le gambe scomposte, leggermente sbilanciato.

Babi si guarda distratta in giro. Poi riprende a camminare, urta un tipo con i capelli a spazzola con il giubbotto nero di pelle e un orecchino a destra. Sembra avere una gran fretta.

"Guarda dove cazzo vai, no?"

Babi si scusa. Ancora di più si chiede cosa stia facendo in

quel posto. A un certo punto vede Gloria, la figlia degli Accado. Sta lì, seduta per terra, su un giubbotto di jeans. Vicino c'è
Dario, il suo ragazzo. Babi le si avvicina.

"Ciao Gloria."

"Ciao, come stai?"

"Bene."

"Conosci Dario?"

"Sì, ci siamo già visti."

Si scambiano un sorriso cercando di ricordarsi dove e
quando.

"Senti, mi dispiace per quello che è successo a tuo padre."

"Ah sì? Be', a me non me ne frega niente. Gli sta bene. Così impara a farsi i cavoli suoi. Si mette sempre in mezzo, vuole sempre dire la sua. Finalmente ha trovato uno che lo ha messo al suo posto."

"Ma è tuo padre!"

"Sì, ma è anche un gran rompicoglioni."

Dario si è acceso una sigaretta.

"Condivido. Anzi, di' a Step grazie da parte mia. Sai che
non mi fa salire in casa? Devo aspettare sempre giù per uscire con Gloria. Non che me ne freghi niente di vedere lui. È una
questione di principio, no?"

Babi pensa a quale principio si ispiri. Dario passa la sigaretta a Gloria.

"Certo, se gliela davo io la capocciata, erano cazzi amari."

Dario scoppia a ridere.

Gloria dà un tiro, poi guarda Babi sorridendo.

"Ma che, ti sei messa con Step?"

"Io? Ma sei pazza? Vi saluto, devo trovare Pallina."

Si allontana. Ha sbagliato. Sono tutti e due pazzi. Una figlia felice che il padre sia stato preso a capocciate. Il suo ragazzo dispiaciuto perché non gliel'ha potute dare lui. Roba
da non credere. Su una piccola altura, dietro una rete bucata, c'è Pollo. È seduto su una grossa moto e chiacchiera allegramente con una ragazza che tiene abbracciata fra le gambe. La ragazza ha un cappello blu con la visiera e la scritta
NY davanti. I capelli neri raccolti a coda le escono dal cappello tra la chiusura e la cucitura. Indossa un giubbotto con
le maniche plastificate bianche da tipica ragazza pompon
americana. La doppia cinta di Camomilla, un paio di panta-
collant blu scuri e le Superga in tinta la rendono un po' più
italiana. Quella pazza scatenata che ride e muove divertita la
testa baciando ogni tanto Pollo è Pallina. Babi si avvicina.
Pallina la vede.

"Ehi ciao, che sorpresa!" Le corre incontro e la abbraccia. "Come sono felice che sei venuta."

"Io per niente. Anzi, vorrei andarmene al più presto!"

"A proposito, che ci fai qua? Non è da cretini venire alle corse?"

"Infatti sei proprio una cretina. Ha telefonato tua madre!"

"No...? E tu che le hai detto?"

"Che dormivi."

"E ci ha creduto?"

"Sì."

Pallina fa un fischio. "Meno male!"

"Sì, ma ha detto che domani mattina ti passa a prendere presto, che devi andare a fare le analisi e salti la prima ora."

Pallina fa un salto di gioia.

"Yahooo!" Il suo entusiasmo però finisce presto. "Ma domani alla prima abbiamo religione, no?"

"Già."

"Che palle, non le posso fare venerdì le analisi che c'è italiano?"

"Be', comunque ti passa a prendere alle sette, quindi vedi di tornare presto, eh..."

"Ma dai, rimani!" Pallina prende sottobraccio Babi e la trascina verso Pollo. "A che ora finisce qui?"

Pollo sorride a Babi che lo saluta rassegnata.

"Presto, massimo due ore ed è finito tutto. Poi ci andiamo a mangiare una bella pizza, eh?"

Pallina guarda entusiasta l'amica.

"E dai, non fare la morta!" dice mentre Pollo sorride e si accende una sigaretta. "Dai, che c'è pure Step... sarà felice di vederti."

"Sì, ma non lo sono io! Pallina, io torno a casa. Vedi di far presto. Non voglio passar guai con tua madre per colpa tua!"

Babi nota una targa per terra sul bordo della strada. È in legno, e al centro c'è la foto di un ragazzo con vicino un tondo metà nero e metà bianco. Il simbolo della vita. Quella stessa vita che il ragazzo non ha più. E poi una scritta: "Era veloce e forte, ma con lui il Signore non è stato poi un vero signore. Non ha voluto dargli la rivincita. Gli amici".

"Begli amici che siete! E fate pure i poeti! Preferisco essere da sola piuttosto che avere degli amici come voi che mi aiutano ad ammazzarmi."

"Che cazzo vieni a fare qua se non ti sta bene niente?" dice Pollo buttando la sigaretta.

Poi la sua voce. "È possibile che non riesci ad andare d'accordo con nessuno? Hai proprio un caratteraccio, eh?"

È Step. Fermo di fronte a lei con il suo sorriso spavaldo.

"Si dà il caso che io vada d'accordo con tutti. Nella mia vita non ho mai avuto discussioni, forse perché ho sempre frequentato un certo tipo di gente. È ultimamente che le mie conoscenze sono peggiorate, forse per colpa di qualcuno..." Guarda allusivamente Pallina che alza gli occhi al cielo sbuffando.

"Lo so, tanto comunque la giri, è sempre colpa mia."

"Ah perché, non è per avvisarti che vengo quaggiù?"

"Ma come, non vieni per me?" Step le si mette davanti. "Sono sicuro che sei venuta a vedermi correre..."

Si avvicina un po' troppo pericolosamente con il viso al suo. Babi lo schiva superandolo.

"Ma se non sapevo neanche che c'eri." Arrossisce.

"Lo sapevi, lo sapevi. Sei diventata tutta rossa. Vedi, tu non devi dire le bugie, non sei capace."

Babi rimane in silenzio. Se la prende con quel maledetto rossore e il suo cuore che, disubbidiente, le batte veloce. Step lentamente le si avvicina. Il suo viso è di nuovo troppo vicino a quello di Babi. Le sorride.

"Non capisco perché ti preoccupi tanto. Hai paura a dirlo?"

"Paura? Paura io? E di chi? Di te? Tu non mi fai paura. Mi fai solo ridere. Vuoi sapere una cosa? Io stasera ti ho denunciato." Stavolta è lei ad avvicinarsi alla faccia di Step. "Hai capito? Ho detto che sei stato tu a colpire il signor Accado. Quello al quale hai dato la capocciata. Ho fatto il tuo nome. Pensa quanto ho paura di te..."

Pollo scende dalla moto e si dirige veloce verso Babi.

"Brutta..."

Step lo ferma.

"Calmo Pollo, calmo."

"Ma come calmo, Step? Quella ti ha rovinato! Dopo tutto quello che è successo, un'altra denuncia e ti sconti tutto il resto. Vai direttamente al gabbio, in prigione."

Babi rimane stupita. Questo non lo sapeva. Step tranquillizza l'amico.

"Non ti preoccupare, Pollo. Non succederà. Non finirò in prigione. Forse andrò al massimo in tribunale." Poi, rivolto a Babi: "Quello che conta è quello che si dirà al processo, quando tu verrai chiamata a testimoniare contro di me. Quel giorno tu non farai il mio nome. Sono sicuro. Dirai che non sono stato io. Che non c'entro niente".

Babi lo guarda con aria di sfida.

"Ah sì? E ne sei tanto sicuro?"

"Certo."

"Pensi di farmi paura?"

"Assolutamente no. Quel giorno, quando andremo in tribunale, tu sarai così pazza di me che farai qualunque cosa pur di salvarmi."

Babi rimane un attimo in silenzio, poi esplode in una risata.

"Il pazzo sei tu che ne sei convinto. Io quel giorno farò il tuo nome. Te lo giuro."

Step le sorride sicuro.

"Non giurare."

Un fischio lungo e deciso. Tutti si voltano. È Siga. Al centro della strada c'è un uomo basso sui trentacinque anni. Ha un giubbotto di pelle nera. È rispettato da tutti anche perché si dice che lì sotto nasconda una baiaffa. Alza le braccia. È il segnale. La prima corsa, quella delle camomille. Step si volta verso Babi.

"Vuoi venire dietro di me?"

"Vedi, è proprio vero. Sei pazzo."

"No, la verità è un'altra. Sei tu che hai paura."

"Non ho paura!"

"Allora fatti prestare la cinta da Pallina, no?"

"Sono contraria a queste corse da deficienti."

Un sh blu si ferma lì davanti. È Maddalena. Saluta Pallina con un sorriso, poi vede Babi. Le due ragazze si guardano gelidamente. Maddalena alza il giubbotto.

"Mi porti Step?" Mostra la doppia cinta di Camomilla.

"Certo piccola. Chiudi l'sh."

Maddalena lancia uno sguardo di soddisfazione a Babi, poi la supera per posare l'sh poco più avanti. Step si avvicina a Babi.

"Peccato, ti saresti divertita. A volte la paura è proprio una brutta cosa. Non ti fa vivere i momenti più belli. È una specie di maledizione se non sai vincerla."

"Te l'ho già detto, non ho paura. Vai a fare la tua corsa se ti diverte tanto."

"Farai il tifo per me?"

"Me ne vado a casa."

"Non puoi, dopo il fischio nessuno si può muovere."

Pallina le si avvicina.

"Sì, è così. Dai Babi. Resta qui con me. Ci vediamo questa corsa e poi ce ne andiamo via insieme."

Babi annuisce. Step le si avvicina e con un'agile mossa le tira via la bandana che lei porta al posto della cintura. Babi non fa in tempo a fermarlo.

"Ridammela."

Cerca di prendergliela. Step la tiene in alto con la mano. Allora Babi cerca di colpirlo in piena faccia, ma Step è più veloce. Le blocca la mano a mezz'aria e la stringe forte. Gli occhi azzurri di Babi diventano lucidi. Le sta facendo male. Orgogliosa com'è, non dice una parola. Step se ne accorge. Allenta la stretta.

"Non ci provare mai più."

Poi la lascia andare e monta sulla moto.

In quel momento arriva Maddalena e sale dietro di lui. Si mette al contrario come dice il regolamento e passa la sua cinta Camomilla. La moto balza in avanti appena in tempo perché lei riesca a chiudere la cintura all'ultimo buco. Maddalena porta le mani indietro e si regge ai suoi fianchi. Poi alza il viso. Babi è lì che la guarda. Le due ragazze si scambiano un ultimo sguardo.

Poi Step pinna, Maddalena chiude gli occhi stringendosi ancora di più a lui. La cinta tiene. Step torna su due ruote e accelera per portarsi al centro della strada, pronto per la corsa. Alza il braccio destro. Al suo polso, splendente e beffarda, sventola la bandana di Babi.

Improvvisamente tre moto comparse dal nulla si portano al centro della strada. Tutti hanno dietro una ragazza seduta al contrario. Le camomille si guardano intorno. Una folla di ragazzi e ragazze è davanti a loro. Le guardano divertiti. Alcune le conoscono e le indicano gridando i loro nomi. Altri le salutano con la mano cercando di attirare la loro attenzione. Ma le camomille non rispondono. Hanno tutte le braccia indietro e si stringono al guidatore per la paura dello stacco alla partenza. Siga raccoglie le scommesse. I signori della Jaguar puntano più di tutti. Uno di loro scommette su Step. L'altro su quello vicino a lui con la moto colorata. Siga raccoglie i soldi e se li ficca nella tasca davanti del giubbotto, quella a sacca. Poi alza il braccio destro e si mette il fischietto in bocca. C'è un attimo di silenzio. I ragazzi sulle moto sono tutti rivolti in avanti, pronti a partire. Le camomille sono sedute dietro, girate. Hanno gli occhi chiusi. Tutte tranne una. Maddalena vuole gustarsi quel momento. Adora le corse. Le moto rombano. Tre piedi sinistri spingono la pedalina in giù. Con un unico rumore entrano tre prime. Sono pronti. Siga abbassa il braccio e fischia. Le moto schizzano in avanti, quasi subito su una ruota sola, veloci e rombanti. Le camomille si stringono forte ai loro uomini. Rivolte con la faccia verso terra, vedono la strada scorrere sotto di loro, dura e terribile. Con il fiato sospeso, il cuore a duemila, lo stomaco in gola. Trascinate da dietro a cento, centoventi, centoquaranta. Il primo a sinistra rompe. Scende sulla ruota davanti, toccando terra con una botta forte, spingendo sugli ammortizzatori. La forcella trema, ma non accade nulla. Quello vicino a lui dà troppo gas. La moto si impenna, la ragazza, sentendosi quasi in verticale, urla. Il ragazzo, spaventato, forse anche perché ci sta insieme, toglie il gas frenando. La moto torna giù delicatamente. Un bestione di Kawasaki di circa trecento chili plana con dolcezza come a comando, abbassa il muso, toccando terra, come un piccolo aereo senz'ali. Step continua la gara, giocando con il freno e con il gas. La sua moto, proiettata in avanti sempre alla stessa altezza, sembra immobile, retta da un filo trasparente nel buio della notte. Vola così, attaccato alle stelle. Maddalena guarda la strada scorrere, le strisce bianche quasi invisibili si mischiano l'una con l'altra e quel grigio asfalto sembra un mare che morbido, liscio, senza onde, naviga silenzioso sotto di lei. Step arriva primo fra le urla di gioia degli amici presenti e la felicità del signore che ha scommesso su di lui, non tanto per i soldi vinti, quanto per aver battuto l'amico che l'ha portato in quel posto.

Dario, Schello e qualche altro amico si precipitano a fargli i complimenti. Una mano fraterna non ben distinta in mezzo al gruppo gli offre una birra ancora fredda. Step la prende al volo, dà un lungo sorso, poi la passa a Maddalena.

"Sei stata brava, non ti sei mai mossa. Sei una camomilla perfetta."

Maddalena dà un sorso, poi scende dalla moto e gli sorride.

"Ci sono momenti in cui bisogna star fermi e altri in cui bisogna sapersi muovere. Sto imparando, no?"

Step sorride. È troppo forte quella ragazza.

"Sì, stai imparando."

La guarda allontanarsi. È anche una bonazza. Arriva Pollo che salta dietro la sua moto.

"Dai, cazzo, andiamo da Siga. Andiamo a vedere quanto hai vinto!"

"Non molto, mi davano favorito!"

"Cazzo, non sei più una bella giocata. Dovresti perdere qualche gara, così sali di quota. Magari fai anche una bella caduta e poi giochiamo tutto sull'ultima dove vinci. Classico no? Come i pugili americani in certi film."

"Sì, però la caduta la faccio con la moto tua!"

"Allora no! L'ho appena rimessa a posto."

"Step! Step!" Lui si volta. È Pallina da sopra il muretto vicino alla rete che lo chiama. "Bravo! Sei bravissimo."

Step le sorride. Poi vede Babi che le sta lì vicino. Alza il braccio destro mostrando la sua bandana blu.

"È stata solo fortuna!" urla Babi da lontano.

Step mette la prima, e con dietro Pollo fa una gincana fra la gente e si allontana per ritirare il meritato guadagno.

Davanti a Babi e Pallina si ferma Maddalena. Ha una ragazza bionda, un po' tonda dietro all'SH. La sua amica tiene i piedi sui pedali ed è seduta in pizzo, ma la ruota posteriore è lo stesso quasi a terra. Maddalena mastica una Vigorsol con la bocca aperta.

"Non è solo fortuna. È soprattutto coraggio, fegato. Si può sapere che ci fate voi due fifone in un posto come questo?"

La tipa tonda di dietro sorride.

"Già, oltretutto come mai andate in giro senza divise? Non siete due di quelle idiote della Falconieri? Anzi, battonieri... Non è così che la chiamano? Dicono che siete tutte mignotte!"

Pallina si aggiusta il cappello.

"Senti tondina! Ma che, ce l'hai con noi? Se c'è qualcosa che ti rode dillo e basta. Non la fare tanto lunga."

Maddalena spegne l'SH.

"C'è che hai la cinta da camomilla e non te lo puoi permettere."

"E chi lo dice?"

"Allora come mai non hai corso?"

"Non ha corso il mio uomo. Io corro solo con Pollo. Perché forse non lo sai," Pallina si rivolge alla ragazza tonda dietro a Maddalena, "ma io, sto con Pollo."

La ragazza fa una smorfia. Sta rosicando. Pallina gliel'ha detto apposta. Sa che è interessata all'acquisto.

Maddalena indica Babi.

"E lei? Lei che ci sta a fare qua? Non porta neanche la cinta. Che, non lo sai che questo posto è riservato alle camomille? O corri o te ne devi andare."

Babi si gira verso Pallina sospirando.

"Ci manca solo la boretta di turno."

Maddalena si irrigidisce.

"Che hai detto?"

Babi le sorride.

"Ho detto che sto aspettando il mio turno."

Maddalena rimane impassibile. Forse non ha sentito sul serio. Babi apre il giubbotto di Pallina.

"Forza, dammi questa cinta."

"Cosa? Ma che, stai scherzando?"

"No, avanti, dammela. Se è così emozionante essere una camomilla, voglio provare." Le sfila il passante. Pallina la ferma.

"Guarda che, se te la metti e poi ti scelgono, devi correre. Una volta è venuta qui una ragazza che s'era messa la cinta di Camomilla per caso, perché le piaceva. Be', l'hanno fatta salire su una moto e ha dovuto correre per forza."

Babi la guarda interrogativa.

"Be'? E com'è andata a finire?"

"Bene, non si è fatta niente, non è cascata. Ma mi sa che la conosci pure. È Giovanna Bardini, quella della seconda E."

"Ma chi, quella farlocca? Allora lo possono fare proprio tutti."

Pallina le passa la cinta.

"Sì, ma non so se hai notato... Giovanna adesso usa sempre le bretelle."

Babi la guarda. Pallina fa una smorfia buffa. Poi scoppiano tutte e due a ridere. In realtà cercano solo di sdrammatizzare il momento. Maddalena e l'amica le guardano annoiate. Babi si infila la cinta.

"Ah, che ficata! Adesso pure io sono una camomilla."

Un boro terrificante inchioda con la moto lì davanti. Ha la parte bassa dei capelli praticamente rasata e un collo taurino gli spunta impavido da un giubbotto verde militare coi risvolti arancioni.

"Forza camomilla, tu lì sopra. Monta dietro."

Babi si indica incredula.

"Chi, io?"

"E chi se no? Dai, datti una mossa che fra poco si comincia."

"Ciao Madda." Il boro, oltre all'aspetto terrificante, ha anche un altro punto a suo sfavore. È un amico di Maddalena.

Babi si avvicina a Pallina.

"Be', ciao, io vado. Poi ti racconto com'è."

"Sì, certo."

Pallina sta ferma di fronte a lei, preoccupata.

"Senti Babi... mi dispiace."

"Ma no, che dici. Penso che è una ficata fare la camomilla e lo voglio provare. Tu non c'entri niente."

Pallina l'abbraccia e le sussurra all'orecchio: "Sei una capa".

Babi le sorride, poi si dirige verso il boro con la moto. A un tratto si ricorda quella frase. L'ha già sentita proprio quella mattina e le ha procurato una bella nota. Che porti sfiga? Mannaggia a Pallina, alle camomille e a quando si mette in testa di fare la capa.

Il boro dà gas senza problemi di consumo. Babi invece ha qualche problema per salire sulla moto all'indietro. Il boro l'aiuta. Babi si slaccia la cinta. Il tipo la prende, se la mette intorno alla vita e gliela fa ritornare in mano. Babi arriva a malapena a centrare l'ultimo buco. È pure ciccione. Come se non bastasse Maddalena dà una pacca con forza sul giubbotto del boro.

"Dai, metticela tutta. Sono sicura che vinci!" Poi sorride a Babi: "Vedrai come ti diverti qua dietro. Danilo pinna che è una meraviglia".

Babi non fa in tempo a risponderle. Il boro dà gas e schizza in avanti. Danilo! Ecco a chi si riferiva la D della sua mela. D. Come Danilo. O peggio, come destino. La moto frena. Babi per il contraccolpo finisce contro la schiena di Danilo.

"Calma, bambina."

La voce calda e profonda del boro che dovrebbe secondo lui tranquillizzarla ha l'effetto contrario. Oddio, pensa Babi. "Calma, bambina." Dev'essere un incubo. Questa cinta di Camomilla che mi stringe in vita. Io la Camomilla non me le sono mai messa, neanche quando era di moda. Dev'essere una punizione. Un tipo con una benda sull'occhio e una moto gialla frena lì vicino a sinistra. Hook. L'ha visto qualche volta in piazza Euclide. Dietro di lui c'è una ragazza con i capelli ricci e un rossetto troppo pesante. È tutta felice di fare la camomilla. La ragazza la saluta. Babi non risponde. Ha la gola secca. Si gira dall'altra parte. Un bel ragazzo alto, con i capelli più lunghi e una piccola penna di uccello come pendente di un orecchino, si ferma alla sua destra. Ha il serbatoio della moto dipinto con l'aerografo. C'è un tramonto con un grosso sole al centro, delle onde sulla spiaggia. Un tipo che fa surf. Sicuramente il surf è meno pericoloso che fare la camomilla. Sotto c'è una scritta: "Il Balle...". Babi si sporge in avanti, ma non riesce a leggere di più. Il resto della scritta è coperto dai 501 del tipo. Il ragazzo tira fuori dalla tasca del giubbotto un pezzo di carta. Si alza sulle gambe avvicinandosi allo specchietto. Lo gira verso l'alto a pancia in su. La luna compare là dentro. Babi guarda il serbatoio. Ora la scritta si legge tutta: "Il Ballerino". Ma certo, ne ha sentito parlare. Dicono che si droghi. Il Ballerino rovescia la bustina sullo specchietto. Il tondo pallore della luna è coperto dal bianco di una polvere meno innocente. Il Ballerino si sporge in avanti. Vi appoggia sopra un rotolo da dieci euro e tira su. La luna torna improvvisamente a specchiarsi. Il Ballerino passa il dito sullo specchietto, raccoglie le ultime briciole di quella felicità artificiale e se le passa sui denti. Sorride senza alcun motivo reale. Chimicamente felice. Si accende una sigaretta. La ragazza dietro di lui ha i capelli raccolti da una fascia e sembra non essersi accorta di nulla. Una sigaretta però se la fa offrire. Non è valido. Non si può correre drogati. Non è sportivo. Tanto dopo se gli fanno l'antidoping lo scoprono. Ma cosa sto dicendo? Questa non è una corsa di cavalli! Non c'è niente di lecito. Ci si può perfino drogare. Si va a centocinquanta all'ora su una ruota sola con una poveraccia dietro. Io sono quella poveraccia.

Le viene da piangere. Mannaggia a Pallina! Step ha appena intascato i suoi cinquecento euro quando Pollo gli dà una botta con il gomito.

"Ehi, guarda chi c'è lì." Pollo indica le moto pronte a partire. "Quella lì dietro alla moto di Danilo non è l'amica di Pallina?"

Step mette a fuoco. Non è possibile. È Babi.

"È vero." Agita il braccio con la bandana e urla il suo nome. "Babi!" Si sente chiamare. È Step. Lo riconosce, laggiù in fondo proprio di fronte a lei. La sta salutando. "Ha la mia bandana" sussurra quasi a se stessa. "Ti prego Step, fammi scendere, aiutami. Step, Step!" Poi stacca la mano per dirgli di avvicinarsi. In quel momento Siga fischia. Il pubblico urla. È quasi un boato. Le moto balzano in avanti rombando. Babi si riattacca subito a Danilo, terrorizzata. Tutte e tre le moto pinnano. Babi si trova con la testa in giù. Le sembra di stare quasi per terra. Vede l'asfalto scorrere veloce sotto di lei. Prova a gridare mentre la moto ruggisce e il vento le scompiglia i capelli. Non le esce nulla. La cinta le stringe forte la pancia. Le viene da vomitare. Chiude gli occhi. È ancora peggio. Le sembra di svenire. La moto continua a correre su una ruota sola. La ruota davanti scende un po'. Danilo dà più gas. La moto si impenna di nuovo, Babi si ritrova ancora più vicina all'asfalto. Crede di capovolgersi. Un tocco al freno e la moto torna leggermente giù. Va meglio. Babi si guarda intorno. La gente ormai è solo un gruppo lontano, colorato, leggermente sfumato. Tutto intorno, silenzio. Solo il vento e il rumore delle altre moto. Il Ballerino lì a destra è poco dietro a loro. I suoi capelli lunghi sono tesi nel vento e la ruota davanti quasi immobile a mezz'aria. Hook è leggermente più lontano.

Danilo sta vincendo. Lei sta vincendo. Maddalena ha ragione. "Pinna che è una meraviglia." Babi è stordita. Sente un rumore a destra. Si gira. Il Ballerino ha dato più gas scalando. La moto si impenna troppo. Un colpo secco al freno. La ruota

144

davanti cade giù troppo veloce. La moto rimbalza, il Ballerino prova a tenerla. Il manubrio gli sfugge di mano. La moto va a sinistra, guizzando di lato, e poi di nuovo a destra, scodando. Il Ballerino e la ragazza dietro, legati insieme, vengono disarcionati da quel cavallo a motore imbizzarrito, fatto di pistoni e cilindri impazziti. Finiscono a terra ancora legati. Poi la loro Camomilla si spezza, scivolano così, ancora vicini, per poco, rimbalzando e sbucciandosi, da un lato all'altro della strada. La moto, ormai libera, continua veloce la sua corsa. Poi cade lateralmente, scivola sull'asfalto, scintilla, si impunta, rimbalza più volte. Alla fine fa una specie di capriola, vola vicino a Babi, alta nel buio scuro della notte. Salta nel cielo, per almeno cinque metri, con il faro ancora acceso illumina tutto intorno, traccia un arco luminoso. Poi, con un ultimo guizzo scomposto, cade giù rimbalzando e spezzandosi, lasciando dietro di sé mille piccoli pezzi d'acciaio e vetri colorati. Sottili scintille di fuoco sempre più deboli l'accompagnano fino al termine della sua corsa. Hook e Danilo si fermano. Il gruppo lontano rimane per un attimo in silenzio, poi tutti partono. In sella a Vespe, Sì, SH 50, Peugeot rubati, moto di piccola e grossa cilindrata, Yamaha, Suzuki, Kawasaki, Honda.

Un esercito di motorini avanza rombando. Tutti accorrono sul luogo dell'incidente. Il Ballerino si è rialzato. Si trascina su una gamba sola. L'altra esce fuori dal jeans strappato, ferita e malconcia, perdendo sangue dal ginocchio. Un vistoso rigonfiamento sotto il giubbotto in alto segna la spalla che gli è uscita, mentre dalla fronte del sangue scuro gli scende lungo il collo. Il Ballerino guarda la sua moto distrutta. Si piega e accarezza il serbatoio. Una parte della spiaggia è stata raschiata via. Il surfista è scomparso, trasportato dall'onda ben più dura dell'asfalto rovente.

La ragazza è distesa a terra. Il braccio destro le ciondola scomposto lateralmente. È rotto. Piange per lo spavento, singhiozzando forte. Babi si libera della Camomilla. Scende dalla moto. I primi passi sono incerti. Non riesce a reggersi sulle gambe per l'emozione. Entra nella folla. Non conosce nessuno. Sente i lamenti della ragazza distesa per terra. Cerca Pallina. A un certo punto sente un altro fischio. Più lungo. Cos'è? Inizia un'altra gara terribile? Non capisce. Tutti cominciano a correre in ogni direzione. La gente la urta. Dei motorini la sfiorano. Si sentono delle sirene. Poco lontano compaiono delle macchine. Sui loro tetti dei colori azzurri lampeggianti. La polizia. Ci mancava solo questa. Deve raggiungere la sua Vespa. Tutto intorno ci sono ragazzi che scappano. Qualcuno urla, altri si urtano pericolosamente. Una ragazza con il motorino cade a pochi metri da lei. Babi si mette a correre. Altre macchine della municipale si fermano tutt'intorno. Eccola lì. Vede la sua Vespa ferma davanti a lei, a pochi metri di distanza. È salva. Improvvisamente qualcosa la blocca a mezz'aria. Qualcuno la prende per i capelli. È un vigile. La strattona con forza facendola cadere a terra, tirandola con violenza da dietro per i capelli. Babi urla dal dolore, trascinata sull'asfalto, mentre alcune ciocche le si staccano. A un tratto il vigile la lascia. Un calcio in piena pancia l'ha fatto piegare in due facendogli abbandonare la presa. È Step. Il vigile prova a reagire. Step gli dà una spinta violenta che lo fa finire a terra. Poi aiuta Babi a rialzarsi, la fa salire sulla moto dietro di lui e parte a tutto gas. Il vigile si riprende, sale su una macchina lì vicino con al volante un suo collega e partono all'inseguimento. Step passa facilmente tra la gente e le moto fermate dalla municipale. Alcuni fotografi avvisati di quella retata sono arrivati sul posto e scattano foto. Step fa una pinna e accelera. Supera un altro poliziotto che con la paletta rossa gli fa segno di fermarsi. Tutt'intorno, flash impazziti. Step spegne le luci e si abbassa sul manubrio. La macchina della municipale con il vigile colpito supera lateralmente il gruppo e, con la sirena urlante, gli è subito dietro.

"Copri la targa con il piede."

"Cosa?"

"Copri l'ultimo numero della targa con il piede."

Babi sporge indietro la gamba destra cercando di coprire la targa. Scivola due volte.

"Non ci riesco."

"Lascia perdere. È possibile che non sai fare nulla?"

"Si dà il caso che non sono mai scappata su una moto. E sicuramente avrei voluto evitarlo anche oggi."

"Forse preferivi che ti lasciassi in mano a quel vigile che voleva il tuo scalpo?"

Step scala e gira a destra. La ruota di dietro scivola leggermente sgommando sull'asfalto. Babi si stringe a lui e urla: "Frena!".

"Stai scherzando? Se quelli ci beccano adesso mi sequestrano la moto."

La macchina della municipale si infila dietro di loro sbandando nella stradina. Step vola giù lungo la discesa. Centotrenta, centocinquanta, centottanta... Si sente la sirena rimbombare lontano. Si stanno avvicinando. Babi pensa a quello che le ha detto sua madre:

"Non azzardarti a salire dietro a quel ragazzo. Guarda come guida... È pericoloso". Ha ragione. Le madri hanno sempre ragione. Soprattutto la sua.

"Frena. Non voglio morire. Già me lo immagino domani cosa leggerò sui giornali. Giovane ragazza muore in un inseguimento con la municipale. Frena, ti prego."

"Ma se muori come fai a leggere i giornali?"

"Step fermati! Ho paura! Quelli magari sparano."

Step scala di nuovo e gira improvvisamente a sinistra. Sbucano in una strada di campagna semideserta. Ci sono alcune ville con un muro alto e uno steccato. Hanno qualche secondo. Step frena.

"Sbrigati, scendi. Aspettami qua e non ti muovere. Ti passo a prendere appena non ce li ho più dietro..."

Babi scende al volo dalla moto. Step riparte a tutta velocità. Babi si appiattisce contro il muro vicino al cancello della villa. Appena in tempo. La macchina della municipale spunta proprio in quel momento. Passa sgommando davanti alla villa e si dilegua all'inseguimento della moto. Babi si tappa le orecchie e chiude gli occhi per non sentire il suono lancinante di quella sirena. La macchina scompare lontana, dietro quel piccolo fanalino rosso. È la moto di Step che a fari spenti, ormai da solo, corre veloce nel buio della notte.

24.

Pollo si ferma con la moto davanti al comprensorio di Babi. Pallina scende e va dal portiere. "Che, è tornata Babi?"

Fiore, mezzo sonnecchiante, stenta un po' a riconoscerla. "Ah, ciao Pallina. No. L'ho vista uscire in Vespa, ma non è ancora tornata."

Pallina torna da Pollo: "Niente da fare".

"Non ti preoccupare, se sta con Step è al sicuro. Vedrai che tra poco è qui. Vuoi che ti faccio compagnia?"

"No, vado su. Magari è nei guai e telefona a casa. Meglio se c'è qualcuno che può risponderle." Pollo accende la moto. "Il primo che sa qualcosa chiama."

Pallina lo bacia, poi corre via. Passa sotto la sbarra e si allontana per la salita del comprensorio. Quando è a metà strada si gira. Pollo la saluta. Pallina gli manda un bacio con la mano, poi scompare a sinistra su per le scalette. Pollo mette la prima e si allontana. Pallina alza il tappeto. Le chiavi sono lì, come d'accordo. Ci mette un po' a trovare quella del portone. Sale al primo piano e apre lentamente la porta. Dal corridoio arriva una voce. La riconosce. È Daniela. Sta parlando al telefono.

"Dani, dove sono i tuoi?"

"Pallina, che ci fai qui?"

"Rispondi, dove sono?"

"Sono usciti."

"Bene! Attacca, presto. Devi lasciare libero il telefono."

"Ma sto parlando con Andrea. E Babi dov'è? È venuta a cercarti."

"È per questo che devi attaccare. Magari Babi chiama. L'ultima volta che l'ho vista era sulla moto dietro a Step inseguita dalla municipale."

"No?!"

"Sì!"

"Troppo forte mia sorella."

La polvere lentamente è scomparsa. Nuvole basse e grigie galleggiano in alto, nel cielo senza luna. Tutto intorno è silenzio. Non una luce. Tranne un piccolo faro lontano attaccato all'alto muro di una casa. Babi si scosta dal muro. La colpisce forte l'odore del concime sparso nei campi. Una brezza leggera muove le fronde degli alberi. Si sente sola e sperduta. Questa volta è vero. Ha paura. Sulla destra, lontano, sente un nitrito di cavalli. Stalle sperdute in una scura campagna. Si dirige verso il piccolo faro. Cammina lenta, lungo il muro, con la mano appoggiata allo steccato, attenta a dove mette i piedi, tra ciuffi d'erba alta e selvaggia. Ci sono delle vipere? Un vecchio ricordo del libro di scienze la tranquillizza. Le vipere non girano di notte. Ma i topi sì. Lì intorno deve essere pieno. I topi mordono. Leggende metropolitane. Si ricorda di qualcuno, amico di un altro, che è stato morso da un topo. È morto in poco tempo. Lepto qualcosa. Terribile. Mannaggia a Pallina. Improvvisamente un rumore sulla sinistra. Babi si ferma. Silenzio. Poi un ramo spezzato. Di colpo qualcosa si muove veloce verso di lei, correndo, ansimando tra i cespugli. Babi è come terrorizzata. Dalla macchia scura davanti a lei sbuca ringhiando un grosso cane dal pelo scuro. Babi vede la sagoma che avanza veloce abbaiando nella notte. Babi si gira e comincia a correre. Scivola quasi sui sampietrini. Si riprende, arranca nel buio, correndo in avanti, senza vedere dove va. Il cane le è dietro. Avanza minaccioso, guadagna terreno. Ringhia e abbaia inferocito. Babi raggiunge lo steccato. C'è una fessura, in alto. Vi infila una mano, poi l'altra, infine trova un appiglio per i piedi. Destro, sinistro e su, scavalca. Salta nel buio, evitando per un soffio quei denti bianchi e affilati. Il cane finisce contro lo steccato. Rimbalza con un botto sordo. Inizia a correre avanti e indietro abbaiando, cercando inutilmente il modo di raggiungere la sua preda. Babi si rialza. Ha sbattuto le mani e le ginocchia cadendo a faccia avanti nel buio. Si è infilata in qualcosa di caldo e morbido. È fango. Le cola lento lungo il giubbotto e i jeans. Sulle mani indolenzite. Prova a muoversi. Le gambe sono affondate fino al ginocchio. Il cane corre lontano lungo lo steccato. Babi spera non ci sia un passaggio. Lo può sentire abbaiare, ancora più inferocito perché non riesce a raggiungerla. Be', meglio questo fango dei suoi morsi. Poi, improvvisamente, un odore acre, dalla punta leggermente dolce, la colpisce in pieno. Avvicina la mano sporca al viso. L'annusa. La campagna per un attimo sembra avvolgerla e farla sua. Oh no! Letame! Lo scambio non è più così conveniente.

Pallina esce dal portone, lo accompagna piano per non farlo chiudere. Poi prende le chiavi dalla tasca, si piega, alza lo
zerbino e le rimette al posto stabilito. Babi non ha ancora telefonato. Ma almeno così non deve suonare per rientrare. In
quel momento sente il rumore di una macchina. Dalla curva
del cortile spunta una Mercedes 200. I genitori di Babi. Pallina lascia cadere lo zerbino e corre verso il portone. Lascia che
sbatta alle sue spalle. Fa le scale di corsa, entra in casa e chiude la porta.

"Dani presto, sono arrivati i tuoi."

Daniela è davanti al frigorifero presa dalla solita terribile
fame delle due di notte. Per questa volta dovrà digiunare. Dieta costretta. Sbatte lo sportello del frigorifero. Corre in camera sua e si chiude dentro. Pallina entra in camera di Babi e si
infila a letto tutta vestita. Il cuore le batte forte. Si mette ad
ascoltare. Sente il rumore della serranda del garage che scende. È questione di minuti. Poi nella penombra della stanza vede la divisa sulla sedia. Babi l'ha preparata prima di uscire.
Conta di tornare presto. Com'è precisa, povera Babi. Stavolta
è proprio nei guai. Se Pallina sapesse dov'è finita Babi, non si
lascerebbe scappare una facile battuta. Stavolta è proprio nella merda, anche se di cavallo.

Pallina si tira su le lenzuola fino al mento e si volta verso
il muro, mentre una chiave gira rumorosa nella toppa della
porta di casa.

25.

Step va giù per il Lungotevere, supera in slalom due o tre macchine, poi mette la terza e accelera. La municipale gli sta sempre dietro. Se arriva a piazza Trilussa è fatta. Dallo specchietto vede la macchina che si avvicina pericolosa. Due macchine davanti a lui. Step scala dando gas. Terza. La moto schizza in avanti. Passa per un soffio tra le portiere. Una delle due macchine allarga spaventata. L'altra continua la sua corsa in mezzo alla strada. Il guidatore rincoglionito non si è accorto di nulla. La municipale passa tutta a destra. Le ruote salgono rumoreggiando sul bordo del marciapiede. Step vede piazza Trilussa davanti a lui. Scala di nuovo. Taglia la strada da destra verso sinistra. Il guidatore rincoglionito frena di botto. Step si infila nella stradina di fronte alla fontana che unisce i due Lungotevere. Passa in mezzo ai bassi pilastri di marmo. La polizia municipale frena bloccandosi lì davanti. Non può passare. Step accelera. Ce l'ha fatta. I due vigili scendono dalla macchina. Fanno solo in tempo a vedere una coppia di innamorati e un gruppo di ragazzi che salgono veloci sul piccolo marciapiede lasciando passare quel pazzo con la moto a fari spenti. Step continua ad andare veloce per un po'. Poi guarda nello specchietto. Dietro di lui è tutto tranquillo. Solo qualche macchina lontana. Il traffico della notte. Non lo segue più nessuno. Accende le luci. Ci manca solo che lo fermino per quello.

Claudio apre il frigorifero e si versa un bicchiere d'acqua.
Raffaella va di là, nelle camere da letto. Prima di andare a dormire dà sempre il bacio della buonanotte alle figlie, un po' per abitudine, ma anche per essere sicura che siano tornate. Quella sera non dovevano neanche essere uscite. Ma non si sa mai. È meglio controllare. Entra nella stanza di Daniela. Cammina senza fare rumore, stando bene attenta a non

151

inciampare sul tappeto. Poggia una mano sul comodino. L'altra la mette sul muro. Poi si piega in avanti, lentamente, e con le labbra le sfiora la guancia. Dorme. Raffaella si allontana in punta di piedi. Chiude piano la porta. Daniela si gira lentamente. Si tira su poggiandosi su un fianco. Ora viene il bello. Raffaella abbassa silenziosamente la maniglia e apre la porta di Babi. Pallina è a letto. Vede l'angolo di luce del corridoio che lentamente si disegna sulla parete, allargandosi. Il cuore le comincia a battere veloce. E adesso, se mi scoprono che gli racconto? Pallina rimane girata immobile, cercando di non respirare. Sente un rumore di collane: dev'essere la madre di Babi. Raffaella si avvicina al letto, si piega lentamente in avanti. Pallina riconosce il suo profumo. È lei. Trattiene il respiro, poi sente il suo bacio sfiorarle la guancia. È il bacio morbido e affettuoso di una mamma. È vero. Le mamme sono tutte uguali. Preoccupate e buone. Ma anche per loro le figlie sono identiche? Lo spera. Raffaella mette a posto le coperte, la copre delicatamente con il bordo delle lenzuola. Poi improvvisamente si ferma. Pallina rimane immobile, in attesa. Che abbia scoperto qualcosa? L'ha riconosciuta? Sente un leggero scricchiolio. Raffaella si è piegata. Può sentire il caldo respiro vicino, troppo vicino. Poi avverte sulla moquette i passi leggeri che si allontanano. La debole luce del corridoio scompare. Silenzio. Pallina si gira lentamente. La porta è chiusa. Finalmente respira. È passata. Si sporge in avanti. Perché la madre di Babi si è piegata? Cosa ha fatto? Nella penombra della stanza i suoi occhi abituati al buio trovano subito la risposta. Ai piedi del letto, perfettamente unite, ci sono le pantofole di Babi. Raffaella le ha messe a posto, ordinatamente. Pronte ad accogliere la mattina dopo i piedi di sua figlia ancora caldi di sonno. Pallina si chiede se sua madre farebbe la stessa cosa. No. Non ci penserebbe. Qualche sera è rimasta sveglia ad aspettare il suo bacio. È stata un'inutile attesa. Sua madre e suo padre sono tornati tardi. Li ha sentiti chiacchierare, passare davanti alla sua camera e andare oltre. Poi quello scatto. La porta della loro camera da letto che si chiudeva. E con essa, le sue speranze che svanivano. Be', sono due madri diverse. Sente dei brividi strani lungo tutto il corpo. No, non vorrebbe lo stesso per madre Raffaella. Tra l'altro non le piace il suo profumo. È troppo dolce.

Step sbuca nella stradina. Arrivato davanti al cancello dove l'ha lasciata, frena alzando una nube di polvere. Si guarda intorno. Babi non è lì. Suona il clacson. Nessuna risposta. Spegne la moto. Prova a chiamarla. "Babi."

Niente. È sparita. Fa per accendere la moto, quando all'improvviso sente un fruscio sulla destra. Viene da dietro lo steccato.

"Sono qui."

Step guarda fra le tavole di legno scuro. "Dove?"

"Qui!" Una mano sbuca in uno spazio libero tra un'asse e l'altra.

"Ma che stai a fare lì dietro?"

Step vede i suoi grandi occhi azzurri. Spuntano solitari sopra la sua mano, fra altre due assi. Sono illuminati dalla debole luce della luna e sembrano spaventati.

"Babi, vieni fuori."

"Non posso, ho paura!"

"Paura? E di che?"

"C'è un cane enorme lì dietro, ed è senza museruola."

"Ma dove? Qui non c'è nessun cane."

"C'era prima."

"Be' senti, adesso non c'è."

"Anche se non c'è il cane non posso uscire lo stesso."

"E perché?"

"Mi vergogno."

"Ma ti vergogni di cosa?"

"Di niente, non mi va di dirtelo."

"Senti, ma ti sei rincretinita? Be', io mi sono scocciato. Ora accendo e me ne vado."

Step accende la moto. Babi sbatte la mano sulle assi.

"No, aspetta."

Step spegne di nuovo la moto.

"Allora?"

"Adesso esco, promettimi però che non riderai."

Step guarda verso quello strano legno dagli occhi azzurri, poi si mette la mano destra sul cuore.

"Promesso."

"Hai promesso, eh?"

"Sì, te l'ho già detto..."

"Sicuro, eh?"

"Sicuro."

Babi infila le mani tra le fessure preoccupata che nessuna scheggia le ferisca. Un "Ahi" soffocato. Step sorride. Non è stata così attenta. Babi è in cima allo steccato, scavalca e inizia a scendere. Alla fine fa un salto. Step gira il manubrio della moto verso di lei illuminandola con il faro.

"Ma che hai fatto?"

"Per scappare dal cane ho saltato il recinto e sono caduta."

"Ti sei sporcata tutta di fango?"

"Magari... è letame."

Step scoppia a ridere.

"Oddio, letame... No, non è possibile. Non ce la faccio." Non si ferma più.

"Avevi detto che non avresti riso. L'avevi promesso."

"Sì, ma questo è troppo. Letame! Non ci posso credere. Tu nel letame. È troppo bello. È il massimo!"

"Lo sapevo che non mi potevo fidare. Le tue promesse non valgono niente."

Babi si avvicina alla moto. Step smette di ridere.

"Alt! Ferma. Che fai?"

"Come, che faccio? Salgo."

"Ma che, sei pazza? Vuoi salire sulla mia moto conciata così?"

"Certo, e se no che faccio, mi spoglio?"

"Ah, non lo so. Ma sulla mia moto sporca così non ci sali. Letame poi!" Step scoppia a ridere di nuovo. "Oddio, non ce la faccio..."

Babi lo guarda esausta.

"Senti, ma che, stai scherzando?"

"Assolutamente no. Se vuoi ti do il mio giubbotto e così ti copri. Ma levati quella roba di dosso. Se no giuro che dietro a me non sali."

Babi sbuffa. È paonazza dalla rabbia. Lo supera passandogli vicino. Step si tappa il naso, esagerando.

"Oddio... È insopportabile..."

Babi gli dà una botta, poi va dietro la moto, vicino al fanalino posteriore.

"Guarda, Step. Ti giuro che, se mentre mi spoglio tu ti giri, ti salto addosso con tutto il letame che c'ho."

Step rimane voltato in avanti.

"D'accordo. Dimmi quando ti devo passare il giubbotto."

"Guarda che dico sul serio. Io non sono come te. Io le mie promesse le mantengo."

Babi controlla un'ultima volta che Step non si volti, poi si toglie la felpa lentamente, stando bene attenta a non sporcarsi. Sotto non ha quasi niente. Rimpiange di non essersi messa una T-shirt per fare presto. Guarda di nuovo verso Step. "Non ti voltare!"

"E chi si muove?"

Babi si piega in avanti. Si sfila le scarpe. Basta un momento.

Step è rapidissimo. Sposta lo specchietto laterale sinistro inclinandolo verso di lei, inquadrandola. Babi si rialza. Non si è accorta di nulla. Lo controlla di nuovo. Bene. Non s'è voltato. In realtà Step senza essere visto la sta guardando. È riflessa nel suo specchietto. Ha un reggiseno di pizzo trasparente e la pelle d'oca lungo tutte e due le braccia. Step sorride.

"Ti vuoi muovere, quanto manca?"

"Ho quasi fatto, ma tu non ti girare!"

"Ti ho detto di no, non farla lunga, forza."

Babi si sbottona i jeans. Poi lentamente, cercando di sporcarsi il meno possibile, si piega in avanti accompagnandoli giù fino ai piedi, ormai nudi su quei freddi sassi polverosi. Step inclina verso il basso lo specchietto seguendola con lo sguardo. I jeans scendono lentamente mostrando le sue gambe lisce e pallide in quella fioca luce notturna. Step canticchia "You can leave your hat on" imitando la voce di Joe Cocker.

"Altro che nove settimane e mezzo..."

Babi si gira di botto. I suoi occhi illuminati dal debole fanalino rosso incrociano lo sguardo divertito di Step che sorride malizioso nello specchietto.

"Mica mi sono voltato, no?"

Babi si libera veloce dei jeans e salta dietro di lui sulla moto in reggiseno e mutandine.

"Brutto infame, sei un bastardo! Un porco!" Lo tempesta di pugni. Sulle spalle, sul collo, sulla schiena, in testa. Step si piega in avanti cercando di ripararsi come meglio può.

"Ahi, basta! Ahia. Che ho fatto di male? Ho dato una spizzatina, ma mica mi sono girato, no? Ho mantenuto la mia parola... Ahia, guarda che non ti do il giubbotto."

"Cosa? Non me lo dai? Io prendo i miei jeans e te li spalmo sulla faccia, vuoi vedere?"

Babi comincia a tirargli giù il giubbotto per le maniche.

"Va bene. Va bene. Basta! Stai calma. Dai, non fare così. Ecco, ora te lo do."

Step se lo lascia sfilare. Poi accende la moto. Babi gli dà un'ultima botta.

"Porco!" Poi si infila veloce il giubbotto cercando di coprirsi il più possibile. I risultati sono scarsi. Tutte e due le gambe rimangono fuori, compreso il bordo delle mutandine.

"Ehi... lo sai che non sei malaccio? Dovresti lavarti un po' più spesso... Ma hai proprio un bel culo... Sul serio."

Lei prova a colpirlo sulla testa. Step si abbassa di scatto ridendo. Mette la prima e parte. Poi fa finta di annusare l'aria.

"Ehi, ma lo senti anche tu quest'odore strano?"

"Cretino! Guida!"

"Sembra letame..."

In quel momento da un cespuglio a destra poco più avanti sbuca il cane lupo. Corre verso di loro abbaiando. Step lo punta con la moto. Il cane rimane per un attimo abbagliato dal faro. I suoi occhi rossi sfavillano rabbiosi nella notte. I denti compaiono ringhiando bianchi e affilati.

Basta quel momento. Step scala. Dà gas allargando con la moto. Il cane riparte subito. Sfiora per un pelo la moto saltando lateralmente con la bocca aperta. Babi urla. Tira su le gambe nude e si aggrappa con forza alle spalle di Step. Il cane la manca per un soffio. La moto accelera. Prima. Seconda. Terza. Via a tutto gas. Si allontana nella notte. Il cane la rincorre con rabbia. Poi piano piano perde terreno. Alla fine si ferma. Si sfoga continuando ad abbaiare da lontano. Poi viene lentamente avvolto da una nube di polvere e tenebre e sparisce così come è apparso. La moto continua la sua corsa nell'umido freddo della verde campagna. Babi ha ancora le gambe strette intorno alla vita di Step. Piano piano la moto rallenta. Step le accarezza la gamba.

"C'è mancato poco, eh. Poi queste belle cosce facevano una brutta fine! Era vera allora la storia del cane..."

Babi gli solleva la mano dalla gamba e la fa cadere di lato. "Non toccarmi." Si tira indietro sul sellino, rimettendo i piedi sulle pedaline e si chiude il giubbotto. Step le mette di nuovo la mano sulla gamba. "Ti ho detto di non toccarmi con quella mano!" Babi gliela toglie. Step sorride e cambia mano. Babi gli toglie anche la destra.

"Ma neanche con questa posso?"

"Non so se è peggio il cane che mi correva dietro o il porco che mi sta davanti!" Step ride, scuote la testa e accelera.

Babi si chiude il giubbotto. Che freddo! Che nottata! Che casino! Mannaggia a Pallina. Volano nella notte. Alla fine arrivano sani e salvi al suo comprensorio. Step si ferma davanti alla sbarra. Babi si volta verso Fiore. Lo saluta. Il portiere la riconosce e alza la sbarra. La moto passa appena è possibile senza aspettare che la sbarra finisca la sua corsa verso l'alto. Fiore non può fare a meno di buttare un occhio sulle belle gambe di Babi che spuntano infreddolite da sotto il giubbotto. Cosa gli tocca vedere. Ai suoi tempi nessuna ragazza usciva con minigonne di quel tipo. Babi vede la serranda del garage abbassata. I suoi sono tornati. Un pericolo in meno. Cosa poteva inventarsi se l'avessero beccata in quel momento sulla moto dietro a Step e soprattutto in mutandine e reggiseno? Preferisce non pensarci, non è poi così fantasiosa. Scende dalla moto. Cerca di coprirsi il più possibile con il giubbotto. Niente da fare. Le sfiora a malapena il bordo delle mutandine.

"Be', grazie di tutto. Senti, il giubbotto te lo butto dalla finestra."

Step le guarda le gambe. Babi si piega verso il basso. La giacca scende un po' più giù, ma il risultato è ancora scarso. Step sorride.

"Magari ci vediamo qualche altra volta. Vedo che hai degli argomenti molto interessanti."

"Te l'ho già detto, vero, che sei un porco?"

"Sì, mi sembra proprio di sì... Allora passo a prenderti domani sera."

"Non ce la farei. Credo che non reggerei a un'altra serata come questa."

"Perché, non ti sei divertita?"

"Moltissimo! Io faccio sempre la camomilla, ogni sera. Mi faccio inseguire un po' dalla polizia, scendo al volo dalla moto in mezzo a una campagna sperduta, mi faccio rincorrere da un cane rabbioso e per finire mi butto nel letame. Ci sguazzo un po' dentro e poi torno a casa in reggiseno e mutandine."

"Con sopra il mio giubbotto."

"Ah certo... dimenticavo."

"E soprattutto non mi hai detto una cosa..."

"Che cosa?"

"Che hai fatto tutto questo con me."

Babi lo guarda. Che tipo. Ha un sorriso bellissimo. Peccato che è fatto così male. Nel senso del carattere. Sul fisico non ha proprio nulla da dire. Anzi. Decide di sorridergli. Non è poi un grande sforzo.

"Sì, hai ragione. Be', ti saluto."

Babi fa per andare via. Step le prende la mano. Questa volta con dolcezza. Babi fa un po' di resistenza, poi si lascia andare. Step la tira verso di sé, avvicinandola alla moto. La guarda. Ha i capelli lunghi, spettinati, portati indietro dal freddo vento della notte. La sua pelle è bianca, infreddolita. Gli occhi intensi, buoni. È bella. Step lascia scivolare una mano sotto il giubbotto. Babi spalanca gli occhi, leggermente spaventata, emozionata. Sente la sua mano salire, stranamente non fredda. Lungo la schiena in alto. Si ferma sulla chiusura del reggiseno. Babi porta veloce la sua mano dietro. Gliela mette sopra, lo ferma. Step le sorride. "Sei una brava camomilla sai? Sei coraggiosa, molto. Allora è vero che non hai paura di me. Mi denuncerai?"

Babi annuisce. "Sì" sussurra.

"Sul serio?"

Babi fa segno di sì con la testa. Step la bacia sul collo, più volte, delicatamente.

"Lo giuri?"

Babi annuisce di nuovo, poi chiude gli occhi. Step continua a baciarla. Sale su, le sfiora le guance fresche, le orecchie infreddolite. Un soffio caldo e provocante le lascia un brivido più giù. Step si avvicina al bordo rosato delle labbra. Babi sospira tremante. Poi apre la bocca, pronta ad accogliere il suo bacio. In quel momento Step si stacca. Babi rimane un attimo così, con la bocca aperta, gli occhi chiusi, sognanti. Poi li apre improvvisamente. Step è davanti a lei con le braccia conserte. Sorride. Scuote la testa.

"Eh Babi, Babi. Così non va. Sono un porco, un animale, una bestia, un violento. Dici, dici, però alla fine ci stai... e ti lasceresti pure baciare. Vedi come sei fatta? Sei incoerente!"

Babi diventa rossa dalla rabbia.

"Sei proprio uno stronzo!"

Comincia a colpirlo con una scarica di pugni. Step cerca di proteggersi mentre ride. "Sai che cosa mi hai ricordato prima? Un pesce rosso che avevo da piccolo. Stai lì con la bocca aperta che boccheggi. Proprio come lui quando gli cambiavo l'acqua e mi cadeva fuori, nel lavandino..." Babi lo centra con uno schiaffo.

"Ahia!" Step si tocca la guancia divertito. "Guarda che è sbagliato, con la violenza non si ottiene nulla. Lo dici sempre anche tu! Non è che se mi meni poi io ti bacio. Forse, se mi prometti che non mi denuncerai..."

"Io ti denuncio eccome. Vedrai! Finirai in galera, te lo giuro."

"Ti ho già detto che non devi giurare... nella vita non si può mai dire..."

Babi si allontana veloce. Il giubbotto le sale su scoprendole un bel didietro coperto da piccole mutandine chiare. Tenta di coprirsi come può, mentre infila la chiave sbagliata nella serratura del portone.

"Ehi, il giubbotto lo voglio adesso."

Babi lo guarda con rabbia. Si toglie il giubbotto e lo butta per terra. Rimane in reggiseno e mutandine, al freddo, con le lacrime agli occhi. Step la guarda compiaciuto. Ha un bel fisichetto, niente male sul serio. Raccoglie il giubbotto e se lo infila. Babi maledice quelle chiavi. Dov'è finita quella del portone?

Step si accende una sigaretta. Forse ha fatto male a non baciarla. Poco male, sarà per un'altra volta. Babi finalmente indovina la chiave, apre il portone ed entra. Step va verso di lei.

"Be', pesciolino, non mi dai il bacio della buonanotte?"

Babi gli sbatte quasi il portone in faccia. Attraverso il vetro Step non può sentire quello che dice, ma lo legge facilmente sulle sue labbra. Gli consiglia, o meglio gli ordina, di andare in un certo posto. Step la guarda allontanarsi. Certo, se quel posto è bello come quello che ha lei, non gli dispiacerebbe visitarlo.

Babi apre lentamente la porta di casa, entra e la richiude senza far rumore. Cammina in punta di piedi nel corridoio e si infila in camera sua. Salva! Pallina accende la luce piccola sul comodino.

"Babi sei tu! Meno male, ero così in pensiero! Ma che fai conciata così? Ti ha spogliata Step?"

Babi prende la camicia da notte nel cassetto.

"Sono finita nel letame!"

Pallina annusa l'aria.

"È vero, si sente. Non sai che paura ho avuto quando ho visto quella moto cadere. Per un attimo ho pensato che fossi tu. Sei fortissima. Brava. Gliel'abbiamo fatta vedere a quelle due sgallettate. Senti, ma la mia cinta di Camomilla che fine ha fatto?"

Babi la fredda con lo sguardo.

"Pallina, non voglio più sentir parlar di cinte, di camomille, di Pollo, di corse e di storie di questo genere. Chiaro? Ed è meglio per te se stai zitta, se no ti tiro fuori a calci dal mio letto e ti faccio dormire per terra, anzi ti sbatto fuori di casa!"

"Non lo faresti mai!"

"Vuoi provare?"

Pallina la guarda. Decide che non è il caso di metterla alla prova. Babi va verso il bagno.

"Babi."

"Che c'è?"

"Di' la verità. Ti sei divertita un sacco con Step, eh?"

Babi sospira. Non c'è niente da fare. È irrecuperabile.

Step scavalca il cancello, attraversa il giardino senza fare rumore. Poi si avvicina alla finestra. La serranda è alzata. Forse non è tornata. Picchietta con le dita sul vetro. La tendina chiara si sposta. Nella penombra compare il viso sorridente di Maddalena. Lascia andare la tendina e apre subito la finestra.

"Ciao, che fine hai fatto?"

"Mi ha inseguito la polizia."

"Tutto bene?"

"Sì, tutto a posto. Spero non abbiano preso la targa."

"Hai spento i fari?"

"Certo."

Maddalena si sposta. Step scavalca agilmente il davanzale ed entra nella sua camera.

"Fai piano. I miei sono tornati da poco."

Maddalena chiude la porta a chiave, poi salta sul letto. Si infila sotto le lenzuola.

"Brrr... che freddo che fa!" Gli sorride. Si sfila dalla testa la camicia da notte e la fa cadere ai piedi di Step. La debole luce della luna entra dalla finestra. I suoi piccoli seni perfetti si scorgono chiari nella penombra. Step si toglie il giubbotto. Per un attimo gli sembra di sentire l'odore della campagna. È strano, sembra misto a uno strano profumo. Non ci fa caso più di tanto. Si spoglia ed entra nel letto. Si stende vicino a lei. Maddalena lo stringe forte. Step scivola subito giù con la mano, le accarezza la schiena, i fianchi. Risalendo si ferma tra le sue gambe. Maddalena sospira al suo tocco, poi lo bacia. Step mette la sua gamba fra le sue. Maddalena lo ferma. Si avvicina al comodino. Trova a tastoni lo stereo. Spinge REW. Manda indietro una cassetta. Un rumore secco l'avvisa che è tornata all'inizio. Maddalena spinge PLAY.

"Ecco."

Torna tra le sue braccia.

"Tutto fatto." Lo bacia con passione. Dalle casse dello stereo escono basse le note della canzone *Ti sposerò perché*. La voce di Eros accompagna dolcemente i loro sospiri.

È vero, forse è lei la donna adatta a lui. Maddalena sorride. Sussurra quasi tra il fresco rumore delle lenzuola:

"Questa è una di quelle volte in cui invece bisogna sapersi muovere... giusto?".

"Giusto."

Step le bacia il seno. Ne è sicuro. Madda è la donna adatta a lui. Poi, all'improvviso, si ricorda cos'era quello strano profumo che ha sentito nel giubbotto. È Caronne. Si ricorda anche a chi appartiene. E per un attimo, nel buio di quella stanza, non è più così sicuro.

26.

Un suono insistente. La sveglia.

Pallina la spegne. Scivola giù dal letto senza far rumore e si veste. Guarda Babi. Si è appena mossa e dorme ancora tranquilla a pancia in su. Pallina si avvicina alla piccola bacheca in legno attaccata al muro. U2, All Saints, Robbie Williams, Elisa, Tiziano Ferro, Cremonini, Madonna. Ci vuole qualcosa di veramente speciale. Eccolo lì. Controlla il volume e lo abbassa. Poi sfiora appena il tasto play. *Settemila caffè*. Britti dolcemente comincia a cantare. Il volume è giusto. Babi apre gli occhi. Si gira sul cuscino finendo a pancia in giù. Pallina le sorride.

"Ciao."

Babi si gira dall'altra parte. La sua voce arriva un po' soffocata.

"Che ore sono?"

"Le sette meno cinque."

Pallina le si avvicina e la bacia sulla guancia.

"Pace?"

"Minimo mi ci vuole un cornetto al cioccolato di Lazzareschi."

"Non c'è tempo, tra poco mia madre è qui, devo andare a fare le analisi."

"Allora niente pace."

"Stanotte sei stata fortissima."

"Ho detto che non volevo sentirne più parlare."

Pallina allarga le braccia.

"Okay, come vuoi. Ehi, cosa dico a tua madre se la incontro mentre esco?"

"Buongiorno."

Babi le sorride e si tira su le coperte. Pallina prende la borsa con i libri e se la mette sulla spalla. È felice, hanno fatto pace. Babi è troppo forte, e poi adesso è anche una camomilla.

Pallina chiude piano la porta dietro di sé, attraversa veloce in punta di piedi il corridoio. La porta di casa è ancora chiusa a chiave. Fa scattare la serratura, e proprio mentre sta per uscire sente una voce dietro di lei.

"Pallina!"

È Raffaella, in una vestaglia rosa, il viso struccato, leggermente sbiadito e soprattutto stupito. Pallina decide di seguire il consiglio di Babi, e con un "Buongiorno signora" si dilegua giù per le scale. Esce dal portone e arriva al cancello. Sua madre non è ancora arrivata. Si siede sul muretto in attesa. Il sole tiepido sale di fronte a lei, il benzinaio leva la catena alle pompe, alcuni signori escono frettolosi dal giornalaio lì davanti, portando sottobraccio il peso di notizie più o meno catastrofiche.

Alla luce del giorno non ha più dubbi. Non vorrebbe per madre Raffaella, assolutamente, anche se è molto più puntuale della sua.

Babi entra nel bagno. Incrocia la sua faccia allo specchio. Non è delle migliori. Fare la camomilla non dona, almeno a lei. Apre il rubinetto dell'acqua fredda, la fa scorrere per un po', poi si sciacqua con forza il viso.

Daniela appare dietro di lei.

"Raccontami tutto! Com'è andata? Com'è la serra? È sul serio divertente come dicono? Hai incontrato qualche mia amica?"

Babi apre il tubetto del dentifricio, comincia a spingerlo dal fondo cercando di fare scomparire l'orma del pollice di Daniela che ha colpito esattamente a metà.

"È una cretinata. Un gruppo di bori che rischia inutilmente la vita e ogni tanto qualcuno che riesce a perderla."

"Sì, ma c'è tanta gente? Che cosa fanno? Dove si va dopo? Hai visto le camomille che forza? Che coraggio, eh? Io non ce la farei mai a fare la camomilla!"

"Io ce l'ho fatta..."

"Sul serio? Hai fatto la camomilla? Uau! Mia sorella è una camomilla."

"Oh, non è poi questa gran cosa, ti assicuro, e poi ora devo prepararmi."

"Ecco, fai sempre così! Con te non c'è soddisfazione. Che vantaggio hai ad avere una sorella più grande se poi non ti racconta nulla? Tanto abbiamo già deciso con Andrea che la prossima settimana ci andiamo anche noi! E se mi va, faccio anche la camomilla!" Daniela esce sbuffando dal bagno. Babi sorride fra sé, finisce di lavarsi i denti poi prende la spazzola. Niente da fare. Daniela si è vendicata a distanza. Alcuni lunghi capelli neri giacciono immobili e aggrovigliati fra le capocchie della loro spazzola. Babi li raccoglie con la mano e li butta nel water. Poi tira l'acqua e comincia a pettinarsi.

Daniela ricompare dietro la porta.

"Dove hai messo le Superga che ti ho prestato ieri sera?"

"Le ho buttate."

"Come, le hai buttate? Le mie Superga nuove...?"

"Hai sentito, le ho buttate. Sono finite dentro al letame ed erano talmente rovinate che le ho dovute buttare. Anche perché sennò Step non mi accompagnava a casa."

"Sei finita nel letame, poi Step ti ha accompagnato a casa? E quando l'hai fatta la camomilla?"

"Prima."

"Dietro a Step?"

"No."

Daniela a piedi nudi segue Babi in camera sua.

"Insomma Babi, mi racconti com'è andata?"

"Senti Dani, facciamo un patto, se tu da oggi in poi pulisci la nostra spazzola dopo esserti pettinata, io fra qualche giorno ti racconto tutto, va bene?"

Dani sbuffa.

"D'accordo."

Poi torna in camera sua. Babi si infila la divisa. Non le avrebbe mai raccontato nulla, lo sa. Daniela forse avrebbe pulito la spazzola per i primi giorni, ma poi basta. È più forte di lei.

Raffaella entra nella camera di Babi.

"Ma Pallina ha dormito qui?"

"Sì mamma."

"E dove?"

"Nel mio letto."

"Ma com'è possibile? Quando sono venuta ieri sera a baciarti c'eri solo tu."

"È arrivata più tardi. Non poteva stare a casa sua perché la madre faceva una cena."

"E dov'è stata prima?"

"Non lo so."

"Babi, non voglio essere responsabile pure per lei. Pensa se le fosse accaduto qualcosa e sua madre sapeva invece che stava qui da me..."

"Hai ragione mamma."

"La prossima volta voglio saperlo in tempo se viene a dormire da noi."

"Ma io te l'ho detto, prima che tu andassi dai Pentesti, non ti ricordi?"

Raffaella rimane un attimo a pensare.

"No, non me lo ricordo."

Babi le sorride ingenuamente come a dire "e io che ci posso fare?". D'altronde sa perfettamente che non lo potrebbe mai ricordare. Non gliel'ha mai detto.

"Non vorrei mai avere per figlia una come Pallina. Sempre in giro di notte a combinare chissà che. Non mi piace quella ragazza, finirà male, vedrai."

"Ma mamma, non fa niente di male, le piace divertirsi ma ti assicuro che è buona."

"Lo so, ma preferisco te."

Raffaella le sorride e le fa una carezza sotto il mento, poi esce dalla stanza. Babi sorride. Sa come prenderla. È un periodo però che le dice troppe bugie. Si propone di smettere. Povera Pallina, anche quando non c'entra niente risulta colpevole. Decide di perdonarla. Certo, bisogna risolvere il problema Pollo, ma anche questo a suo tempo. Si infila la gonna. Si ferma davanti allo specchio, si tira su i capelli, scoprendosi il viso, e li trattiene con due piccoli fermagli laterali. Rimane così, a fissarsi, mentre lo *Zingaro felice* esce dallo stereo. Babi si accorge di quanto assomiglia a sua madre. No, se anche sapesse tutto quello che ha combinato, Raffaella non la cambierebbe mai con Pallina, ci sono troppe cose simili fra loro.

È uno di quei rari casi in cui, pur senza saperlo, tutti sono d'accordo.

Il sole filtra allegro dalla finestra della cucina. Babi finisce di mangiare i suoi biscotti integrali e beve l'ultimo goccio di caffellatte che si è lasciata apposta nella tazza. Daniela scava fino in fondo. Il suo cucchiaino si agita nervoso nella scatola di plastica di un piccolo budino, cercando di prendere anche l'ultimo pezzo di cioccolato dispettoso nascosto giù, in quella fessura. Raffaella ha comprato quasi tutto quello che le è stato scritto sulla lista. Claudio è felice. Forse un oroscopo positivo, di sicuro il sospirato caffè, che finalmente è riuscito a bere. Ha risparmiato anche sulla caffettiera grande.

"Babi, oggi è una giornata bellissima. C'è un sole fuori... e non deve fare neanche molto freddo. Ne ho parlato prima anche con tua madre e siamo d'accordo. Anche se hai preso quella nota... Oggi potete andare in Vespa a scuola!"

"Grazie papà, siete molto carini. Ma sai, dopo il discorso dell'altro giorno ci ho pensato bene, e forse hai proprio ragione tu. La mattina andare a scuola insieme io, te e Daniela è diventato quasi un rito, un portafortuna. E poi è un bel momento:

possiamo parlare di tutto, iniziare insieme la giornata; è molto più bello così, no?"

Daniela non crede alle proprie orecchie.

"Babi, ma scusa, andiamo in Vespa. Con papà ci parliamo sempre, ci possiamo stare la sera a cena, la domenica mattina."

Babi le prende il braccio stringendoglielo con un po' troppa forza.

"Ma no Dani, è meglio così, sul serio, andiamo con lui." Glielo stringe nuovamente. "E poi ti ricordi che ti ho detto ieri sera, sto poco bene. Dalla prossima settimana magari andiamo in Vespa, che farà ancora più caldo." Quell'ultima stretta non le lascia più dubbi. È un messaggio. Daniela è proprio una ragazza intuitiva, più o meno.

"Sì papà, Babi ha ragione, veniamo con te!"

Claudio beve felice l'ultimo sorso di caffè. È bello avere due figlie così. Non capita spesso di sentirsi tanto amati.

"Bene ragazze, allora usciamo, se no facciamo tardi a scuola." Claudio va in garage a prendere la macchina mentre Babi e Daniela si fermano davanti al portone ad aspettarlo.

"Ce l'hai fatta a capire, finalmente! Ma che, ti devo spezzare il braccio?"

"Me lo potevi dire subito, no!"

"Che ne so che proprio oggi ci danno il permesso di andare in Vespa?"

"Ma perché non la vuoi usare?"

"Facile, perché non c'è."

"Non c'è la Vespa? E dov'è? Ma non ci sei uscita ieri sera?" "Sì."

"E allora? Sei finita nel letame pure con la Vespa e l'hai buttata?"

"No, l'ho lasciata alla serra, e quando siamo tornati non c'era più."

"Non ci credo!"

"Credici."

"Non ci voglio credere! La mia Vespa."

"Se è per questo l'hanno regalata a me."

"Sì, ma chi l'ha truccata? Chi ci ha fatto cambiare il collettore? Il prossimo anno papà e mamma ti compreranno la macchina, e sarebbe diventata mia. Non ci posso credere."

Claudio si ferma lì davanti. Tira giù il finestrino elettrico.

"Babi, ma che fine ha fatto la Vespa? Non c'è in garage." Daniela chiude gli occhi. Ora ci deve credere per forza.

"Niente papà, l'ho messa dietro nel cortile. Ti dà così fastidio nel fare manovra. Penso che sia meglio metterla fuori."

"Scherzi, rimettila subito dentro. E se poi te la rubano? Guarda che io e tua madre non abbiamo intenzione di ricomprarvela. Vai subito a metterla dentro, forza. Tieni, queste sono le chiavi."

Daniela sale dietro mentre Babi si allontana verso il garage fingendo di cercare nel mazzo la chiave giusta. Arrivata nel cortile Babi si mette a pensare. E ora che faccio? Entro stasera devo ritrovare la Vespa. Se no devo trovare un'altra soluzione. Mannaggia a Pallina, è lei che mi ha cacciato in questo casino, ed è lei che me ne deve tirar fuori. Babi sente il rumore della Mercedes che arriva a marcia indietro. Corre verso il garage. Si china sulla serranda. Appena in tempo. La Mercedes sbuca da dietro l'angolo e si ferma lì davanti. Babi finge di chiudere il garage e si dirige sorridendo verso la macchina. "Fatto, l'ho messa a posto." Babi si ritiene un mimo perfetto, ma forse è meglio ritrovare la Vespa al più presto. Mentre sale in macchina si sente come osservata. Guarda in alto. Ha ragione.

Il ragazzo che abita al secondo piano è affacciato. Deve aver visto tutto. Cioè, in realtà non ha visto niente, proprio per questo ha quell'aria così perplessa. Lei gli sorride cercando di rassicurarlo. Lui ricambia, ma si capisce perfettamente che qualcosa non gli è chiaro.

La Mercedes si allontana. Babi restituisce le chiavi al padre e gli sorride.

"L'hai attaccata bene al muro?"

"Attaccatissima. Non ti può dare fastidio." Babi si volta verso Daniela. È seduta con le braccia conserte. È nera.

"Dai Dani, in Vespa ci andiamo la prossima settimana a scuola!"

"Lo spero proprio."

La Mercedes si ferma all'uscita del comprensorio davanti alla sbarra che lentamente comincia ad alzarsi. Claudio saluta il portiere che gli fa segno di fermarsi un attimo. Esce dalla guardiola con un pacchetto in mano.

"Buongiorno dottore, mi scusi, hanno lasciato questo pacchetto per Babi."

Babi lo prende incuriosita. La Mercedes riparte dolcemente, mentre il finestrino si richiude. Daniela si sporge in avanti spinta dalla curiosità. Anche Claudio sbircia per vedere cosa sia. Babi sorride.

"Chi ne vuole un pezzo? È un cornetto al cioccolato di Lazzareschi."

Babi spezza il cornetto con le mani.

"Papà?" Claudio scuote la testa.

"Dani?"

"No grazie." Forse sperava che in quel pacchetto ci fossero notizie della "loro Vespa".

"Meglio così, me lo mangio tutto io. Non sapete cosa vi perdete..." Pallina è proprio un tesoro, sa sempre come farsi perdonare. Ora deve solo ritrovarle la Vespa entro le otto.

27.

All'entrata della scuola le ragazze chiacchierano allegre aspettando il suono della campanella. Babi e Daniela scendono dalla macchina e salutano il padre. La Mercedes si allontana nel traffico di piazza Euclide. Subito un gruppo di ragazze corre verso di loro.

"Babi, ma è vero che ieri sei stata alla serra e hai fatto la camomilla?"

"È vero che sei fuggita inseguita dalla municipale?"

"Un vigile ti ha preso per i capelli, Step l'ha sbattuto a terra e siete scappati sulla sua moto?"

"È vero che sono morti due ragazzi?" Daniela ascolta sbalordita. La Vespa non è andata sacrificata inutilmente. Quella è vera gloria. Babi non crede alle sue orecchie. Come fanno a sapere già tutto? Non proprio tutto. La storia del letame per fortuna è rimasta segreta. Il suono della campanella la salva. Mentre sale le scale risponde vaga ad alcune domande delle amiche più simpatiche. Ormai è fatta. Quel giorno è una celebrità. Daniela la saluta con affetto.

"Ciao Babi, ci vediamo a ricreazione!" Incredibile. Da quando vanno a scuola insieme non gliel'ha mai detto. Guarda Daniela allontanarsi circondata da alcune amiche. Tutte le camminano intorno facendole mille domande. Anche lei sta godendo del suo momento di notorietà. È giusto, in fondo ci ha rimesso le Superga. Spera solo che non racconti del letame.

Un giovane prete venuto da una parrocchia lì vicino siede alla cattedra. È la prima ora, quella di religione. Il divertimento preferito di tutte è quello di metterlo in difficoltà con domande sul sesso e sui rapporti prematrimoniali. Narrano disinibite esempi precisi e fatti accaduti a delle tremende e fantomatiche amiche, che quasi sempre, poi, sono loro stesse. Praticamente quell'ora di religione si è trasformata in una vera e propria ora di educazione sessuale, unica materia nella quale tutte avrebbero preso la sufficienza piena.

Il prete tenta di schivare una domanda ben precisa sulla sua vita privata prima di prendere i voti. Apre la Bibbia troncando così il grande interesse che si è creato intorno ai suoi improbabili peccati. Babi sfoglia il diario. La prossima ora è greco.

La Giacci interroga. Si sta per chiudere l'ultimo trimestre prima degli esami di maturità. Con l'uscita delle materie non ci sarebbero state più interrogazioni. Controlla i pallini. Ne mancano solo tre per completare il giro. Sarebbero state loro le "fortunate". Babi legge i nomi. C'è di nuovo Festa. Poveraccia. Bella settimana sul serio. Babi si gira verso di lei. Sta con le mani sulle guance e guarda avanti. Babi la chiama con un bisbiglio. Silvia se ne accorge.

"Che c'è?"

"Guarda che la Giacci oggi ti interroga in greco."

"Lo so." Silvia abbozza un sorriso, poi prende dalla schiena della compagna davanti il libro che ci ha poggiato. È quello di grammatica greca. "Sto ripassando." Babi le sorride. Per quello che avrebbe potuto servirle. Forse era meglio se avesse seguito l'ora di religione. In realtà solo un miracolo avrebbe potuto salvarla. La campanella suona. Il giovane prete si allontana. Porta via con sé una valigetta di pelle morbida scura e anche gli ultimi dubbi. La sua camminata è una sincera confessione. Se da giovane ha commesso peccati, loro, le ragazze in generale, non hanno avuto colpa.

"Ciao Babi!"

"Pallina! Come stai?"

Pallina posa la borsa con i libri sul banco di Babi.

"Bene, con un litro di sangue in meno!"

"È vero. Come sono andate le analisi?"

Pallina si arrotola la camicia azzurra della divisa mostrando il suo pallido braccio. "Guarda qui!" Le indica un cerotto dalla punta leggermente colorata, arrossata di sangue.

"Questo non è niente. Non sai quel medico per trovarmi la vena. Due ore. Mi ha punzecchiato tutto intorno e giù pizzicotti sul braccio, dice lui per farmi uscire la vena. Secondo me solo per farmi male, mi odia. Mi ha sempre odiato quel dottore. Poi ha iniziato a parlare che non la smetteva più. Classico per non farti pensare alla siringa. Mi dice che ho delle vene regali, il sangue blu, che devo essere una principessa! E poi tà! Mi infila a tradimento tutto quell'ago nel braccio. Ma gliel'ho fatta vedere io la principessa. Gli ho sparato un 'Porca puttana'..."

"Pallina!"

"Tu sei più gentile. Mia madre mi ha dato uno schiaffo sulla bocca... Non so se mi ha fatto più male lei o quel dottore. Che poi io li odio, quando provi quella paura da dolore fisico vuoi solo silenzio intorno a te, ma quelli mica lo capiscono. Pensa che quando uscivamo ha fatto una battutaccia a mia madre." Pallina ne imita il tono. "'Una cosa è sicura signora, con quelle vene sua figlia difficilmente riuscirà a drogarsi.' Pessimo, roba da vomito. L'unica cosa positiva di tutto questo è stato che dopo mia madre mi ha portato a fare colazione all'Euclide. Mi sono fatta un maritozzo con la panna da favola! A proposito, hai ricevuto il mio pacchetto?"

"Sì, grazie!"

"No, perché quel tuo portiere ha la faccia di uno che deve sempre sapere che c'è nel pacchetto che lasci. È peggio di una macchina a raggi x... Si vede che sono ancora sconvolta dalle analisi, eh?"

"Abbastanza."

"Allora non se l'è mangiato lui il cornetto di Lazzareschi?"

"No" dice Babi sorridendo.

"Sono stata perdonata?"

"Quasi."

"Come quasi? Che, te ne dovevo lasciare due?"

"No, devi ritrovarmi la Vespa entro le otto."

"La tua Vespa? E come faccio? Chissà dov'è finita. Chi ce l'ha? Chi l'ha presa? Che ne posso sapere io?"

"Che ne so? Tu sai sempre tutto. Sei ben introdotta nell'ambiente. Sei la 'donna' di Pollo. Una cosa è certa, quando mio padre stasera torna alle otto la Vespa dev'essere in garage..."

"Lombardi!" La Giacci è sulla porta. "Vada al suo posto per favore."

"Sì, mi scusi professoressa, sto facendomi dire che cosa hanno fatto nell'ora di religione."

"Ne dubito... Comunque si vada a sedere lo stesso." La Giacci va alla cattedra. Pallina prende la borsa dei libri.

Babi la ferma. "Ho un'idea. Non c'è più bisogno di trovare la mia Vespa, almeno non subito."

Pallina sorride.

"Meno male. Era impossibile! Però come fai? Quando tuo padre ritorna e non trova la Vespa in garage che gli dici?"

"Ma mio padre troverà la Vespa in garage."

"E come?"

"Facile, ci mettiamo la tua."

170

"La mia Vespa?"

"Ma certo, per mio padre sono identiche, non se ne accorgerà mai."

"Sì ma io come..."

"Lombardi!"

Pallina non fa in tempo a ribattere.

"Questa lezione di religione dev'essere stata interessantissima. Venga intanto qui e mi faccia vedere la sua giustificazione." Pallina si mette la borsa sulle spalle e lancia un'ultima occhiata a Babi.

"Ne parliamo dopo."

Pallina va alla cattedra. Tira fuori il diario e lo apre alla pagina delle giustificazioni. La Giacci glielo toglie dalle mani. Lo legge e lo controfirma.

"Ah, bene, ha fatto delle analisi, eh? A lei dovrebbero fare una trasfusione di cultura. Altro che prelievi del sangue."

La Catinelli da brava secchiona leccaculo ride a quella battuta. Ma è talmente scadente che perfino la Giacci rimane infastidita da quel finto divertimento.

"Oh, c'è qualcun altro che deve farmi vedere il suo diario firmato." La Giacci guarda ironica verso Babi. "Vero Gervasi?"

Babi le porta il diario già aperto alla nota firmata. La Giacci lo controlla.

"Be', cos'ha detto sua madre?"

"Mi ha messo in punizione." Non è vero, ma tanto vale dargliela vinta del tutto.

Infatti la Giacci abbocca in pieno.

"Ha fatto bene." Poi si rivolge alla classe: "È importante che i vostri genitori sappiano apprezzare il lavoro svolto da noi professori e lo appoggino in pieno". Su per giù tutte annuiscono. "Sua madre, Gervasi, è una donna molto comprensiva. Sa benissimo che quello che faccio, lo faccio solo per il suo bene. Tenga." Le riconsegna il diario. Babi torna al suo posto. Strano modo di volermi bene, un due in latino e una nota. E se mi odiava che faceva? La Giacci tira fuori dalla sua vecchia borsa in pelle scamosciata i compiti di greco piegati a metà.

Si aprono spavaldi e fruscianti sulla cattedra spandendo nella classe il magico dubbio di aver almeno raggiunto la sufficienza.

"Vi annuncio che è stata una carneficina. Dovete solo sperare che non esca greco alla maturità." Tutte sono tranquille. Sanno già la materia: latino. Tutte fanno finta di non saperlo. In realtà quella sarebbe potuta essere benissimo una classe di attrici. Ruoli drammatici, a giudicare dal momento.

"Bartoli, tre. Simoni, tre. Mareschi, quattro." Una dopo l'altra le ragazze vanno alla cattedra a ritirare il loro compito in silenziosa rassegnazione.

"Alessandri, quattro. Bandini, quattro più." C'è una specie di processione funebre. Tutte tornano a posto e riaprono subito il compito cercando di capire la ragione di tutti quei segni rossi. È un lavoro per lo più inutile, proprio come il loro tentativo di traduzione andato male.

"Sbardelli, quattro e mezzo." Una ragazza si alza facendo un segno di vittoria. In effetti per lei lo è. Era abbonata al quattro. Quel mezzo voto in più è un vero e proprio traguardo.

"Carli, cinque." Una ragazza pallida, con gli occhiali spessi e i capelli unti, da sempre abituata al sette, sbianca. Si alza dal banco e procede con passo lento verso la cattedra chiedendosi cosa possa aver sbagliato. Un brivido di gioia percorre i banchi. È una delle secchione della classe, e non passa mai un compito.

"E vai!" le sussurra Pallina quando la poveraccia le sfila accanto. La Giacci consegna il compito a Carli. Sembra sinceramente dispiaciuta.

"Che ti è successo? Forse stavi poco bene? Oppure questa classe di analfabete è riuscita a contagiare anche te?"

La ragazza abbozza un sorriso. E con un debole "Sì, non mi sentivo granché" torna al posto. Una cosa è sicura. Ora sta veramente male. Lei, la Carli. Quella delle versioni impossibili, prendere cinque. Apre il compito. Lo rilegge rapidamente, trova subito il tragico errore. Sbatte il pugno sul banco. Come ha fatto a confondersi? Si porta le mani tra i capelli sinceramente disperata. La felicità della classe tocca vertici incredibili.

"Benucci, cinque e mezzo. Salvetti, sei." È andata. Quelle della classe che ancora non hanno ritirato il compito fanno un sospiro. Ormai è la sufficienza assicurata. La Giacci consegna i compiti in ordine crescente, prima i voti peggiori poi lentamente sale fino alla sufficienza e ai vari sette e otto. Lì si ferma. Non ha mai messo di più. E anche l'otto è un evento niente male.

"Marini, sei. Ricci, sei e mezzo." Alcune ragazze aspettano tranquille il loro voto, abituate e trovarsi nella zona alta della classifica. Ma per Pallina questo è un vero e proprio miracolo. Non crede alle sue orecchie. Ricci sei e mezzo? Quindi ha preso almeno quel voto, se non di più. Si immagina tornare da sua madre a pranzo e dirle "Mamma ho preso sette in greco". Sarebbe svenuta. L'ultima volta che ha preso un sette è stato in storia, su Colombo. Cristoforo le piace un casino, fin da quando ha visto una foto su un libro che lo ritraeva con una bandana rossa al collo. Un vero capo. Viaggiatore, deciso, uomo di poche parole. E poi, bene o male, il primo ad andare in America. È lui che ha lanciato la moda degli States. A pensarci bene c'è anche una vaga somiglianza fra lui e Pollo.

"Gervasi, sette." Pallina sorride felice per l'amica.

"Vai Babi." Babi si gira verso di lei e la saluta. Una volta tanto non deve essere dispiaciuta di aver preso più di Pallina.

"Lombardi." Pallina salta fuori dal banco e si dirige veloce verso la cattedra. È euforica. Ormai è almeno un sette.

"Lombardi, quattro." Pallina rimane senza parole.

"Il tuo compito deve essermi finito per sbaglio fra questi" si scusa la Giacci sorridendo. Pallina prende il suo compito e torna affranta al banco. Per un attimo ci ha creduto. Come sarebbe stato bello prendere sette. Si siede. La Giacci la guarda sorridendo, poi riprende a leggere i voti degli ultimi compiti. L'ha fatto apposta quella stronza. Pallina ne è sicura. Per la rabbia gli occhi le si riempiono di lacrime. Cavoli, come ha fatto a cascarci? Sette in una versione di greco, è impossibile. Doveva capirlo subito che c'era sotto qualcosa. Sente un bisbiglio a destra. Si gira. È Babi. Pallina cerca di sorridere con scarso risultato. Poi tira su col naso. Babi le mostra un fazzoletto. Pallina annuisce. Babi lo annoda e glielo lancia. Pallina lo prende al volo. Babi si sporge verso di lei.

"Piagnona! Dovresti fare la camomilla. Dopo, tutto il resto ti sembra una cretinata."

Pallina scoppia a ridere di gusto. La Giacci la guarda infastidita. Pallina alza la mano per scusarsi, poi si soffia il naso e approfittando del fazzoletto davanti al viso alza il medio. Qualche ragazza intorno a lei se ne accorge e ride divertita.

La Giacci sbatte il pugno sulla cattedra.

"Silenzio! Ora interrogo."

Apre il registro.

"Salvetti e Ricci."

Le due ragazze vanno alla cattedra, consegnano i quaderni e aspettano al muro pronte a essere fucilate di domande. La Giacci guarda di nuovo il registro. "Servanti." Francesca Servanti si alza dal banco sbalordita. Quel giorno non toccava proprio a lei. Doveva interrogare Salvetti, Ricci e Festa. Lo sapevano tutte. Va in silenzio alla cattedra e consegna il quaderno cercando di nascondere la sua disperazione. In realtà è abbastanza evidente. È del tutto impreparata. La Giacci raccoglie i quaderni, li mette uno sull'altro pareggiandone i bordi con tutte e due le mani.

"Bene, con voi finisco il giro di interrogazioni, poi spero di mettere da parte greco. Studieremo di più latino. Be', ve lo voglio dire. Quasi sicuramente sarà questa la materia che uscirà..."

Bella scoperta, pensa la maggior parte della classe dentro di sé. Solo una ragazza ha un altro pensiero. Silvia Festa. Come mai la Giacci non l'ha chiamata? Perché non è stata interrogata lei, al posto della Servanti, come sarebbe stato giusto? Forse la Giacci sta progettando qualcosa per lei? Eppure la sua situazione non è delle migliori. Ha già due cinque e non è proprio il caso di peggiorarla. D'altronde la professoressa non può mica essersi sbagliata. La Giacci non sbaglia mai. Questa è una delle regole d'oro della Falconieri.

Silvia Festa ha bisogno della sua terza interrogazione, che oltretutto le spetta. Richiama senza farsi vedere l'attenzione di Babi.

"Mi dispiace, non so che dirti. Anche per me dovevi essere interrogata tu."

"Che vuoi dire? Che si è sbagliata la Giacci?"

"Forse. Ma sai com'è fatta. Meglio non dirglielo."

"Sì, ma senza dirglielo non mi ammettono agli esami."

Babi allarga le braccia. "Non so che fare..." Le dispiace sul serio. Comincia l'interrogazione. Silvia si agita nervosa al suo banco. Non sa come comportarsi. Alla fine decide di intervenire. Alza la mano. La Giacci la vede.

"Sì Festa, che c'è?"

"Mi scusi professoressa. Non voglio disturbarla. Ma credo che a me manchi la terza interrogazione." Festa sorride cercando di far passare inosservato il fatto che così la sta accusando di aver sbagliato. La Giacci sbuffa.

"Vediamo subito." Prende due quaderni per aiutarsi nella ricerca. Sembra quasi che giochi a battaglia navale. Ma sul registro.

"Festa... Festa... Eccola qua: interrogata il diciotto marzo, e naturalmente è un meno. Soddisfatta? Anzi," controlla gli altri voti, "non so se verrai ammessa agli esami."

Un flebile "grazie" esce dalla bocca di Silvia. Praticamente è stata affondata. La Giacci con aria di sufficienza ricomincia a interrogare. Babi ricontrolla il diario. Diciotto marzo. Infatti proprio la data in cui è stata interrogata Servanti. Non ci sono dubbi. La Giacci deve essersi sbagliata. Ma come può provarlo? È la sua parola contro quella della professoressa. Come a dire un'altra nota. Povera Festa, è proprio sfigata. Così finisce sul serio che si gioca l'anno. Apre i fogli delle altre materie. Diciotto marzo. È un giovedì. Controlla anche le altre lezioni. Che strano però, quel giorno Festa non è stata interrogata in nessuna materia. Forse è solo un caso, o forse no. Si sporge dal banco.

"Silvia."

"Che c'è?" Festa ha l'aria distrutta. Non ha tutti i torti, poveraccia.

"Mi passi il tuo diario?"

"Perché?"

"Devo vedere una cosa."

"Che cosa?"

"Dopo te lo dico... Passamelo, dai."

Per un attimo una flebile luce di speranza si riaccende negli occhi di Silvia. Le passa il diario. Babi l'apre. Va alle ultime pagine. Silvia la guarda speranzosa. Babi sorride. Si gira verso di lei e le restituisce il diario. "Sei fortunata!" Silvia abbozza un sorriso. Non ne è poi così sicura.

Improvvisamente Babi alza la mano.

"Scusi professoressa..."

La Giacci si gira verso di lei.

"Cosa c'è Gervasi? Anche tu non sei stata interrogata? Oggi siete proprio noiose, eh ragazze...! Forza, che c'è?"

Babi si alza. Rimane per un attimo in silenzio. Gli occhi della classe sono puntati su di lei. Soprattutto quelli di Silvia. Babi guarda Pallina. Anche lei, come le altre, aspetta curiosa. Le sorride. In fondo è giusto farlo. La Giacci ha messo apposta il compito di Pallina fra quelli con il sette.

"Le volevo dire, professoressa, che lei ha sbagliato."

Un mormorio generale inonda la classe. Le ragazze sembrano impazzite. Babi è tranquilla.

La Giacci diventa rossa di rabbia, poi si controlla.

"Silenzio! Ah sì Gervasi, e in cosa?"

"Lei il diciotto marzo non può aver interrogato Silvia Festa."

"Come no, è scritto qua, sul mio registro. Lo vuole vedere? Eccolo qua, diciotto marzo, meno a Silvia Festa. Comincio a pensare che a lei piacciano le note."

"Quel voto è di Francesca Servanti. Ha sbagliato a scrivere e l'ha messo a Festa."

La Giacci sembra esplodere di rabbia.

"Ah sì? Be', lo so che lei segna tutto sul suo diario. Ma è la sua parola contro la mia. E se io dico che quel giorno ho interrogato Festa vuol dire che è così."

"E invece io dico di no. Lei ha sbagliato. Il diciotto marzo non può aver interrogato Silvia Festa."

"Ah sì? E perché?"

"Perché quel giorno Silvia Festa era assente."

La Giacci sbianca. Prende il registro generale e comincia a sfogliarlo all'indietro, come impazzita. Venti, diciannove, diciotto marzo. Controlla frenetica le assenze. Benucci, Marini e poi eccola lì. La Giacci si accascia sulla sedia. Non crede ai propri occhi. Festa. Quel cognome scritto dalla sua stessa mano stampato a lettere di fuoco. La sua vergogna. Il suo errore. Non serve altro. La Giacci guarda Babi. È distrutta. Babi si siede lentamente. Tutte le compagne si girano a turno verso di lei. Un bisbiglio generale sale piano piano nella classe.

"Brava, brava Babi, brava." Babi fa finta di non sentire. Ma quel lento sussurrare arriva alle orecchie della Giacci, quelle parole come terribili aghi di ghiaccio la colpiscono fredde, pungenti come il peso di quella sconfitta. La figuraccia davanti alla classe. La sua classe. E poi quelle frasi che le escono così pesanti e faticose, il sottolineare l'errore.

"Servanti vada a posto. Venga Festa." Babi abbassa gli occhi sul banco. Giustizia è fatta. Poi lentamente alza il viso. Guarda Pallina. I loro sguardi si incrociano e mille parole volano silenziose fra quei banchi. Da oggi anche la Giacci può sbagliare. La leggendaria regola d'oro si frantuma. Cade giù, sgretolandosi in migliaia di pezzi come un fragile cristallo sfuggito dalle mani di un'inesperta e giovane cameriera. Ma Babi non vede nessuna padrona sgridarla. Dovunque si giri, solo gli occhi felici delle sue compagne, orgogliose e divertite del suo coraggio. Poi guarda più lontano. E quello che vede le fa paura. La Giacci è lì che la fissa. Il suo sguardo, privo di espressione, ha la durezza di una pietra grigia sulla quale è stata scolpita con fatica la parola odio. Per un attimo Babi rimpiange di non aver avuto torto.

28.

Mezzogiorno. Step con una felpa e un paio di calzoncini entra in cucina per fare colazione.

"Buongiorno Maria."

"Buongiorno." Maria smette subito di lavare i piatti. Sa che a Step dà fastidio quel rumore appena alzato. Step toglie dal fuoco la caffettiera e il pentolino del latte e si siede a tavola quando il campanello comincia a suonare. Sembra impazzito. Step si porta la mano sulla fronte.

"Ma chi ca..."

Maria con dei piccoli passi veloci corre verso la porta.

"Chi è?"

"Sono Pollo! Mi apre per favore?"

Maria, memore del giorno prima, si gira verso Step con aria interrogativa. Step annuisce con la testa. Maria apre la porta. Pollo entra di corsa. Step è lì davanti che si versa il caffè.

"Oh Step, non sai che mito! Una favola, una ficata!"

Step alza il sopracciglio.

"Mi hai portato i tramezzini?"

"No, quelli non te li porto più visto che non sai apprezzare. Guarda." Gli mostra "Il Messaggero".

"Il giornale già ce l'ho," alza dal tavolo "la Repubblica", "me l'ha portato Maria. Piuttosto, non l'hai neanche salutata."

Pollo si gira verso di lei, insofferente.

"'Ngiorno Maria." Poi apre il giornale e lo posa sul tavolo. "Hai visto? Guarda che foto da urlo! Un mito... Sei sul giornale..."

Step mette la mano sulla pagina della Cronaca di Roma. È vero. Eccolo lì. C'è lui sulla moto con Babi dietro mentre pinnano davanti ai fotografi. Perfettamente riconoscibili: per fortuna sono stati fotografati da davanti. La targa non si vede, sennò sarebbero stati cavoli amari. C'è tutto l'articolo. Le gare, alcuni nomi dei fermati, la sorpresa della polizia, la descrizione della sua fuga.

"Hai letto? Sei un mito Step! Sei famoso ormai! Cazzo, ce l'avessi io un articolo così."

Step gli sorride.

"Tu non pinni come me. Oh, è proprio una bella foto! Hai visto Babi, come sta bene?"

Pollo annuisce scocciato. Babi non è proprio quello che si dice il suo ideale di donna. Step alza il giornale con tutte e due le mani e guarda estasiato la fotografia.

"Certo che la mia moto è proprio bella!" esclama mentre si chiede se Babi ha già visto quella foto. Sicuramente no. "Pollo, mi devi accompagnare in un posto. Tieni, prenditi un po' di caffè mentre mi faccio la doccia." Step va di là. Pollo si siede al suo posto. Guarda la foto. Comincia a rileggere l'articolo. Prende la tazza e la porta alla bocca. Che schifo! È vero: Step prende il caffè senza zucchero. La voce di Step arriva attutita e bagnata da sotto la doccia.

"A che ora chiudono i negozi?" Pollo mette il terzo cucchiaino di zucchero nel caffè. Poi guarda l'orologio.

"Fra meno di un'ora."

"Cazzo, dobbiamo sbrigarci." Pollo assaggia il caffè. Ora sì che va. Si accende una sigaretta. Step compare sulla porta. Ha addosso un accappatoio, e con un piccolo asciugamano si friziona forte i capelli. Si avvicina a Pollo e guarda di nuovo la foto.

"Che effetto fa essere l'amico di un mito?"

"Mo' non esagerare."

Step gli prende la tazza dalle mani e beve un sorso di caffè. "Che schifo! Ma come fai a berlo così dolce? È terribile! Ci credo che poi sei grasso! Ma quanti cucchiaini ci hai messo?"

"Io non sono grasso. Sono un falso magro."

"Oh, Pollo, adesso che ti sei fidanzato devi tornare in palestra, fumare di meno, stare a dieta. Guarda che quella ti lascia sennò! Le donne sono terribili, ti adagi un attimo e sei finito. Ora poi, dopo questa mia foto, minimo devi andare pure tu sul giornale."

"Guarda che io già ci sono uscito sul giornale, e prima di te. Con gli irriducibili. C'ho un primo piano da urlo con la fascia in fronte e le braccia alzate, da 'capo della curva'."

"Ma tu non capisci, il tifoso oggi non va più. Ora è di moda il malandro, il teppista... Vedi, infatti hanno fatto il servizio su di me. Oh, secondo te gli posso chiedere qualche soldo al 'Messaggero'? Sfruttamento di immagine, no?" Step va a vestirsi. Pollo finisce di bere il caffè. Poi si alza e si passa la mano sulla pancia. Step ha ragione. Da lunedì ricomincerà ad andare in palestra. Non si sa perché, ma quasi tutto il mondo ricomincia da lunedì.

Pollo è in viale Angelico, sulla sua moto ferma, poggiata sul cavalletto laterale. Step monta al volo dietro di lui.

"Vai... Oh, Pollo, vai piano, che l'ho messo in mezzo a noi."

"Quanto ti hanno fatto pagare?"

"Ventidue euro."

"Mortacci. Dove dobbiamo andare adesso?"

"A piazza Jacini."

"A fare che?"

"Babi abita là."

"Ma dai! E non l'avevi mai vista?"

"Mai."

"Strana la vita, no?"

"Perché?"

"Be', prima una non la vedi mai, e poi cominci a vederla tutti i giorni."

"Sì, strana."

"Poi ancora più strana se dopo che cominci a vederla tutti i giorni le fai pure i regaletti."

Step dà un cinquino sul collo scoperto di Pollo.

"Ahia!"

"Hai finito? Sembri uno di quei tassisti rompicoglioni che non smettono mai di parlare quando ti portano in un posto e ti fanno un casino di domande. Ti manca solo la radio gracchiante, e poi sei uguale."

Pollo comincia a guidare allegramente e imita la radio dei taxi.

"Csss piazza Jacini per Pollo 40, piazza Jacini per Pollo 40." Step gli dà un'altra pacca. Poi comincia a riempirlo di schiaffi a mano aperta in faccia, sulle guance, sulla fronte. Pollo continua a fare la radio del taxi urlando a squarciagola.

"Piazza Jacini a Pollo 40, piazza Jacini a Pollo 40." Continuano così ridendo e urlando, procedendo a zigzag nel traffico con tutte le macchine intorno che frenano preoccupate. Si avvicinano a un vero taxi. Pollo gli urla dentro il finestrino:

"Piazza Jacini a Pollo 40". Il tassinaro si prende un colpo ma non dice nulla. La moto si allontana. Il tassista alza la mano indicandoli e scuotendo la testa. Si capisce perfettamente che il suo idolo al massimo può essere Sordi, e non certo De Niro. Step e Pollo passano vicino a una vigilessa. La sfiorano quasi, sorridendole, toccandole il bordo della gonna. Pollo tira fuori perfino la lingua. Lei non prova neanche a prendere la targa. Cosa potrebbe scrivere sulla multa? Il codice stradale non punisce i tentativi di rimorchio, anche se pesanti come quelli.

"Piazza Jacini a Pollo 40, arrivati!" La moto di Pollo si ferma rombando davanti alla sbarra del comprensorio di Babi.

Step saluta il portiere che ricambia e li lascia passare. La moto sale lungo la salita. Il portiere guarda quei due energumeni leggermente perplesso. Pollo si gira verso Step.

"Allora sei già venuto qui, il portiere ti ha riconosciuto."

"Mai. I portieri sono tutti così, basta che li saluti e quelli ti fanno passare! Fermati qua e aspettami." Step salta giù dalla moto.

Pollo dà gas e la spegne. "Sbrigati, il coso dei pagamenti scorre..."

"Tassametro."

"Va be', come cazzo si chiama, si chiama. Muoviti. Sennò me ne vado."

Step, al citofono, trova il cognome e suona.

"Chi è?"

"Devo consegnare un pacco per Babi."

"Primo piano."

Step sale. Una cameriera grassa è sulla porta.

"Buongiorno: tenga, devo lasciare questo per Babi. Stia attenta che si rovina." Una voce arriva dal fondo del corridoio.

"Chi è, Rina?"

"Un ragazzo ha portato una cosa per Babi." Raffaella avanza guardando quel ragazzo sulla porta. Spalle larghe, capelli corti, quel sorriso. L'ha già visto, ma non si ricorda dove.

"Buongiorno signora. Come sta? Ho portato questo per Babi, è una sciocchezza. Glielo può dare quando torna da scuola?"

Raffaella sta ancora sorridendo. Poi a un tratto realizza. Non sorride più.

"Tu sei quello della capocciata al signor Accado. Sei Stefano Mancini."

Step rimane sorpreso.

"Non credevo di essere così famoso."

"Infatti non sei famoso. Sei solo un mascalzone. I tuoi sanno quello che è successo?"

"Perché, che è successo?"

"Sei stato denunciato."

"Oh, non fa niente. Sono abituato." Sorride. "E poi sono orfano."

Raffaella rimane per un attimo imbarazzata. Non sa se crederci o no. Fa bene.

"Be', comunque non voglio che tu giri intorno a mia figlia."

"Veramente è lei che viene sempre dove sono io. Ma non fa niente, a me non dà fastidio. Mi raccomando, non la sgridi, non se lo merita, io la capisco."

"Io no." Raffaella lo squadra dalla testa ai piedi cercando di farlo sentire in imbarazzo. Non ci riesce. Step sorride.

"Non so perché, ma non piaccio mai alle madri. Be', mi scusi signora, ma ora devo proprio andare. C'ho il taxi che mi aspetta. Sto spendendo una cifra." Step scende per le scale, salta gli ultimi gradini proprio in tempo per sentire la porta sbattere con forza. Come assomiglia a Babi, quella signora. È impressionante. Ha lo stesso taglio di occhi, la forma del viso. Ma Babi è più bella. Spera che sia anche meno incazzosa. Si ricorda l'ultima volta che si sono visti. No, si somigliano anche in quello. Per un attimo desidera rivederla. Pollo si attacca al clacson.

"Oh, ti vuoi muovere? Che cazzo fai, ti sei incantato?"

Step sale dietro di lui.

"È possibile che fai schifo pure come tassinaro?"

"Mortacci tua. È un'ora che aspetto. Ma che hai fatto?"

"Ho parlato con la madre." A Step improvvisamente viene un pensiero. Alza la testa. Infatti, proprio come prevedeva. Raffaella è lì, affacciata alla finestra. Lei fa uno scatto indietro tentando di rientrare. Troppo tardi. Step l'ha vista. Lui le sorride salutandola. Raffaella chiude la finestra con forza mentre la moto sparisce dietro la curva. Pollo si ferma davanti alla sbarra. Step saluta il portiere. È meglio farsi amico qualcuno in quel comprensorio.

"Hai parlato con la madre? E che le hai detto?"

"Ma niente, abbiamo avuto una piccola discussione. In realtà mi adora."

"Step, stai attento."

"A cosa?"

"A tutto! Questa è la classica storia che va a finire male."

"Perché?"

"Tu che porti regali... parli con la madre. Non l'hai mai fatto. Ma ti piace proprio 'sta Babi?"

"Non è male."

"E Madda?"

"Ma che c'entra Madda. Quella è un'altra storia."

"Ma che, ti vuoi mettere con Babi?"

"Pollo!..."

"Che c'è?"

"Hai saputo che ieri hanno ammazzato uno vicino a casa tua?"

"Ma che stai dicendo? Non ne so niente. Com'è successo?"

"Gli hanno tagliato la gola." Step mette al volo il braccio intorno al collo di Pollo e glielo stringe.

"Era un tassista e faceva troppe domande."

Pollo tenta di liberarsi dalla stretta. È inutile. Allora la butta sullo scherzo e rifà la voce gracchiante della radio.

"Pollo 40, messaggio ricevuto. Csss. Pollo 40, messaggio ricevuto." Ma non gli viene bene come prima. Ora la voce è un po' troppo strozzata.

29.

Che faccia da schiaffi quel ragazzo. Raffaella apre quello strano tubo. Un poster. Riconosce Stefano su una moto con la ruota alzata. Ma quella dietro è sua figlia. È Babi. Chi ha fatto quella foto? È un po' sgranata. Sembra la foto di un giornale. Sulla sinistra in alto c'è una scritta fatta a mano con un pennarello: "Mitica coppia!". Sicuramente è di quel ragazzo. Invece in basso a destra c'è una scritta stampata: "La foto dei fuggitivi". Che vuol dire?

"Signora, c'è suo marito al telefono."

"Pronto, Claudio?"

"Raffaella!" Sembra sconvolto. "Hai visto 'Il Messaggero' di oggi? Nella Cronaca di Roma c'è la foto di Babi..."

"No non l'ho visto. Vado subito a prenderlo."

"Pronto? Raffaella?" Sua moglie ha già attaccato. Claudio guarda la cornetta muta. Sua moglie non gli dà mai il tempo di finire di parlare. Raffaella scende di corsa dal giornalaio sotto casa. Prende "Il Messaggero" e paga. Lo apre senza neppure aspettare il resto. Questo vuol dire che è veramente sconvolta. Va alla Cronaca. Eccola lì. La stessa foto. Legge il titolo in grande: "I pirati della strada". Sua figlia. La retata, la municipale, l'inseguimento. Il fermo di polizia. Cosa c'entra Babi con tutta questa storia? Le righe cominciano a ballarle davanti agli occhi. Si sente svenire. Poi respira profondamente. Piano piano si sente meglio. Tanto da prendere anche il resto. Il giornalaio vedendola così pallida in volto si preoccupa.

"Signora Gervasi, si sente male? Una brutta notizia?"

Raffaella si gira scuotendo la testa.

"No, no, niente." Esce dal giornalaio. Del resto cosa avrebbe potuto dirgli? Cosa avrebbe detto ora alle amiche? Agli inquilini? Agli Accado? Al mondo?

"Non è niente, non vi preoccupate. È solo che mia figlia è una dei pirati della strada."

Sarebbe stata dura aspettare fino all'uscita di scuola.

La voce nell'interfono è calda e sensuale, proprio come il corpo al quale appartiene.

"Dottor Mancini, c'è suo padre sulla uno."

"Grazie signorina." Paolo spinge il tasto.

"Pronto, papà?"

"Hai visto 'Il Messaggero'?"

"Sì, ho la foto qui davanti."

"Hai letto l'articolo?"

"Sì."

"Che ne pensi?"

"Be', non c'è molto da pensare. Penso che prima o poi finirà male."

"Sì, lo penso anch'io."

"Che si può fare?"

"Non c'è granché da fare, mi sembra."

"Quando torni a casa ci parlerai, per favore?"

"Sì, ci parlerò. Per quello che può servire. Ma se ti fa felice, ti prometto che lo farò."

"Grazie Paolo." Il padre attacca il telefono. Felice. Cosa può farmi felice? Certo non un articolo come quello su mio figlio. Prende il giornale tra le mani. Guarda la foto. Dio com'è bello, somiglia tutto a lei. E un debole sorriso appare sul suo viso stanco, incapace di cancellare quell'antica sofferenza. Per un attimo è sincero con se stesso.

"Sì. Io so cosa mi potrebbe rendere di nuovo felice."

La segretaria di Paolo entra nella stanza con alcuni fogli: "Dottore, questi sono da firmare". Li posa sulla sua scrivania e rimane lì in attesa. Paolo prende la penna d'oro dal taschino della giacca. Gliel'ha regalata Manuela, la sua fidanzata. Ma in quel momento piano piano avverte il profumo della segretaria. È provocante. Tutto in lei sembra provocante. Paolo scrive il proprio nome per esteso alla fine di ogni foglio. Ha in mano la penna di Manuela ma pensa alla sua segretaria. Al suo profumo, ai fianchi innocenti che strusciano delicati la sua schiena. O forse no? Forse non sono poi così innocenti... L'idea di quella vicinanza voluta inizia a eccitarlo.

"Dottore, ma questo qui sul giornale non è suo fratello?"

Paolo firma l'ultimo foglio.

"Sì, è lui."

La segretaria guarda ancora per un attimo la foto.

"E quella dietro è la sua ragazza?"

"Non lo so. Forse sì."

"Suo fratello è molto meglio di persona." Paolo guarda la segretaria uscire. La sua andatura e quello che ha detto non lasciano dubbi. È una donna, e come tale, pensa, è scaltra. L'ha fatto apposta a strusciarsi contro di lui, ne è sicuro. Almeno come è sicuro che con lo stratagemma che lui ha trovato il signor Forte risparmierà parecchie migliaia di euro. Guarda il giornale. Per un attimo immagina di essere lui sulla moto mentre fa una pinna con la sua segretaria dietro. Lei che si stringe a lui, le sue gambe contro le sue, le sue braccia intorno alla vita. Sarebbe stato bello. Chiude "Il Messaggero". Paolo ha il terrore delle moto. Sarebbe mai uscita una sua foto sul giornale? Sicuramente non l'avrebbero immortalato mentre fa una pinna. Al massimo qualcosa che ha a che fare con la finanza. A un certo punto ha un brutto presentimento. Vede una sua foto con il titolo: "Arrestato il commercialista del noto finanziere". Riprende la pratica del signor Forte. Forse è meglio ricontrollare che sia veramente tutto a posto.

All'uscita di scuola Pallina scende i gradini saltellando vicino a Babi.

"Che forza! Che figuraccia hai fatto fare alla Giacci."

"Mi dispiace..."

"Ti dispiace? Ben gli sta a quella vecchia schifosa... Sul serio credi che si sia sbagliata a mettere lì il mio compito? Quella l'ha fatto apposta. Ce l'ha con me perché io sono sempre allegra, ho sempre voglia di scherzare, mentre lei... Mamma che mortorio."

"Lo so, ma mi dispiace lo stesso. E poi hai visto come mi guarda? Ora mi odia, farà di tutto per farmi andare male."

Pallina le dà una pacca sulla spalla.

"Figurati, non può farti niente. Brava come sei, anche se ce la mette tutta, arrivi agli esami che è una passeggiata. Avessi io la tua media, sai il casino che farei..." Pallina tira fuori dalla borsa un pacchetto di Camel. Ne prende una e se la mette in bocca. Guarda dentro il pacchetto. Ne mancano altre tre prima di quella capovolta, quella del desiderio.

"Ehi, ma non avevi detto che smettevi di fumare?"

"Sì, l'ho detto. Smetto lunedì."

"Ma non era lunedì scorso?"

"Infatti. Lunedì ho smesso, ma ho ricominciato ieri."

Babi scuote la testa. Poi vede la macchina di sua madre posteggiata dall'altra parte della strada.

"Che fai Pallina, vieni con noi?"

"No, aspetto Pollo, ha detto che veniva a prendermi. Forse viene con Step. Perché non rimani anche tu? Dai, di' a tua madre che vieni a mangiare a casa mia."

Babi non ha più pensato a Step da quella mattina. Sono successe troppe cose. Come si sono salutati la sera prima? Incoerente. Così le ha detto. Roba da pazzi. Lei non è incoerente.

"Grazie Pallina. Vado a casa, e poi te l'ho già detto, non ci tengo a vedere Step; e non insistere con questa storia, se no va a finire che litighiamo."

"Come vuoi. Allora alle cinque al Parnaso..." Babi prova a replicare, ma Pallina è più veloce di lei: "Sì, con la mia Vespa". Babi le sorride e si allontana. Perché se la tira tanto?, pensa Pallina. Affari suoi. Forse è una tecnica. Be', comunque troppo simpatica. Poi una che mette a posto la Giacci in quel modo. È ora di diffondere la notizia. Pallina si avvicina a un gruppetto di ragazze più piccole. Sono del secondo.

"Avete saputo la figura di merda della Giacci?"

"No, che è successo?"

"Stava per rimandare Silvia Festa, una della mia classe. Invece si era sbagliata e le aveva messo il voto di un'altra."

"Giura?"

"Sì, per fortuna Babi se n'è accorta."

"Ma chi, la Gervasi?"

"Proprio lei."

Una ragazza con "Il Messaggero" tra le mani le si avvicina.

"Senti Pallina, ma questa qui non è Babi?"

Pallina le strappa il giornale dalle mani. Legge l'articolo di corsa. Guarda Babi. Ormai è quasi arrivata alla macchina della madre. Prova a chiamarla. Urla forte, ma il rumore del traffico copre la sua voce. Troppo tardi.

Babi alza il sedile per andare dietro in macchina.

"Ciao mamma." Si sporge in avanti per baciarla. Uno schiaffo la colpisce in pieno viso. "Ahi!" Babi cade seduta sui sedili posteriori. Si massaggia la guancia indolenzita, senza capire.

Anche Daniela entra in macchina.

"Ehi, avete visto che forza! Babi, stai sul giornale..."

Si guarda intorno. Quel silenzio. La faccia di Raffaella. La mano di Babi che si massaggia la guancia indolenzita. Capisce al volo.

"Come non detto." Mentre aspettano Giovanna, la solita ritardataria, Raffaella urla come una pazza. Babi cerca di spiegare tutta la storia. Daniela testimonia a suo favore. Raffaella si innervosisce ancora di più. Pallina diventa l'imputata principale. Ma non è perseguibile, perché oltre i confini.

Finalmente arriva Giovanna, e con il solito "Scusate" sale dietro. La macchina parte. Fanno tutto il viaggio in silenzio. Giovanna pensa che è una situazione troppo pesante. Non possono essere sempre così nervose.

"Be', scusate, ma oggi mica sono arrivata molto tardi, no?" Daniela scoppia a ridere. Babi si controlla per un po', poi anche lei si lascia andare. Perfino Raffaella alla fine ride.

Giovanna naturalmente non capisce nulla, anzi si offende. Pensa che non solo sono esagerate, ma anche delle cafone a prenderla in giro così. Lo dirà a sua madre. Da domani, decide Giovanna, o mi viene a prendere lei o torno in autobus.

Almeno tutta quella storia è servita a qualcosa: non dovranno più aspettare Giovanna.

30.

La vecchia borsa di pelle nera stretta forte sotto il braccio.
Una giacca di panno color senape. I capelli stanchi, come la
sua andatura, sono corti e raccolti, leggermente mesciati. Le
calze velate marroni le regalano ancora qualche anno in più,
se mai ce ne fosse stato bisogno. E quei vecchi mocassini col
tacco a mezza altezza e la punta scheggiata le fanno male. Ma
non è niente in confronto a quello che prova dentro.

Il suo cuore deve avere delle scarpe almeno di due misure
più piccole. La Giacci apre il portone a vetro del vecchio palazzo. Cigola senza sorprenderla. Si ferma davanti all'ascensore. Spinge il bottone. La Giacci guarda le cassette della posta.
Alcune sono senza nome. Una poi non ha neanche il vetro, penzola in giù disordinata proprio come la casa di Nicolodi, il proprietario. Sono le cose che diventano simili agli uomini che le
posseggono, o sono loro che finiscono per assomigliare ad esse? La Giacci non sa darsi una risposta. Entra nell'ascensore.

Alcune scritte incise sul legno. Si legge il nome di un amore passato. Più in alto il simbolo di un partito perfettamente
scolpito da un illuso scultore. Sotto, a destra, un organo ma-
schile risulta leggermente imperfetto, almeno ai suoi ricordi
sbiaditi. Secondo piano. Tira fuori dalla borsa un mazzo di
chiavi. Infila quella più lunga nella serratura di mezzo. Sente
un rumore dietro la porta. È lui, il suo unico amore. La ragione della sua vita.

"Pepito!" Un piccolo cane le corre incontro abbaiando. La
Giacci si china. "Come stai tesoro?" Il cane le salta scodinzolando tra le braccia. Comincia a farle le feste. "Pepito, non sai
cosa hanno fatto oggi alla tua mamma." La Giacci chiude la
porta, posa la borsa di pelle su una fredda mensola di marmo
bianco e si leva la giacca.

"Una sciocca ragazza ha osato riprendermi, e davanti a tutte, capisci... Avresti dovuto sentire il suo tono." La Giacci va in

cucina. Il cane la segue trotterellando. Sembra sinceramente interessato.

"Lei, per un misero sbaglio, mi ha rovinato, capisci? Mi ha umiliato davanti alla classe." Apre un vecchio rubinetto dal tubo di gomma ingiallito dal tempo. L'acqua schizza irregolare su una grata di gomma bianca, dai contorni imprecisi. È stata tagliata a mano per farla entrare dentro al lavandino.

"Lei ha tutto. Ha una bella casa, qualcuno che le sta preparando da mangiare. Lei non si deve preoccupare di niente. Ora non sta neanche pensando a quello che ha fatto. Già, che gliene importa a lei?" Da un armadietto pieno di bicchieri diversi fra loro, la Giacci ne prende uno a caso e lo riempie d'acqua. Perfino il vetro sembra avvertire il tempo che passa. Beve e torna nel salottino. Il cane la segue ubbidiente.

"Dovevi vedere poi le altre ragazze. Erano felici. Ridevano alle mie spalle contente di vedermi sbagliare..." La Giacci tira fuori dal cassetto alcuni compiti e si siede a un tavolo. Comincia a correggerli. "Lei non doveva farlo" e sottolinea in rosso più volte l'errore di una povera innocente. "Non doveva rendermi ridicola davanti a tutte." Il cane salta su una vecchia poltrona di velluto bordeaux e si accuccia sul morbido cuscino ormai abituato al suo piccolo corpo.

"Capisci, come faccio a tornare in quella classe? Ogni volta che metterò un voto, magari qualcuno dirà: 'È sicura di averlo messo a me, professoressa?'. E rideranno, sono sicura che rideranno..." Il cane chiude gli occhi. La Giacci mette quattro al compito che sta correggendo. La povera innocente forse avrebbe meritato qualcosa di più. La Giacci continua a parlare da sola. Pepito si addormenta. Un altro compito viene sacrificato. In giorni più sereni avrebbe potuto tranquillamente raggiungere la sufficienza.

Domani non sarà una bella giornata per la classe. Intanto in quella stanza una donna su un tavolo coperto da una vecchia cerata si è data praticamente da sola una risposta. Sono le persone a rendere simili a loro ciò che posseggono. E per un attimo in quella casa tutto sembra più grigio e più vecchio. E perfino una bella Madonna appesa al muro sembra diventare cattiva.

31.

Parnaso. Belle ragazze dagli occhi perfettamente truccati, dalle ciglia lunghe e rossetti delicati, sono sedute ai tavolini tondi e chiacchierano crogiolandosi al tiepido sole di quel pomeriggio primaverile.

"Mannaggia, mi sono macchiata!" Qualche ragazza al tavolo ride, un'altra più pessimista controlla che anche la sua camicetta non abbia fatto la stessa fine. La ragazza dalla camicetta macchiata intinge la punta di un tovagliolino di carta nel bicchiere pieno d'acqua. Strofina con forza la macchia di cioccolato allargandola. La camicetta color panna in quel punto diventa beige. La ragazza si dispera.

"Oh! Questi bicchieri d'acqua portano una sfiga. Sembra che i camerieri te li diano apposta, tanto già lo sanno che ti macchi. Scusi!"

Ferma al volo un cameriere.

"Mi può portare il Viavà per favore?" La ragazza prende con tutte e due le mani la camicetta mostrandogli la macchia bagnata. Il cameriere non si ferma in superficie. Fa un'analisi ben più profonda. La camicetta, trasparente in quel punto bagnato, poggia sul reggiseno mostrandone il pizzo.

Il cameriere sorride. "Glielo porto subito, signorina." Professionale e bugiardo, vorrebbe darle qualcos'altro, pur sapendo, frustrato, che quel bottone sbottonato in più non è certo dedicato a lui. Nessuna ragazza del Parnaso si fidanzerebbe mai con un cameriere.

Pallina, Silvia Festa e qualche altra ragazza della Falconieri sono poggiate a una catenella che si stende sofferente sotto il loro peso da un basso pilastro di marmo a un suo gemello.

"Eccola." Babi ha le guance arrossate. Le saluta con un sorriso divertito, leggermente affaticato dalla camminata. Pallina le corre incontro. "Ciao." Si baciano, affettuose e sincere. A differenza della maggior parte dei baci ai tavoli del Parnaso. "Che stanchezza. Non pensavo fosse così lontano!"

"Sei venuta a piedi?" Silvia Festa la guarda sconvolta.

"Sì, non avendo la Vespa." Babi guarda allusiva Pallina. "E poi avevo voglia di fare due passi. Ma ho un po' esagerato, sono distrutta. Non è che mi tocca tornare nella stessa maniera, vero?"

"No, tieni." Pallina le dà un portachiavi. "La mia Vespa è lì a tua disposizione." Babi guarda la grossa P di gomma azzurra fra le sue mani.

"E si hanno notizie invece di che fine ha fatto la mia?"

"Pollo ha detto che nessuno ne sa niente. Deve averla presa la polizia. Ha detto che dopo un po' ti avvisano."

"Pensa se parlano con i miei." Babi guarda il gruppo di ragazzi. Riconosce Pollo e qualche altro amico di Step. Un tipo con una benda sull'occhio le sorride. Babi guarda altrove.

Alcune moto si fermano lì vicino. Babi si volta speranzosa verso i nuovi arrivati. Il cuore le batte forte. Inutilmente. Anonimi ragazzi, almeno ai suoi occhi, vanno verso i tavolini salutando.

"Chi cerchi?" Il tono e la faccia di Pallina non lasciano dubbi. Pallina sa.

"Nessuno, perché?" Babi si mette le chiavi in tasca senza guardarla. È sicura che i suoi occhi sinceri la tradirebbero.

Pallina insiste: "No, niente, mi sembrava cercassi qualcuno...".

"Be', ciao ragazze." Un saluto affrettato. Le sue guance arrossiscono. E non è più solo per la fatica. Pallina l'accompagna alla Vespa.

"Sai come funziona?" Babi sorride, toglie il bloccasterzo e l'accende.

"Che fate stasera?"

"Ehi, che succede? Ti degni di uscire con noi?"

"Come sei polemica. Ho chiesto solo cosa fate!"

"Mah, non lo so. Se vuoi ti telefono o ti faccio telefonare." Pallina la guarda allusiva. Dietro quel sorriso, improvvisamente compare lui: Step. I suoi occhi sicuri, quella pelle abbronzata, i capelli corti, e le sue mani segnate da sorrisi spezzati, da nasi colpiti, un tempo perfetti. "Sembri il mio pesciolino." La bocca aperta... gli occhi chiusi... "Ah, ma allora sei incoerente... incoerente... incoerente." Come un'eco. Babi ha un lampo d'orgoglio.

"No grazie, lascia stare. Ci vediamo domani a scuola. Era solo una curiosità."

"Come vuoi..." La Vespa la porta via veloce prima che quella debole diga d'orgoglio venga travolta da quel mare pericoloso non ancora in tempesta. Pallina tira fuori dalla tasca il telefonino e sorride.

Babi mette la Vespa di Pallina in garage. Perfetta. Suo padre non si potrà mai accorgere della differenza. L'attacca ancora un po' di più al muro, così non può proprio dire nulla. Guarda l'orologio. Le sette meno un quarto. Cavoli! Sale di corsa la scala. Apre veloce la porta.
"Dani, è tornata mamma?"
"No, ancora no."
"Meno male." Raffaella l'ha messa in punizione, Babi non può uscire fino alla prossima settimana, ed è un po' troppo sgarrare proprio il primo giorno. Daniela la guarda insofferente.
"Allora, si sa niente della nostra Vespa?"
"Niente. Deve avercela la polizia."
"Cosa? Molto bene! E che ci fanno, gli inseguimenti?"
"Mi hanno detto che prima o poi la polizia ci chiamerà per restituircela. Dobbiamo solo intercettare la telefonata prima di mamma e papà..."
"Facile. E se chiamano la mattina?"
"Siamo finite. Per adesso Pallina ci ha lasciato la sua Vespa. L'ho messa in garage, così quando torna papà non si accorge di niente."
"Ah, a proposito, ti ha telefonato Pallina."
"Quando?"
"Poco fa, quando eri fuori. Ha detto di dirti che stasera escono e vanno alle Vetrine. Che ti aspetta, di non tirartela e venire che ha scoperto tutto. E poi mi ha detto qualcosa tipo il nome di un animale. Cagnolino, topolino... Ah, sì, ha detto salutami pesciolino. Ma chi è pesciolino?"
Babi si gira verso Daniela: si sente colpita, scoperta, tradita. Pallina sa.
"Niente, è solo uno scherzo."
Sarebbe troppo lungo da spiegare. Troppo umiliante. La rabbia la rapisce per un attimo, la porta silenziosa in camera sua. Nel tramonto dipinto sui vetri della sua finestra vede il tragitto di quella storia. La bocca di Step, il suo sorriso divertito, il racconto a Pollo, la sua risata e poi lo stesso racconto a Pallina e chissà a chi altro ancora. È stata stupida, avrebbe dovuto dirlo alla sua migliore amica. L'avrebbe capita, consolata. Sarebbe stata dalla sua parte, come sempre. Poi guarda il poster sull'armadio. E per un attimo prova dell'odio. Ma è solo un attimo. Lentamente abbassa le armi. "Mitica cop-

pia!" Orgoglio, dignità, rabbia, indignazione. Scivolano giù come una camicia da notte di seta senza spalline, lungo il suo corpo liscio e dorato. E lei, finalmente libera, ne esce fuori semplicemente, con un passo. Nuda d'amore si avvicina a lui, alla sua immagine.

Per un momento sembrano sorridersi. Abbracciati nel sole del tramonto, vicini anche se diversi. Lui di carta plastificata, lei piena di lucide emozioni, finalmente chiare e sincere. Lei abbassa timida gli occhi e senza volerlo si ritrova di fronte allo specchio. Non si riconosce. I suoi occhi così sorridenti, quella pelle luminosa... Anche il viso le sembra diverso. Si tira indietro i capelli. È un'altra. Sorride felice a quella che non è mai stata. Una ragazza innamorata. Non solo. Una ragazza indecisa e preoccupata di come vestirsi quella sera.

Più tardi, dopo che i suoi l'hanno sgridata nuovamente e sono usciti per una delle loro cene, Babi entra in camera di Daniela.

"Dani, io esco."

"Dove vai?" Daniela compare sulla porta.

"Alle Vetrine." Babi tira fuori dai cassetti alcuni maglioni e apre l'armadio della sorella. "Senti, dove hai messo la gonna nera... quella nuova..."

"Non te la presto! Così mi butti pure quella! Non esiste."

"Ma dai, è stato un caso, no?"

"Sì, magari stasera ce n'è un altro. Magari stavolta finisci nel fango. No, non te la presto. Quella è l'unica che mi sta bene. Non te la posso dare, sul serio."

"Già, però poi quando faccio la camomilla o esco sul giornale, allora ti vanti con le tue amiche e dici a tutte che sei mia sorella. Mica glielo dici che non mi presti la gonna!"

"Che c'entra?"

"C'entra, c'entra, mi devi solo chiedere un favore..."

"Va bene, allora prendila."

"No, adesso non la voglio più..."

"No, adesso te la prendi..."

"No, non me la prendo..."

"Ah, no? Allora se non ti metti la mia gonna quando esci io telefono subito a mamma e l'avviso."

Babi si gira arrabbiata verso la sorella. "Cosa fai tu?"

"Quello che hai sentito."

"Vedrai che guance rosse che ti vengono..."

Daniela fa una faccia buffa e alla fine scoppiano tutte e due a ridere.

"Tieni." Daniela posa la gonna nera sul letto. "È tutta tua. Tuffatici pure dentro il letame, se ti diverte."

Babi prende la gonna con tutte e due le mani e se la poggia sulla pancia. Comincia a immaginare cosa potrebbe metterci sopra. Suona il telefono. Daniela va a rispondere.

In camera sua Babi alza la radio. La musica inonda la casa. Daniela abbandona la cornetta. "Andrea, aspetta un attimo." Chiude la porta del corridoio, poi riprende tranquilla a parlare. Babi tira fuori di tutto. L'armadio aperto, i cassetti per terra. La roba appoggiata sul letto. Indecisione. Va in camera di sua madre. Apre il grande armadio. Comincia a frugare. Ogni tanto si ricorda qualcosa. Può essere giusto da abbinare con la gonna nera? Apre i cassetti. Sta bene attenta a dove mette le mani. Le cose devono tornare al loro posto. Le madri si accorgono sempre di tutto, o quasi. Anche a Raffaella la Vespa di Pallina era passata inosservata. Le madri si accorgono di tutto ma non capiscono niente di motorini o di Sony.

Non mandare mai una madre a comprarti quel tipo di jeans che hai visto addosso alla tua amica. Ti porterà sempre quelli che indossa la sfigata della classe.

Sorride. Un golf di angora azzurro? Troppo caldo. La camicetta di seta? Troppo elegante. La giacca nera con il body sotto? Troppo lugubre. Il body, però, non è male. Body sotto camicia? Si può provare. Richiude i cassetti. Fa per tornare in camera sua. Ha lasciato un golf rosso sul letto. Sarebbe stata scoperta. Lo rimette a posto. Se ne sarebbe accorta? L'entusiasmo vince sulla paura.

"Ma chi se ne frega!" La punizione scompare disintegrandosi nello specchio. Babi si fissa perplessa. Body sotto camicia, no. La gonna di Dani non c'entra niente. Meglio così. Poveraccia, d'altronde è sul serio l'unica cosa che le sta bene. Decide che l'avrebbe portata a correre. Domani. Ma adesso? Adesso che mi metto? Torna in camera sua. Che mi metto? È un attimo. Apre di corsa l'ultimo cassetto. La salopette di jeans! La tira fuori. Scolorita, corta e spiegazzata, proprio come la odia la madre. Proprio come l'avrebbe amata lui. Si cambia velocemente. Si infila la camicia di jeans chiara, la spinge giù dentro i pantaloni, poi tira su le bretelle. Si butta sul letto, prende i calzettoni corti e se li mette, poi li copre con le All Star, alte fino alla caviglia, blu scure, proprio come la fascia elastica che trova in bagno. Si pettina raccogliendo indietro i capelli. Due orecchini colorati a forma di pesce dei Mari del Sud. La musica impazza a tutto volume. Una linea nera le allunga gli occhi. La matita grigia li rende sfumati, tentando di farli ancora più belli. I denti bianchi sanno di menta. Un delicato lucido le copre le morbide labbra rendendole ancora più desiderabili. Le guance, colorate di rosso naturalmente, si sfumano da sole a perfezione.

Daniela è ancora al telefono. La musica improvvisamente si spegne. La porta del corridoio si apre lentamente. Daniela smette di parlare al telefono.

"Ammazza quanto sei bella!"

Babi si infila il giubbotto scuro di jeans Levi's.

"Sul serio sto bene?"

"Sei fichissima!!!"

"Grazie Dani... sai che c'è... la tua gonna era un po' troppo seriosa."

Le dà un bacio. Poi scappa via veloce. Tira fuori la Vespa di Pallina dal garage. L'accende, mette la prima. Via giù lungo la discesa, scivola via così nel fresco della notte. Il suo Caronne francese si mischia al profumo dei gelsomini italiani in un delicato gemellaggio. Saluta Fiore, il portiere. Poi guida in mezzo al traffico. Sorride. Cosa ne penserà Step? Gli piacerà? Cosa dirà della salopette? E del trucco? E la camicia? Si accorgerà che è del colore degli occhi? Il suo piccolo cuore comincia a battere veloce. Inutilmente preoccupato. Non sa che presto avrà tutte le risposte.

32.

Le Vetrine. Davanti alla porta un tipo grosso con un piccolo orecchino a sinistra e il naso schiacciato fa aspettare un gruppo di persone. Babi si mette in fila. Vicino a lei due ragazze troppo truccate con delle specie di soprabiti leggeri di panno e i loro accompagnatori, due tipi dalle finte giacche di cammello. All'occhiello uno dei due ha una spilla dorata a forma di sax, improbabile almeno quanto l'idea che lui sappia suonarlo. L'altro viene tradito dalle scarpe mocassino leggero con piccola frangia in pelle. Quella Marlboro in bocca non li avrebbe salvati. Non sarebbero entrati.

Il buttafuori vede Babi. "Tu." Babi sorpassa le ragazze dai capelli cotonati, una coppia troppo perbene e due sfigati venuti da lontano. Qualcuno si lamenta, ma lo fa sottovoce. Babi sorride al buttafuori ed entra. Lui torna a guardare torvo il suo piccolo gregge, la faccia decisa, le ciglia aggrottate, pronte a spegnere qualsiasi ribellione. Ma non ce n'è bisogno. Tutti continuano ad aspettare in silenzio, guardandosi tra loro, con quel mezzo sorriso che vale però una frase intera: "Noi non contiamo un cazzo".

Due enormi woofer rimbombano in alto lanciando dei bassi da urlo. Al bancone ragazze e ragazzi gridano tentando di parlarsi e ridendo. Babi si appoggia al vetro. Guarda sotto la grande pista. Tutti ballano come pazzi. Sui bordi anche la gente più calma viene trasportata dall'house. Le Vetrine le piacciono un sacco: entri e guardi da quel vetro la gente che balla sotto di te, poi se vuoi, scendi giù anche tu, buttandoti nella mischia, osservata dagli altri, piccolo spettacolo colorato. Alcune ragazze agitano le braccia, un'altra saltella divertita scherzando con una sua amica. Con i loro piccoli top elasticizzati bianchi e neri, con i loro calzoni stretti in vita e un po' corti. E ombelichi scoperti e jeans colorati, leggermente slargati sul fondo, avvolti da un lungo fazzoletto in vita. La solitaria sul cubo, la convinta a occhi chiusi, il perbenino che tenta di rimorchiare. Un boro emulo di John Travolta con un cerchietto in testa e una camicia larga. Una coppia tenta di dirsi qualcosa. Forse lui le sta proponendo un ballo più sensuale da fare a casa, da soli, con una musica più dolce. Lei ride. Forse accetterà. Niente, nessuna traccia di Pallina, di Pollo, degli altri amici e soprattutto di lui, di Step. Che non siano venuti? Impossibile. Pallina l'avrebbe avvisata. Poi Babi avverte qualcosa. Una strana sensazione. Sta guardando nella direzione sbagliata. E come guidata da una mano divina, dalla dolce spinta del destino, si gira. Eccoli. Sono lì, nella stessa sala, seduti in un angolo in fondo alle Vetrine, proprio contro l'ultimo vetro. C'è tutto il gruppo: Pollo, Pallina, quello con la benda, altri ragazzi dai capelli corti e grossi bicipiti, accompagnati da ragazze più piccole e carine. C'è Maddalena, con la sua amica dalla faccia tonda. E poi c'è lui. Step sta bevendo una birra e ogni tanto guarda giù. Sembra cercare qualcosa o qualcuno. Babi sente un tuffo al cuore. Che cerchi lei? Pallina forse gli ha detto che sarebbe venuta. Torna a guardare giù. La pista sembra sfuocata dietro il vetro. No, Pallina non può averglielo detto. Lentamente torna a guardarlo. Sorride fra sé. Che strano. È così forte, con quell'aria da duro, i capelli corti sfumati dietro, il giubbotto chiuso e quel modo di stare seduto, da padrone, tranquillo. Eppure qualcosa in lui è dolce e buono. Forse il suo sguardo. Step si gira verso di lei. Babi si volta spaventata. Non vuole farsi vedere, si mischia fra la gente e si allontana dal vetro. Va in fondo al locale e paga un tipo che le consegna un biglietto giallo e la lascia passare. Scende veloce le scale. Di sotto la musica è molto più forte. Al bancone Babi chiede un Bellini. Le piace la pesca. Step si è alzato. È appoggiato al vetro con tutte e due le mani. Muove su e giù la testa segnando il tempo. Babi sorride. Da lì non può vederla. Arriva il Bellini e in un attimo sparisce.

Babi, senza farsi vedere, gira da dietro intorno alla pista, si porta proprio sotto a loro. Si sente stranamente euforica. Il Bellini sta facendo effetto. La musica la prende. Si lascia portare. Chiude gli occhi e piano piano, ballando, attraversa la pista. Muove la testa seguendo il ritmo. Felice e un po' ubriaca, in mezzo a gente sconosciuta. I suoi capelli volano. Sale su un bordo più alto della pista. Chiude le mani e comincia a ballare ondeggiando con le spalle, con la bocca chiusa e sognante apre gli occhi guardando su. Attraverso il vetro i loro sguardi si incontrano. Step è lì che la fissa. Per un attimo non la riconosce. Anche Pallina la vede. Step si gira verso Pallina e le chiede qualcosa. Da sotto, Babi non può sentire, ma intuisce facilmente la domanda. Pallina annuisce. Step torna a guardare giù. Babi gli sorride poi abbassa lo sguardo e torna a ballare, rapita dalla musica.

Step si allontana veloce, senza preoccuparsi di nulla e di nessuno. Pollo scuote la testa. Pallina salta addosso al suo uomo, lo abbraccia con slancio e lo bacia sulla bocca. Il tipo tozzo e basso alla scala lascia passare Step senza pagare. Anzi, lo saluta con rispetto. Step si ferma. Babi è lì, di fronte a lui. Un boro dai capelli lunghi a caschetto le balla intorno interessato all'acquisto. Vedendo Step si allontana com'era venuto, facendo il vago. Babi continua a ballare guardandolo negli occhi e in quell'attimo lui si perde in quell'azzurro. Muti e sorridenti ballano vicini. Respirando dei loro sguardi, dei loro occhi, dei loro cuori. Babi si muove ondeggiando. Step le si fa più vicino. Ne può sentire il profumo. Lei alza le mani, le porta davanti al viso e ci balla dietro, sorridente. Si è arresa. Lui la guarda incantato. È bellissima. Degli occhi così ingenui non li ha visti mai. Quella bocca morbida, dal colore pastello, quella pelle vellutata. Tutto in lei sembra essere fragile ma perfetto. I suoi capelli scendono liberi da sotto la fascia, ballano allegri saltando da una parte all'altra, facendo il verso al suo sorriso. Step la prende per mano, la tira a sé. Le accarezza il viso. Sono vicini. Step si ferma. Trema all'idea. Un piccolo movimento e magari lei, fragile sogno di cristallo, svanirebbe in mille pezzi. Allora le sorride e la porta via. Rapendola a quella confusione, a tutta quella gente scatenata, a quei tipi che si scuotono frenetici, che sembrano impazzire al loro passaggio. Step la guida attraverso quel groviglio di braccia agitate proteggendola da spigoli umani, da pericolosi gomiti affilati di ritmo, da passi agitati da innocente allegria. Più in alto, dietro il vetro. Gioia e dolore. Pallina guarda Babi sparire con lui, finalmente incoerente e sincera. Maddalena guarda Step sparire con lei, colpevole solo di non averla amata né di averglielo mai lasciato credere. E mentre i due, freschi d'amore, escono in strada, Maddalena si lascia cadere sul divano lì vicino. Disillusa, da sola, così come da sola si è illusa. Rimane con un bicchiere vuoto fra le mani e qualcosa di più difficile da riempire dentro. Lei, semplice concime di quella pianta che spesso fiorisce sopra la tomba di un amore appassito. Quella rara pianta il cui nome è felicità.

33.

Belli e fatti di jeans, meglio di una pubblicità dal vivo. Sopra la moto blu scura come la notte, si confondono nella città, ridendo. Parlando di tutto e di niente, sorridendosi negli specchietti volutamente piegati all'interno. Lei poggiata sulla sua spalla, si lascia portare così, sfiorata dal vento e da quella nuova forza, la resa. Via Quattro Fontane. Piazza Santa Maria Maggiore. Angolo a destra. Un piccolo pub. Un tipo inglese alla porta riconosce Step. Lo lascia passare. Babi sorride. Con lui si entra in ogni posto. È il suo lasciapassare. Il lasciapassare per la felicità. È così felice che non si accorge di ordinare una birra rossa, lei che odia perfino le chiare, così sognante che divide con lui un piatto di pasta dimenticando l'incubo della dieta. Come un fiume in piena si accorge di parlargli di tutto, di non avere segreti. Le sembra intelligente e forte, bello e dolce.

E lei che non se n'è accorta prima, stupida e cieca, lei che l'ha offeso, aspra e cattiva. Ma poi si perdona. Ha avuto solo paura. Giocano a freccette. Lei prende in alto il tiro a segno. Si gira esultante verso di lui. "È già un bel risultato, no?" Lui le sorride. Fa segno di sì. Babi lancia divertita un'altra freccetta, ma i suoi occhi non si accorgono di aver già fatto centro.

Di nuovo rapita. Via Cavour. La Piramide. Testaccio. A tutta velocità, assaporando il vento fresco di quella notte di fine aprile. Step mette la terza poi la quarta. Il semaforo all'incrocio lampeggia giallo. Step l'attraversa. All'improvviso sente uno stridio di freni. Gomme che bruciano sull'asfalto. Brecciolino. Una Jaguar Sovereign viene da sinistra a tutta velocità, prova a inchiodare. Step, colto di sorpresa, frena rimanendo impalato in mezzo all'incrocio. La moto si spegne. Babi lo abbraccia forte. Nei suoi occhi spaventati i potenti fari della macchina che si avvicina.

Il muso della pantera selvaggia si ribella alla violenta frenata. La macchina sbanda. Babi chiude gli occhi. Sente il ruggito del motore frenante, il perfetto ABS controllare le ruote, le gomme straziate dai freni. Poi più niente. Apre gli occhi. La Jaguar è lì, a pochi centimetri dalla moto, immobile. Babi fa un sospiro di sollievo e libera il giubbotto di Step dalla sua stretta terrorizzata.

Step, impassibile, guarda il conducente della macchina.

"Dove correrai mai, coglione!" Il tipo, un uomo sui trentacinque anni, con i capelli dal taglio perfetto folti e riccioluti, abbassa il finestrino elettrico.

"Cos'hai detto, scusa ragazzino?" Step sorride scendendo dalla moto. Conosce quei tipi. Deve avere la donna vicino e non ci sta a fare brutta figura. Si avvicina alla macchina. Infatti attraverso il vetro vede delle gambe femminili accanto a lui. Delle belle mani incrociate su una pochette da sera nera, su un vestito elegante. Cerca di vedere in viso la donna, ma la luce di un lampione si riflette sul vetro nascondendolo. Ragazzino. Ora vedrai che ti fa il ragazzino. Step apre la portiera al tipo con educazione.

"Vieni fuori coglione, così senti meglio." L'uomo sui trentacinque anni fa per scendere. Step lo prende per la giacca e lo scaraventa direttamente fuori. Lo sbatte sulla Jaguar. Il pugno di Step si alza a mezz'aria pronto a colpire.

"Step, no!" È Babi. La vede in piedi vicino alla moto. Il suo sguardo dispiaciuto e preoccupato. Le braccia abbandonate lungo i fianchi. "Non lo fare!" Step allenta la stretta. Il tipo ne approfitta subito. Libero e vigliacco lo colpisce con un pugno al viso. Step va indietro con la testa. Ma è un attimo. Sorpreso, si porta la mano alla bocca. Il labbro sanguina. "Brutto figlio di..." Step si butta su di lui. Il tipo porta avanti le braccia, abbassa la testa tentando di coprirsi, spaventato. Step lo prende per i capelli riccioluti, gli porta la testa verso il basso pronto a dargli una ginocchiata, quando all'improvviso viene colpito di nuovo. Stavolta in maniera diversa, più forte, direttamente al cuore. Un colpo secco. Una semplice parola. Il suo nome.

"Stefano..."

La donna è scesa dalla macchina. La pochette poggiata sul cofano e lei lì vicino, in piedi. Step la guarda. Guarda la borsa, non la conosce. Chissà chi gliel'ha regalata. Che strano pensiero. Lentamente, apre la mano. Il tipo riccioluto e fortunato si ritrova libero. Step rimane a guardarla in silenzio. È bella come sempre. Un debole "Ciao" esce dalle sue labbra. Il tipo lo spinge di lato. Step indietreggia lasciandosi andare. Il tipo sale sulla Jaguar e la mette in moto.

"Andiamo via, forza."

Step e la donna si fissano per un ultimo istante. Tra quegli occhi così simili, una strana magia, una lunga storia d'amore e tristezza, sofferenza e passato. Poi lei risale in macchina, bella ed elegante, così com'è apparsa. Lo lascia lì, sulla strada, con il labbro sanguinante e il cuore a pezzi. Babi gli si avvicina. Preoccupata di quell'unica ferita che può vedere, gli sfiora delicatamente il labbro con la mano. Step si sposta e sale in silenzio sulla moto. Aspetta che lei gli sia dietro per partire con rabbia. Scatta in avanti, scala, dà gas. La moto schizza sulla strada, sale di giri. Lungotevere.

Step, senza pensare, comincia a correre. E si lascia dietro ricordi lontani, accelerando. Centotrenta, centoquaranta. Sempre più forte. L'aria fredda gli punge il viso, e quella fresca sofferenza sembra dargli sollievo. Centocinquanta, centosessanta. Ancora più forte. Passa sfrecciando tra due macchine vicine. Quasi le sfiora mentre i suoi occhi socchiusi guardano altrove. Immagini felici di quella donna riempiono la sua mente confusa. Centosettanta, centottanta, una dolce cunetta e la moto quasi vola attraverso un incrocio. Un semaforo da poco rosso. Le macchine a sinistra suonano, frenando appena partite. Sottomesse a quella moto prepotente, a quel bolide notturno debolmente illuminato, pericoloso e veloce come un proiettile cromato di blu. Centottanta, duecento. Il vento fischia. La strada, sfumata ai bordi, si unisce al centro. Un altro incrocio. Una luce lontana. Il verde scompare. Il giallo che arriva. Step si attacca al piccolo pulsante a sinistra. Il suo clacson si alza nella notte. Come il verso di un animale ferito che sta andando incontro alla morte, come la sirena di un'ambulanza, lancinante come l'urlo del ferito che porta. Il semaforo cambia di nuovo. Rosso.

Babi comincia a battergli sulla schiena con i pugni. "Fermati, fermati." All'incrocio, le macchine partono. Un muro di metallo dai mattoni costosi e colorati si alza suonando davanti a loro. "Fermati!"

Quell'ultimo grido, quel richiamo alla vita. Step sembra improvvisamente svegliarsi. La manopola del gas, libera, torna al volo a zero. Il motore scala sotto il suo piede prepotente. Quarta, terza, seconda. Step stringe forte il freno d'acciaio, piegandolo quasi. La moto trema frenando, mentre i giri scendono veloci. Le ruote lasciano due tracce dritte e profonde sull'asfalto. Un odore di bruciato avvolge i pistoni fumanti. Le macchine sfilano tranquille a pochi centimetri dalla ruota davanti della moto. Non si sono accorte di nulla. Solo allora Step si ricorda di lei, di Babi. È scesa. La vede lì, poggiata a un muro al bordo della strada.

Sommessi singhiozzi le escono dal petto, non trattenuti come le piccole lacrime che rigano il pallido viso. Step non sa che fare. Fermo in piedi, di fronte a lei, con le braccia aperte, timoroso anche di sfiorarla, impaurito all'idea che quei piccoli nervosi singhiozzi al suo più semplice tocco possano trasformarsi in un pianto a dirotto. Tenta lo stesso. Ma la reazione è inaspettata. Babi gli allontana con forza la mano, le sue parole escono quasi urlanti, spezzate dal pianto.

"Perché? Perché sei fatto così? Sei pazzo? Ma ti pare il caso di mettersi a correre in quel modo?" Step non sa cosa risponderle. Guarda quegli occhi umidi e grandi, bagnati di lacrime.

Come può spiegarle? Come può dirle quello che c'è dietro? Il suo cuore si stringe in una morsa silenziosa. Babi lo guarda. I suoi occhi azzurri, sofferenti e interrogativi, cercano in lui una risposta. Step scuote la testa. Non posso, sembra ripetersi dentro di sé. Non posso. Babi tira su con il naso e quasi prendendo forza attacca di nuovo.

"Chi era quella donna? Perché sei cambiato così all'improvviso? Step me lo devi dire. Che c'è stato fra voi?"

E quell'ultima frase, quel grande errore, quell'equivoco impossibile sembra colpirlo in pieno. In un attimo tutte le sue difese svaniscono. La sua guardia costante e forte, allenata in silenzio giorno dopo giorno, si abbassa improvvisamente. Il suo cuore si lascia andare, per la prima volta tranquillo. Sorride a quella ragazza ingenua.

"Vuoi sapere chi è quella donna?"

Babi annuisce.

"È mia madre."

34.

Appena due anni prima.

Step, chiuso in camera sua, tenta, passeggiando, di ripetere la lezione di chimica. Si appoggia con le mani al tavolo. Sfoglia il quaderno con gli appunti. Niente da fare. Quelle formule non vogliono saperne di entrargli in testa.

Improvvisamente, dall'ultimo piano del palazzo di fronte Battisti canta alto e forte "Mi ritorni in mente, bella come sei...". Beato lui, a me non mi torna in mente niente e chimica la odio. Poi, vedendo che gli vogliono proporre tutto l'ellepì, si alza e apre il vetro.

"Aho, volete spegnere!?"

Lentamente la musica si abbassa. "Questi deficienti." Step torna a sedersi e si concentra di nuovo su chimica.

"Stefano..." Step si gira. Sua madre è lì di fronte a lui. Indossa una pelliccia marrone dalle sfumature selvagge, chiare e dorate. Sotto, una gonna bordeaux le scopre le splendide gambe velate da calze leggere che, tese e perfette, spariscono in un paio di eleganti scarpe marrone scuro. "Sto uscendo, ti serve qualcosa?"

"No grazie, mamma."

"Bene, ci vediamo stasera allora. Se telefona papà digli che sono dovuta uscire per portare le carte che lui sa al commercialista."

"Va bene."

Sua madre gli si avvicina e gli dà un morbido bacio sulla guancia. Dai boccoli dei suoi lunghi capelli neri esce una carezza di profumo. Step pensa che se ne sia messo un po' troppo. Decide di non dirglielo. Poi guardandola uscire capisce di aver fatto bene. È perfetta. Sua madre non può sbagliare. Neanche nel mettersi il profumo. Sottobraccio tiene la borsa che le hanno regalato lui e suo fratello. Paolo ha messo quasi tutti i soldi, ma è stato lui a sceglierla, in quel negozio in via Cola di Rienzo dove troppe volte ha visto sua madre fermarsi indecisa.

"Sei un vero intenditore" gli ha sussurrato lei all'orecchio mettendosela sotto il braccio e, ancheggiando spiritosa, ha fatto una specie di sfilata. "Be', come mi sta?"

Tutti hanno risposto divertiti. Ma lei in realtà voleva sentire solo il giudizio del "vero intenditore".

"Sei bellissima, mamma."

Step torna in camera sua. Sente la porta della cucina chiudersi. Quand'è che le hanno regalato quella borsa? Era per Natale o per il suo compleanno? Decide che in quel momento è meglio ricordare le formule di chimica.

Più tardi. Sono quasi le sette. Gli mancano tre pagine per finire il programma. Poi accade. Battisti riprende a cantare. Dalla finestra socchiusa dell'ultimo piano del palazzo di fronte. Più forte di prima. Insistente. Provocante. Senza rispetto per niente e per nessuno. Per lui che studia, per lui che non può andare in palestra. Questo è troppo.

Step prende le chiavi di casa ed esce di corsa sbattendo la porta alle spalle. Attraversa la strada ed entra nel portone del palazzo di fronte. L'ascensore è occupato. Sale su per le scale facendo i gradini due alla volta. Basta, non se ne può più. Non ha niente contro Battisti, anzi. Ma tenerlo in quel modo. Arriva all'ultimo piano. Proprio in quel momento l'ascensore si apre. Esce un commesso con un pacco incartato in mano. È più rapido di Step. Controlla il cognome sulla targhetta della porta e suona. Step riprende fiato accanto a lui. Il commesso lo guarda incuriosito. Step ricambia lo sguardo sorridendo, poi fa caso al pacco che tiene in mano. C'è sopra la scritta Antonini. Devono essere le famose tartine. Le prendono anche loro, ogni domenica. Ce ne sono di tutti i tipi. Con il salmone, il caviale, ai frutti di mare. Sua madre ne va pazza.

"Chi è?"

"Antonini. Ci sono le tartine che ha ordinato, signore."

Step sorride fra sé. Ha indovinato, magari quello per scusarsi gliene avrebbe offerta una. La porta si apre. Compare un ragazzo sui trent'anni. Ha una camicia abbottonata per metà e sotto solamente dei boxer. Il commesso fa per consegnargli il pacco, ma quando il ragazzo vede Step si scaraventa contro la porta cercando di richiuderla. Step non capisce, ma istintivamente si getta in avanti. Mette il piede in mezzo alla porta bloccandola. Il commesso va all'indietro per tenere in equilibrio il vassoio di cartone. Mentre Step è lì, con la faccia appoggiata contro il freddo legno scuro, attraverso la fessura della porta, la vede. È posata su una poltrona accanto alla pelliccia. Improvvisamente ricorda. Quella borsa lui e suo fratello gliel'hanno regalata a Natale. E rabbia e disperazione, e voglia di non essere lì, di non credere ai propri occhi centuplicano le sue forze. Spalanca la porta scaraventandolo per terra. Entra nel salotto come una furia. E i suoi occhi vorrebbero essere ciechi piuttosto di vedere quel che vedono. La porta della camera da letto è aperta. Lì, tra le lenzuola scomposte, con una faccia diversa, irriconoscibile a lui che l'ha vista mille volte, c'è lei. Si sta accendendo una sigaretta con aria innocente. I loro occhi si incontrano, e in un attimo qualcosa si rompe, si spegne per sempre. E anche quell'ultimo cordone ombelicale d'amore viene reciso e tutti e due, guardandosi, urlano in silenzio, piangendo a dirotto. Poi lui si allontana mentre lei rimane lì, nel letto, senza parlare, consumandosi come quella sigaretta che ha appena acceso. Bruciando d'amore per lui, di odio per se stessa, per l'altro, per quella situazione. Step va lentamente verso la porta, si ferma. Vede il commesso sul pianerottolo, vicino all'ascensore, con le tartine in mano che lo fissa in silenzio. Poi all'improvviso delle mani si posano sulle sue spalle. "Senti..." È quel ragazzo. Cosa dovrebbe sentire. Non prova più nulla. Ride. Il ragazzo non capisce. Rimane a guardarlo stupito. Poi Step con un pugno lo colpisce in piena faccia. E proprio in quel momento, le parole di Battisti, innocente colpevole di quella scoperta, echeggiano nel pianerottolo o forse vengono solo in mente a Step "Scusami tanto se puoi, signore chiedo scusa anche a lei". Ma di cosa devo scusarmi?

Giovanni Ambrosini si porta le mani al viso riempiendole di sangue. Step lo prende per la camicia e strappandogliela lo tira fuori da quella casa sporca d'amore illegale.

Lo colpisce più volte alla testa. Il ragazzo tenta di fuggire. Comincia a scendere le scale. Step gli è subito dietro. Con un calcio preciso lo spinge con forza, facendolo inciampare. Giovanni Ambrosini rotola giù per le scale. Appena si ferma, Step gli è sopra. Lo riempie di calci alla schiena, alle gambe, mentre lui si aggrappa dolorante alla ringhiera cercando di tirarsi su, di sfuggirgli. Lo sta massacrando. Step comincia a tirarlo per i capelli, tentando di fargli mollare la presa, ma mentre le sue mani si riempiono di ciuffi di capelli, Giovanni Ambrosini rimane lì, aggrappato a quelle sbarre di ferro, gridando terrorizzato. Le porte degli altri appartamenti si aprono. Step prende a calci le sue mani che cominciano a sanguinare. Ma Giovanni Ambrosini niente, rimane lì aggrappato, sapendo che quella è la sua unica salvezza. Allora Step lo fa. Carica indietro la gamba e con tutta la forza gli colpisce la testa da dietro. Un calcio violento e preciso. Il viso di Ambrosini si stampa contro la ringhiera. Con un rumore sordo. Tutti e due gli zigomi si spaccano, lacerandosi. Il sangue zampilla. Le ossa della bocca si rompono. Un dente cade rimbalzando lontano sul marmo. La ringhiera comincia a vibrare e quel rumore di ferro si allontana giù per le scale insieme all'ultimo grido di Ambrosini che sviene. Step scappa via, scendendo di corsa, passando veloce tra terribili facce di inquilini curiosi, urtando quei corpi flaccidi che tentano inutilmente di fermarlo. Vaga per la città. Non torna a casa quella sera. Va a dormire da Pollo. L'amico non gli fa domande. Per fortuna suo padre è fuori quella notte, così possono dividere il letto. Pollo sente Step agitarsi nel sonno, soffrire perfino in un sogno. Ma la mattina dopo Pollo fa finta di niente, anche se uno dei due cuscini è bagnato di lacrime. Fanno colazione sorridendo, parlando del più e del meno, dividendosi una sigaretta. Poi Step va a scuola e all'interrogazione di chimica riesce perfino a strappare un sei. Ma da quel giorno la sua vita è cambiata. Nessuno ha mai saputo perché, ma nulla è stato più uguale.

Qualcosa di cattivo si è annidato in lui. Una bestia, un terribile animale ha fatto la sua tana dietro il suo cuore, pronto a uscire fuori in ogni momento, a colpire, con rabbia, con cattiveria, figlio della sofferenza e di un amore distrutto. Da allora la vita a casa non è stata più possibile. Silenzi e sguardi sfuggenti. Non più un sorriso, proprio con la persona che più ha amato. Poi il processo. La condanna. Sua madre che non ha testimoniato a suo favore. Suo padre che l'ha sgridato. Suo fratello che non ha capito. E nessuno che abbia mai saputo niente, tranne loro due. Custodi forzati di quel terribile segreto. Lo stesso anno i suoi genitori si sono separati. Step è andato a vivere con Paolo. Il primo giorno che entra in quella nuova casa guarda fuori dalla finestra della sua camera. C'è solo un prato tranquillo. Comincia a sistemare la sua roba. Prende dalla sacca alcuni maglioni e li appoggia in fondo all'armadio. Poi tocca a una felpa. Mentre la tira fuori gli si apre fra le mani. Per un attimo gli sembra che sua madre sia lì. Si ricorda di quando gliel'ha prestata, quel giorno che avevano corso insieme lungo viali alberati. Quando lui aveva rallentato pur di starle vicino. E ora è in quella casa, così lontano da lei, in ogni senso. Stringe forte la felpa tra le mani e la porta al viso. Sente il suo profumo, comincia a piangere. Poi, scioccamente, si chiede se quel giorno avrebbe dovuto dirle che se n'era messo troppo.

35.

Di nuovo adesso, di notte.

La moto corre tranquilla sul bagnasciuga. Piccole onde si infrangono lente. Vanno e vengono, respiro regolare del mare profondo e scuro che li osserva da lontano. La luna alta nel cielo illumina la lunga Feniglia. La spiaggia si perde lontana tra le macchie più scure dei monti. Step spegne i fari. Avvolti nel buio continuano a correre così, su quel morbido tappeto bagnato. Arrivati a metà Feniglia si fermano. Si trovano a camminare vicini, soli, avvolti da quella pace. Babi va sul bagnasciuga. Piccole onde orlate d'argento si rompono prima di bagnare le sue All Star blu. Un'onda più capricciosa delle altre prova a prenderla. Babi indietreggia veloce sfuggendole. Finisce contro Step. Le sue braccia forti la accolgono sicure. Lei non si sottrae. In quella luce notturna appare il suo sorriso. Gli occhi azzurri pieni d'amore lo fissano divertiti. Lui le si avvicina e lentamente, abbracciandola, la bacia. Labbra morbide e calde, fresche e salate, accarezzate dal vento del mare. Step le passa una mano tra i capelli. Glieli porta indietro scoprendole il viso. La guancia dipinta d'argento, piccolo specchio di quella luna lassù, accenna a un sorriso. Un altro bacio. Nuvole lente passeggiano nel cielo blu notte. Ora Step e Babi sono distesi sulla sabbia fredda, abbracciati. Le mani sporche di piccoli granelli di sabbia si cercano divertite.

Un altro bacio. Poi Babi si tira su alzandosi su tutte e due le braccia. Lo guarda, lui è sotto di lei. Quegli occhi ora tranquilli la fissano. La sua pelle sembra color ebano, liscia e delicata. I suoi capelli corti non hanno paura di sporcarsi. Sembra appartenere a quella spiaggia disteso lì, con le braccia allargate, padrone della sabbia e di tutto. Step, sorridendo, la tira a sé, padrone anche di lei, accogliendola in un bacio più lungo e più forte. L'abbraccia tenendola stretta, respirandone il sapore morbido. E lei si lascia andare rapita da quella forza, e in quel momento capisce di non aver mai baciato nessuno veramente.

Ora è seduto dietro di lei, la tiene abbracciata ospitandola fra le sue gambe. Lui, solida spalliera, interrompe ogni tanto i suoi pensieri con un bacio sul collo.

"A cosa pensi?"

Babi si gira verso di lui guardandolo con la coda degli occhi.

"Lo sapevo che me l'avresti chiesto." Torna a poggiarsi con la testa sul suo petto. "Vedi quella casa laggiù sulle rocce?"

Step guarda nella direzione che indica la mano di lei. Prima di perdersi lontano si sofferma su quel piccolo indice e gli sembra stupendo anche quello. Sorride, unico padrone dei suoi pensieri.

"Sì, la vedo."

"È il mio sogno! Quanto mi piacerebbe abitare in quella casa. Pensa che cosa dev'essere la vista da là. Una vetrata sul mare. Un salotto dove stare abbracciati a guardare il tramonto."

Step la stringe a sé di nuovo. Babi rimane ancora per un attimo a guardare lontano sognante. Lui le si avvicina poggiando la guancia contro la sua. Lei, divertita e capricciosa, cerca di allontanarlo, sorridendo alla luna, fingendo di volergli sfuggire. Step le prende il viso fra le mani e lei, pallida perla, sorride prigioniera di quell'umana conchiglia.

"Vuoi fare un bagno?"

"Scherzi, con questo freddo? E poi non ho il costume."

"Ma dai, non fa freddo e poi che se ne fa di un costume un pesciolino come te?"

Babi fa una smorfia di rabbia e lo spinge indietro con tutte e due le mani.

"A proposito, hai detto a Pollo la storia dell'altra sera, vero?"

Step si alza e cerca di abbracciarla.

"Che, scherzi?"

"E come mai allora Pallina lo sa? Gliel'ha detto Pollo!"

"Ti giuro che non gli ho detto niente. Forse devo aver parlato nel sonno..."

"Parlato nel sonno, figurati... e poi ti ho già detto che non ci credo ai tuoi giuramenti."

"Veramente ogni tanto parlo nel sonno e poi te ne accorgerai tu stessa."

Step va verso la moto guardandosi indietro divertito.

"Me ne accorgerò? Stai scherzando vero?"

Babi lo raggiunge un po' preoccupata.

Step ride. La sua frase ha raggiunto il risultato voluto.

"Perché, stasera non dormiamo insieme? Tanto mancano poche ore all'alba."

Babi guarda preoccupata l'orologio.

"Le due e mezzo. Cavoli, se tornano i miei prima di me sono finita. Presto, devo tornare a casa."

"Allora non dormi da me?"

"Ma sei pazzo? Forse non hai capito con chi hai a che fare. E poi, hai mai visto un pesciolino che dorme con qualcuno?"

Step accende la moto, tiene premuto il freno davanti dando gas. La moto ubbidiente in mezzo alle sue gambe gira su se stessa e si ferma davanti a lei. Babi sale dietro. Step mette la prima. Dolcemente si allontanano, sempre più veloci, lasciando dietro di sé una striscia precisa di larghi pneumatici. Più lontano tra la sabbia mossa da baci innocenti c'è un piccolo cuore. L'ha disegnato lei di nascosto, con quell'indice che a lui è piaciuto tanto. Una perfida onda solitaria ne cancella i bordi. Ma con un po' d'immaginazione si possono ancora leggere quella s e quella b. Un cane abbaia lontano alla luna. La moto continua la sua corsa innamorata sparendo lontano nella notte. Un'onda più determinata cancella del tutto quel cuore. Ma nessuno potrà mai cancellare quel momento nei loro ricordi.

36.

Davanti alle Vetrine, ferma in mezzo alla strada deserta, ormai c'è solo la sua Vespa. Babi scende dalla moto, toglie il blocco dalla ruota davanti e l'accende. Monta sul sellino e la spinge giù dal cavalletto. Poi sembra quasi ricordarsi di lui.

"Ciao" gli sorride con tenerezza. Step le si avvicina.

"Ti accompagno, ti scorto fino a casa." Arrivati a corso Francia, Step si avvicina alla Vespa e poggia il piede destro sotto al fanalino, sulla piccola targa.

Dà gas. La Vespa aumenta la velocità. Babi si gira stupita verso di lui.

"Ho paura."

"Tieni dritto il manubrio..."

Babi torna a guardare avanti tenendosi stretta e decisa alle manopole. La Vespa di Pallina va più veloce della sua, ma a quei livelli non sarebbe mai arrivata. Fanno tutto corso Francia e poi su per la salita di via Jacini, fino alla piazza. Step le dà un'ultima spinta proprio sotto il suo comprensorio. La lascia andare. Piano piano la Vespa perde velocità. Babi frena e si gira verso di lui. È fermo, dritto sulla moto, a pochi passi da lei. Step rimane a fissarla per un attimo. Poi le sorride, mette la prima e si allontana. Lei lo segue con lo sguardo fino a quando non sparisce dietro la curva. Lo sente accelerare sempre di più, un cambio veloce di marce, le marmitte rombanti che volano via a tutta velocità. Babi aspetta che Fiore insonnolito alzi la sbarra. Poi va su per la salita del comprensorio. Quando gira dietro la curva, una triste sorpresa. La sua casa è tutta illuminata e sua madre è lì, affacciata alla finestra della camera da letto.

"Claudio, eccola!"

Babi fa un sorriso disperato. Non serve a niente. Sua madre chiude la finestra sbattendola. Babi mette la Vespa in garage, riuscendo a passare a malapena tra il muro e la Mercedes. Mentre chiude la saracinesca pensa allo schiaffo di quella mattina.

Inconsciamente porta la mano alla guancia. Cerca di ricordarsi quanto le ha fatto male. Non se ne preoccupa più di tanto. Presto lo avrebbe saputo. Fa le scale lentamente cercando di ritardare il più possibile il tempo di quella scoperta ormai inevitabile. La porta è aperta. Passa rassegnata sotto quel patibolo. Condannata alla ghigliottina, poco fiduciosa nella grazia, lei, moderna Robespierre in salopette, avrebbe perso la testa. Chiude la porta. Uno schiaffo la colpisce in pieno viso.

"Ahi." Sempre dalla stessa parte, pensa, massaggiandosi la guancia.

"Vai subito a letto e prima consegna le chiavi della Vespa a tuo padre."

Babi attraversa il corridoio. Claudio è lì, vicino alla porta. Babi gli dà il portachiavi di Pallina.

"Babi?"

Lei si gira preoccupata. "Cosa c'è?"

"Perché c'è questa P?"

La P di gomma del portachiavi di Pallina penzola interrogativa dalle mani di Claudio. Babi lo guarda perplessa per un attimo, poi risvegliata dallo schiaffo, fresca creatrice dell'istante, improvvisa.

"Ma come papà, non ti ricordi? È il soprannome che mi hai dato tu? Da piccola mi chiamavi sempre Puffina!"

Claudio rimane indeciso per un attimo, poi sorride.

"Ah, è vero! Puffina. Non me lo ricordavo più." Poi torna subito serio. "Vai a letto adesso. Ne parliamo domani di tutta questa storia. Non mi è piaciuta per niente, Babi!"

Le porte della camera da letto si chiudono. Claudio e Raffaella, ora tranquillizzati, discutono di quella figlia un tempo calma e tranquilla, ora ribelle e irriconoscibile. Torna a notte fonda, partecipa a gare di pinne, finisce con tanto di fotografia su tutti i giornali. Cos'è successo? Cos'è accaduto alla Puffina di un tempo?

Nella camera vicina, Babi si spoglia e si infila a letto. La sua guancia arrossata trova un fresco ristoro sul cuscino. Rimane così, sognante per un po'. Le sembra di sentire ancora il rumore delle piccole onde e il vento che le accarezza i capelli e poi quel bacio, forte e tenero allo stesso tempo. Si gira nel letto. Pensa a lui mentre infila le mani sotto il cuscino sognando di abbracciarlo. Tra le lisce lenzuola piccoli granelli di sabbia la fanno sorridere. Nel buio della stanza, lentamente sboccia la risposta che i suoi genitori stanno tanto cercando. Ecco cos'è accaduto alla Puffina di un tempo. Si è innamorata.

211

37.

Babi non fa in tempo a salire le scale della scuola che Pallina le salta addosso.

"Be', com'è andata? Sei scomparsa..."

"Bene, siamo stati ad Ansedonia."

"Fin laggiù?"

Babi annuisce.

"E l'hai fatto?"

"Pallina!"

"Be', scusa, siete andati fin laggiù, sarete scesi in spiaggia, no?"

"Sì."

"E non avete fatto niente?"

"Ci siamo baciati."

"Yahooo." Pallina le salta addosso. "Ma dai! Mortacci tua, ti sei beccata il più fico di tutta la città." Poi si accorge che Babi è un po' giù. "Che c'è?"

"Niente."

"Dai, non dire bugie, tira fuori il problema. Forza. Confidati con la tua vecchia e saggia amica Pallina. L'avete fatto, vero?"

"Noooo! Ci siamo solo baciati, ed è stato bellissimo. Però..."

"Però...?"

"Però non so come siamo rimasti."

Pallina la guarda perplessa. "Ma ha provato a..." Spinge il pugno due volte verso il basso in maniera eloquente.

Babi scuote la testa sbuffando: "No".

"Allora è veramente preoccupante."

"Perché?"

"Gli interessi."

"Dici?"

"Sicuro. Di solito se le fa tutte la prima sera."

"Ah, grazie, sei rincuorante."

"Vuoi la verità, no? Be', scusa, devi essere felice. Non ti

preoccupare, se è solo questo il tuo problema, devi aspettare la seconda sera, vedrai!"

Babi le dà una spinta. "Stupida... A proposito Pallina, ti hanno sequestrato la Vespa..."

"La mia Vespa?" Pallina cambia espressione. "Chi è stato?"

"I miei."

"Quella simpaticona di Raffaella. Un giorno le dovrò fare un discorsetto. Lo sai che l'altra sera ci ha provato?"

"Mia madre? E con chi?"

"Con me! Mi ha baciato mentre dormivo nel tuo letto credendo che fossi tu!"

"Giura?"

"Sì!"

"Pensa che mio padre ha preso il tuo portachiavi credendo fosse il mio."

"E non si è accorto della P?"

"Sì! Gli ho detto che da piccola lui mi chiamava sempre Puffina."

"E ci ha creduto?"

"Ormai mi chiama solo così."

"Peccato! È un bel tipo tuo padre, ma è un po' troppo farlocco."

Entrano in classe così. Una bionda e slanciata, l'altra bruna e piccoletta. Bella e preparata la prima, buffa e ignorante la seconda, ma con una grande cosa in comune: la loro amicizia. Più tardi Babi è lì, sognante a fissare la lavagna, senza vedere i numeri scritti sopra, senza sentire le parole della professoressa. Pensa a lui, a cosa starà facendo in quel momento. Si domanda se stia pensando a lei. Cerca di immaginarselo, sorride intenerita, poi preoccupata, infine vogliosa. Può essere qualunque cosa. A volte è tenero e dolce, poi all'improvviso selvaggio e violento. Sospira e guarda la lavagna. È molto più facile risolvere quella di equazione.

Step si è alzato da poco. Si infila sotto la doccia e si lascia massaggiare da quel getto forte e deciso. Punta le mani contro il muro bagnato e, mentre l'acqua gli tamburella sulla schiena, si mette a spingere in giù alternando le gambe, alzandosi sui piedi, prima il destro e poi il sinistro. Mentre l'acqua gli scivola lungo il viso ripensa agli occhi azzurri di Babi. Sono grandi, puliti e profondi. Sorride e pur avendo gli occhi chiusi la vede perfettamente. È lì, innocente e serena di fronte a lui, con quei capelli selvaggi nel vento e quel naso dritto. Vede quello sguardo deciso, pieno di carattere. Asciugandosi, si ritrova a

pensare a tutto quello che si sono detti, a ciò che le ha raccontato. Lei, unico dolce orecchio quasi sconosciuto, silenzioso ascoltatore della sua antica sofferenza, del suo amore odiato, della sua tristezza. Si chiede se è pazzo. Ormai è andata.
Facendo colazione pensa alla famiglia di Babi. Alla sorella. Al
padre dall'aria simpatica. A quella madre dal carattere deciso
e duro, dai tratti simili a Babi, un po' sbiaditi dall'età. Sarebbe diventata un giorno anche lei così? Le madri a volte non sono altro che la proiezione futura della ragazza con la quale ce
la spassiamo oggi. Si ricorda di una madre meglio di una figlia. Finisce il caffè sorridendo. Suonano alla porta. Maria apre.
È Pollo. Gli lancia la solita busta sul tavolo, i suoi tramezzini
al salmone.

"Allora? Mi devi dire che hai combinato. Te la sei fatta o no?
Figurati quella... Con quel caratterino e quando te la dà? Mai!
Dove cazzo siete andati poi. Vi ho cercato dappertutto. Oh, non
sai come sta Madda. È avvelenata! Se la becca, la sfonda!"

Step smette di fare la faccia divertita. Maddalena, è vero,
non ci ha pensato. Non ha pensato più a niente quella sera. Decide che non ci vuole pensare neanche adesso. In fondo non si
sono mai promessi nulla.

"Tieni." Pollo tira fuori dalla tasca un foglietto bianco ap-
pallottolato e glielo lancia. "Questo è il suo numero di telefono."
Step lo prende al volo. "Me lo sono fatto dare ieri da Pallina,
tanto sapevo che oggi me l'avresti chiesto..."

Step se lo mette in tasca poi va di là. Pollo lo segue.

"Allora Step, cazzo mi dici qualcosa o no? Ci sei andato?"

"Pollo, perché mi fai sempre queste domande? Lo sai che
sono un gentiluomo, no?"

Pollo si butta sul letto piegato dalle risate.

"Un gentiluomo... tu? Oddio, sto male! Che mi tocca sentire. Porca puttana... Un gentiluomo." Step lo guarda scuotendo la testa poi, mentre si infila i jeans, anche lui si mette a ridere. Quante volte non è stato un gentiluomo! E per un attimo
gli piacerebbe avere qualcosa di più da raccontare all'amico.

38.

All'uscita della Falconieri nessun ragazzo vende i libri. È una scuola troppo "su" perché anche l'ultima delle alunne compri un libro usato. Babi scende gli scalini guardandosi intorno speranzosa. Gruppi di ragazzi in fondo alla scalinata aspettano nuove prede o vecchie conquiste. Ma nessuno di loro è quello giusto. Babi fa gli ultimi passi. Il rumore di una moto veloce le fa alzare lo sguardo. Il suo cuore batte più veloce. Inutilmente. Un serbatoio rosso passa sfrecciando tra le macchine. Una giovane coppia abbracciata si piega contemporaneamente a sinistra. Babi li invidia per un attimo. Poi sale in macchina. Sua madre è lì, ancora arrabbiata per il giorno prima. "Ciao mamma."

"Ciao" è la secca risposta di Raffaella. Babi non riceve nessuno schiaffo quel giorno, non ce n'è ragione. Ma questo quasi le dispiace.

Step e Pollo sono attaccati alla rete. Seguono dai bordi del campo l'allenamento della loro squadra. Vicino Schello, Hook e qualche altro amico, la passione per la Lazio. Tifo sfrenato tanto per fare un po' di casino. Step, senza farsi vedere, sposta in giù la manica sinistra del giubbotto, scoprendo l'orologio. L'una e mezzo. Dev'essere uscita da poco. Se la immagina sulla macchina della madre, in corso Francia, che torna a casa. Più bella di un gol di Mancini. Pollo lo fissa.

"Che c'è?"

Pollo allarga le braccia. "Niente, perché?"

"Allora che cazzo guardi?"

"Perché, non posso guardare?"

"Sembri frocio... Guarda la partita, no? Ti ho portato fin a qua e che fai? Ti metti a guardare la mia faccia?"

Step si volta verso il campo. Alcuni giocatori con delle casacche da allenamento sulle maglie della squadra si passano

215

veloci la palla mentre uno sfigato in mezzo cerca di prendergliela. Step si gira di nuovo verso Pollo. Lo sta fissando.
   "Ancora! Ma allora non vuoi capire!" Step gli si butta addosso. Gli prende la testa con tutte e due le mani e ridendo gliela sbatte contro la rete. "Devi guardare là." Lo spinge più volte: "Là, là!".
   Schello, Hook e tutti gli altri si buttano addosso ai due, tanto per fare un po' di casino. Altri tifosi si spingono fra loro contro la rete rumoreggiando. Qualcuno con un giornale arrotolato e un fischietto in bocca si finge un celerino prendendo tutti a manganellate. Dopo un po' il gruppo si allarga, i tifosi corrono in tutte le direzioni divertiti. Step sale sulla moto. Pollo
gli salta dietro e schizzano via slittando sul brecciolino. Step
si chiede se Pollo ha capito a cosa stava pensando prima.
   "Oh, Step peccato..."
   "Di cosa?"
   "Ormai è troppo tardi, se no potevamo passare a prender-
le a scuola."
   Step non risponde. Sente Pollo sorridere, dietro di lui. Poi
viene colpito da un pugno al fianco.
   "E non fare il furbo con me, chiaro?" Step si piega in avanti
indolenzito. Sì, Pollo ha capito, e come se non bastasse ha anche dei cazzotti micidiali.

   Il pomeriggio passa lento per tutti e due, anche se a loro
insaputa.
   Babi prova a studiare. Si ritrova a sfogliare il diario, a cambiare la stazione della radio, ad aprire e chiudere il frigo cercando di resistere alla tentazione di sgarrare la dieta. Finisce
davanti alla tivù a guardare uno stupido programma per bambini mangiando un Danone al cioccolato, cosa che dopo la fa
stare ancora più male. Chissà se ha avuto il numero del mio
cellulare. Tanto qui non prende. Speriamo allora che abbia avuto anche quello di casa. Nel dubbio va di corsa a rispondere a
ogni squillo del telefono. Ma quasi sempre le tocca segnare sul-
l'agenda il cognome di un'amica di sua madre. Andrea Palombi
telefona a Daniela almeno tre volte. La invidia. Il telefono squilla di nuovo. Un tuffo al cuore. Fa di corsa il corridoio, alza la
cornetta, non può che essere Step. Invece è Palombi, la quarta telefonata. Chiama Daniela scongiurandola di non starci
troppo. Ingiustizie del mondo. A Daniela quattro telefonate, a
lei nessuna. Poi si rallegra. Una cosa è certa, con tutte le corse che ha fatto, ha bruciato almeno metà delle calorie.

Step mangia a casa con il suo amico. Pollo gli svuota praticamente mezzo frigorifero. Apprezza molto la cucina di Maria. Lei è tutta felice di vedere la sua torta di mele sparire tra le fauci di quel giovane ospite. Step un po' meno, visto che dovrà sorbirsi le lamentele di Paolo, quando tornerà. La torta di mele in realtà è stata fatta per lui. Più tardi Maria va via e loro due riposano un po'. Step si rilegge tutti i suoi fumetti di Pazienza. Controlla le tavole originali delle quali va tanto fiero. Poi sveglia Pollo mostrandogliele. Malgrado sia la quarantesima volta che le vede, lui le apprezza come se fosse la prima. Sono proprio molto amici, tanto che Step non può negargli una telefonata. Anche se sa del vizio di Pollo. Come da copione, passa circa un'ora al telefono. Dovunque vada fa sempre almeno una telefonata. Attacca a parlare per ore, con chiunque, anche se non ha niente da dire. Adesso poi che si è fatto la donna, è incontenibile. Il suo sogno, confessa a Step uscendo, è rubare un cellulare.

"Ce ne ha uno nuovissimo mio fratello" è la risposta divertita di Step. Agli occhi di Pollo, Paolo acquista subito tutto un altro valore. Chissà se dopo la torta di mele non riuscirà a fottergli anche il telefonino.

Piove. Babi e Daniela sono sedute sul divano di fianco ai genitori. Guardano un film divertente e familiare sul primo. L'atmosfera sembra più distesa.

Poi uno squillo. Daniela accende il cordless che tiene accanto a lei sul cuscino del divano.

"Pronto?" Guarda Babi stupita. Non riesce a credere alle proprie orecchie. "Ora te la passo." Babi si volta tranquilla verso la sorella. "Babi è per te."

Le basta quell'attimo, uno sguardo, vedere la sua faccia per capire tutto. È lui.

Daniela le passa il telefono cercando di controllarsi di fronte ai genitori. Lei lo prende delicatamente, quasi timorosa di toccarlo, di stringerlo, come se una vibrazione di troppo potesse far cadere la linea, farlo sparire per sempre. Lo porta lentamente vicino al viso dalle guance arrossate, alle sue labbra emozionate anche per quel semplice... "Sì?".

"Ciao, come stai?" La voce calda di Step le arriva direttamente al cuore. Babi si guarda intorno sgomenta, preoccupata che qualcuno si sia accorto di quello che prova, il suo cuore a duemila, la felicità che tenta disperatamente di nascondere.

"Bene, e tu?"

"Bene. Puoi parlare?"

"Aspetta un attimo che qui non si sente niente." Si alza dal divano portando via con sé il telefono e la sua vestaglia svolazzante. Non si sa com'è, ma davanti ai genitori certi telefoni non funzionano mai. Sua madre la guarda uscire dal salotto poi si gira sospettosa verso Daniela. "Chi è?"

Daniela è rapida. "Oh, Chicco Brandelli, uno dei suoi corteggiatori."

Raffaella la fissa per un attimo. Poi si tranquillizza. Torna a seguire il film. Anche Daniela si volta verso la televisione con un piccolo sospiro. È andata. Se sua madre l'avesse guardata ancora un po' sarebbe crollata. È difficile sostenere quello sguardo, sembra sempre che sappia tutto. Si complimenta con se stessa per l'idea di Brandelli. Almeno quel gaggio è servito a qualcosa.

Le luci spente della sua camera. Lei contro il vetro bagnato dalla pioggia, con il telefono in mano.

"Pronto Step, sei tu?"

"Chi vuoi che sia?"

Babi ride. "Dove sei?"

"Sotto la pioggia. Vengo da te?"

"Magari. Ci sono i miei."

"Allora vieni tu."

"No, non posso. Sono in punizione. Ieri quando sono tornata mi hanno beccata. Erano alla finestra ad aspettarmi."

Step sorride e butta la sigaretta.

"È vero allora! Esistono ancora le ragazze che finiscono in punizione..."

"Già, e tu ti sei messo con una di quelle." Babi chiude gli occhi terrorizzata dalla bomba che ha appena lanciato. Aspetta la risposta. Ormai è andata. Ma non sente nessuno scoppio. Lentamente apre gli occhi. Al di là del vetro, sotto un lampione, la pioggia è più visibile. Sta diminuendo. "Ci sei ancora?"

"Sì. Stavo cercando di capire che effetto fa venir incastrato da una furba."

Babi si morde il labbro, cammina felice e nervosa per la stanza. Allora è vero.

"Se fossi veramente furba avrei scelto qualcun altro da incastrare."

Step ride. "Va bene, pace. Cerchiamo di resistere almeno un giorno. Che fai domani?"

"Scuola, poi studio e continuo a stare in punizione."

"Be', posso venire a trovarti."

"Direi che non è proprio una delle idee migliori..."

"Mi vesto bene."

Babi ride. "Non è per quello. È un discorso un po' più generale. A che ora ti alzi domani?"

"Mah, dieci, undici. Quando viene Pollo a svegliarmi."

Babi scuote la testa. "E se non viene?"

"Mezzogiorno, l'una..."

"Ce la fai a venire a prendermi a scuola?"

"All'una? Sì, credo di sì."

"Intendevo all'entrata."

Silenzio. "A che ora sarebbe?"

"Otto e dieci."

"Ma perché si va a scuola all'alba? E poi che facciamo?"

"Ma non lo so, fuggiamo..." Babi non crede quasi alle sue orecchie. Fuggiamo. Dev'essere impazzita.

"Va bene, facciamo questa follia. Alle otto a scuola tua. Spero solo di svegliarmi."

"Sarà difficile, vero?"

"Abbastanza."

Rimangono un attimo in silenzio. Indecisi su cosa dirsi, su come salutarsi.

"Be', allora ciao."

Step guarda fuori. Ha smesso di piovere. Le nuvole si muovono veloci. Si sente felice. Guarda il telefonino. Dall'altra parte c'è lei in quel momento.

"Ciao Babi." Attaccano. Step guarda in alto. Alcune stelle sono comparse timide e bagnate, lassù nel cielo. Domani sarà una bella giornata. Passerà la mattina con lei.

Otto e dieci. Dev'essere impazzito. Cerca di ricordarsi quand'è stata l'ultima volta che si è svegliato così presto. Non gli viene in mente. Sorride. Appena tre giorni prima è tornato a casa a quell'ora.

Nel buio della sua camera con il portatile in mano, Babi continua a fissare il vetro per un po'. Lo immagina per strada. Deve far freddo fuori. Prova un brivido per lui. Torna in salotto. Dà il telefono alla sorella poi si siede accanto a lei sul divano. Daniela senza farsi accorgere studia curiosa il suo viso. Vorrebbe farle mille domande. Deve accontentarsi di quegli occhi che a un tratto la fissano felici. Babi riprende a guardare la televisione. Per un attimo quel vecchio film in bianco e nero le sembra a colori. Non capisce minimamente di cosa stiano parlando e si allontana rapita dai suoi pensieri. Poi torna improvvisamente alla realtà. Si guarda intorno preoccupata ma nessuno sembra saperlo. Domani, per la prima volta in vita sua, farà sega a scuola.

39.

Paolo è seduto al tavolo e sfoglia distratto il giornale. Si guarda intorno. Strano. Avevo detto a Maria di fare la torta di mele. Se ne sarà dimenticata. Ingenuo. Si ricorda di un ciambellone che ha comprato per i casi di emergenza. Decide che quello è uno di quei casi. Apre alcuni sportelli. Alla fine lo trova. L'ha nascosto bene per resistere alla furia affamata di Step e dei suoi amici.

Mentre ne taglia una fetta entra Step.

"Ciao fratello."

"Ti sembra questa l'ora di rientrare... Passerai tutto il giorno a letto, poi se va bene te ne andrai in palestra e la sera di nuovo in giro con Pollo e quegli altri quattro delinquenti. Per te è proprio bella la vita..."

"Bellissima." Step si versa del caffè, poi del latte. "Comunque si dà il caso che non sto tornando adesso. Sto uscendo."

"Oddio che ore sono?"

Paolo guarda preoccupato l'orologio. Le sette e mezzo. Un sospiro di sollievo. È tutto sotto controllo. Qualcosa non torna lo stesso. Step non è mai uscito a quell'ora.

"Dove stai andando?"

"A scuola."

"Ah." Paolo si tranquillizza. Poi si ricorda improvvisamente che Step ha finito l'altr'anno. "A fare che?"

"Cazzo, ma che sono tutte queste domande, all'alba poi...?"

"Fai quello che ti pare, basta che non ti metti nei guai. Ma Maria non ha fatto la torta di mele?"

Step lo guarda con aria ingenua.

"Torta di mele? No, non mi sembra."

"Sicuro? Non è che ve la siete finita tu, Pollo e quegli altri porci famelici dei tuoi amici?"

"Paolo, non offendere sempre i miei amici. Non è bello. Che, io offendo mai i tuoi?"

Paolo rimane in silenzio. No che non li offende. Del resto come potrebbe? Paolo non ha amici. Ogni tanto gli telefona un collega o qualche ex compagno di università, ma quelli Step non avrebbe proprio potuto offenderli. Sono già stati puniti dalla vita. Tristi, grigi, con dei fisici da poeti.

"Ciao Pa', ti saluto, ci vediamo stasera."

Paolo fissa la porta chiusa. Suo fratello riesce sempre a stupirlo. Chissà dove va a quell'ora del mattino. Beve un sorso di caffè. Poi fa per prendere la fetta di ciambellone che ha lasciato sul piatto. È sparita: con Step si finisce sempre per rimetterci.

"Ciao papà." Babi e Daniela scendono dalla Mercedes. Claudio guarda le figlie avviarsi verso la scuola. Un ultimo saluto poi si allontana. Babi fa ancora qualche gradino. Si gira. La Mercedes è ormai lontana. Scende giù veloce e proprio in quel momento incontra Pallina.

"Ciao, dove scappi?"

"Vado via con Step."

"Giura? E dove andate?"

"Non lo so. In giro. Per prima cosa a fare colazione. Stamattina sono troppo emozionata per mandare giù qualunque cosa. Ci pensi. È la prima volta che faccio sega..."

"Anch'io ero emozionata la prima volta. Ma ormai... Faccio meglio io la firma di mia madre che lei stessa!" Babi ride. La moto di Step si ferma rombando davanti al marciapiede.

"Andiamo?"

Babi saluta con un bacio frettoloso Pallina e poi monta emozionata dietro di lui. Ha il cuore a duemila.

"Mi raccomando Pallina... Cerca di non prendere nessuna insufficienza e segna quelle che vengono interrogate."

"Ok capa!"

"Ancora!? Non porta bene! E stai zitta, eh?"

Pallina annuisce. Babi si guarda intorno preoccupata che qualcuno possa vederla. Poi si abbraccia stretta a Step. Ormai è fatta. La moto schizza in avanti, fuggendo dalla scuola, dalle ore noiose di lezione, dalla Giacci, dai compiti e da quel suono della campanella che a volte sembra non arrivare mai.

Pallina guarda invidiosa l'amica ormai lontana. È felice per lei. Sale i gradini chiacchierando, senza accorgersi che qualcuno la sta osservando. Più in alto, una mano avvizzita dal tempo e dall'odio, abbellita da un vecchio anello con al centro una pietra viola, dura come chi la possiede, lascia andare una tendina. Qualcuno ha visto tutto.

Nella III B tutte le ragazze entrano preoccupate. La prima ora è italiano e la professoressa Giacci interroga. È una delle materie sicure alla maturità. Le alunne prendono posto salutandosi. Un'ultima ragazza entra di corsa. Come al solito è in ritardo. Chiacchierano nervose. Improvvisamente un muto e ossequioso silenzio. La Giacci è sulla porta. Tutte scattano sull'attenti. La Giacci squadra la classe.

"Sedute ragazze."

È stranamente allegra quella mattina. La cosa non promette niente di buono. Fa l'appello. Alcune ragazze alzano la mano rispondendo con un rispettoso "presente". Una ragazza, il cui cognome comincia per C, è assente. Alla F un'altra, nel tentativo di diversificarsi, si lascia andare a un "eccomi" di scarso valore. È ripresa al volo dalla Giacci che la prende in giro di fronte alla classe. La Catinelli come al solito dimostra di gradire il sottile umorismo della professoressa. Così sottile che alla maggior parte di loro sfugge.

"Gervasi?"

"È assente" risponde qualcuno dal fondo della classe. La Giacci mette una "a" vicino al nome di Babi sul registro. Poi alza lentamente lo sguardo.

"Lombardi."

"Sì, professoressa?" Pallina scatta in piedi.

"Come mai Gervasi non è venuta oggi?" Pallina è leggermente nervosa.

"Ma non so. Ieri sera l'ho sentita al telefono, mi ha detto che si sentiva poco bene. Forse stamattina è peggiorata e ha deciso di non venire." La Giacci la guarda. Pallina alza le spalle. La Giacci stringe gli occhi. Diventano due fessure impenetrabili. Pallina sente un brivido correrle lungo la schiena.

"Grazie Lombardi, seduta." La Giacci riprende l'appello. Il suo sguardo incontra di nuovo quello di Pallina. Sul viso della professoressa si dipinge un sorriso beffardo. Pallina diventa rossa. Si gira subito da un'altra parte, imbarazzata. Che la prof sappia qualcosa? Sul banco la scritta che lei stessa ha inciso con la penna "Pallina e Pollo forever". Sorride. No, è impossibile.

"Marini."

"Presente!"

Pallina si tranquillizza. Chissà dov'è Babi in quel momento. Sicuramente ha già fatto colazione. Un bel maritozzo con la panna da Euclide e uno di quei cappuccini tutta schiuma. Desidera più che mai essere al suo posto magari con Pollo invece di Step. Non è bello ciò che è bello, ma è bello ciò che piace, il suo proverbio preferito. La Giacci chiude il registro e comincia a spiegare. Illustra la lezione con gioia, particolarmente serena. Un raggio di sole colpisce le sue mani. Intorno a quel dito con il quale gioca, l'antico anello brilla di luce viola.

Dai rumori della città appena sveglia, si allontanano così, con le labbra lievemente sbavate da un cappuccino amaro e la bocca addolcita dalla panna di un maritozzo. Facile previsione per quella tappa al grande Euclide sulla Flaminia, più segreto e più lontano, dove è più difficile essere incontrati. Vanno verso la torre. Sulla Flaminia, avvolti dal sole mentre intorno prati rotondi, sfumati di verde, si perdono dolci tra orli di boschi più scuri. Lasciano la strada. La moto piega le alte spighe dorate che subito dopo il suo passaggio tornano su imperterrite e spavalde. La moto è ferma lì, dopo la collina, poco lontano dalla torre. A destra più in basso un cane tranquillo controlla sonnecchiando alcune pecore spelacchiate. Un pastore in jeans ascolta una piccola radio scassata fumandosi una canna ben lontano dai suoi colleghi da presepio. Si spostano più in là. Soli. Babi apre la borsa. Compare una grossa bandiera inglese.

"L'ho comprata a Portobello quando sono stata a Londra. Aiutami a stenderla. Ci sei mai stato tu?"

"No, mai. È bello?"

"Molto. Mi sono divertita da morire. Ho fatto Brighton per un mese e Londra alcuni giorni. Sono partita con la EF."

Si stendono sulla bandiera scaldati dal sole. Step ascolta il racconto londinese e di qualche altro viaggio. Sembra essere stata in un sacco di posti e si ricorda tutto poi. Ma lui, poco interessato a quelle avventure passate e per niente abituato a quell'ora mattutina, ben presto si addormenta.

Quando Step apre gli occhi Babi non è accanto a lui. Si alza guardandosi preoccupato intorno. Poi la vede. Poco più in basso, sulla collina. Le sue morbide spalle. È seduta lì, fra il grano. La chiama. Lei sembra non sentirlo. Quando le è vicino si accorge perché. Sta ascoltando il Sony. Babi si gira verso di lui. Il suo sguardo non promette niente di buono. Torna a guardare i prati lontani. Step le siede accanto. Rimane per un po' anche lui in silenzio. Poi Babi non resiste più e si toglie le cuffie.

"Ma ti pare che ti addormenti mentre io sto parlando?" È arrabbiata sul serio. "Questo vuol dire non aver rispetto!"

"Ma dai, non fare così. Questo vuol dire non aver dormito abbastanza."

Lei sbuffa e si gira di nuovo. Step non può fare a meno di notare quanto è bella. Forse ancora di più quando è arrabbiata. Tiene alto il viso e tutto assume un'aria buffa, il mento, il naso, la fronte. I suoi capelli illuminati dal sole ne riflettono i raggi, sembrano respirare l'odore del grano. Ha la bellezza di una spiaggia abbandonata, con un mare selvaggio che ne orla i confini lontani. I suoi capelli, come onde spumeggianti, le circondano il viso, lo coprono ribelli a tratti e lei li lascia fare.

Step si china e raccoglie con la mano la sua morbida bellezza. Babi cerca di sfuggirgli. "Lasciami!"

"Non posso. È più forte di me. Ti devo baciare."

"Ho detto lasciami. Sono offesa."

Step si avvicina alle sue labbra. "Giuro che dopo ascolto tutto. L'Inghilterra, Londra, i tuoi viaggi, tutto quello che vuoi."

"Dovevi ascoltare prima!"

Step ne approfitta e la bacia al volo, cogliendo le sue labbra impreparate, appena socchiuse. Ma Babi è più veloce di lui e serra la bocca decisa. Poi una morbida lotta. Alla fine si arrende, lentamente si lascia andare al suo bacio.

"Sei violento e scorretto."

Parole sussurrate tra labbra troppo vicine.

"È vero." Parole che quasi si confondono.

"Non mi piace che fai così."

"Non lo farò più, promesso."

"Ti ho già detto che non credo alle tue promesse."

"Allora te lo giuro..."

"Figurati se credo poi ai tuoi giuramenti..."

"Ok, d'accordo, lo giuro su di te."

Babi lo colpisce con un pugno. Lui accusa il colpo scherzando. Poi l'abbraccia e sprofonda con lei tra le morbide spighe. In alto, il sole e il cielo azzurro, silenziosi spettatori. Più in là una bandiera inglese abbandonata. Più vicini, due freschi sorrisi. Step gioca per un po' con i bottoni della sua camicia. Si ferma un attimo timoroso. I suoi occhi chiusi sembrano tranquilli. Libera un bottone e poi un altro, con dolcezza, come se un tocco appena più pesante spezzasse la magia di quel momento. Poi la sua mano scivola dentro, lungo il fianco, sulla pelle tenera e calda. L'accarezza. Babi lo lascia fare e baciandolo lo abbraccia più forte. Step, respirando il suo profumo, chiude gli occhi. Per la prima volta tutto gli sembra diverso. Non ha fretta, è tranquillo. Prova una strana pace. La sua mano aperta scivola sulla schiena, giù lungo quel morbido fosso fino all'orlo della gonna. Una lieve salita, l'inizio di una dolce promessa. Si ferma. Lì vicino due piccoli buchi lo fanno sorridere, come un bacio di lei un po' più appassionato. Dolcemente continua ad accarezzarla. Torna su, fino a quel debole elastico merlato. Si ferma sulla chiusura nel tentativo di sciogliere il mistero e non solo quello. Due ganci? Due piccole mezzelune che si incastrano una dentro l'altra? Una "s" di ferro che si infila da sopra? Indugia un poco. Lei lo guarda curiosa. Step si sta innervosendo. "Come cazzo si apre?"

Babi scuote la testa. "Com'è che sei sempre così sboccato? Non mi piace che parli così quando sei con me."

Proprio in quel momento il mistero si scioglie. Due piccole mezzelune si separano tirate da un elastico ormai libero. La mano di Step vaga per tutta la sua schiena, su fino al collo, finalmente senza ostacoli.

"Scusami..."

Step non riesce a credere alle sue orecchie. Le ha chiesto scusa. Scusa. Sente di nuovo quella parola. Lui, Step, si è scusato. Poi, senza più volerci pensare, si abbandona come rapito da quella nuova conquista. Si trova ad accarezzare il suo seno, a sfiorarle il collo di baci, a passare la mano sull'altro seno e ritrovare anche lì quel fragile accenno di desiderio e passione. Allora scivola più lentamente verso il basso, verso la sua pancia liscia, verso l'orlo della gonna. La mano di lei lo ferma. Step apre gli occhi. Babi è lì di fronte a lui e scuote la testa.

"No."

"No, che?"

"No, quello..." Gli sorride.

"Perché?" Lui non sta sorridendo affatto.

"Perché no!"

"E perché no?"

"Perché no e basta!"

"Ma c'è qualche ragione, tipo..." Step fa un piccolo sorriso allusivo.

"No, cretino... nessuna ragione. Ci sono io che non voglio. Quando imparerai a dire meno parolacce, allora forse..."

Step si gira su un fianco e comincia a fare delle flessioni. Una dopo l'altra, sempre più veloce, senza fermarsi.

"Non ci credo, ditemi che non è vero. L'ho trovata."

Sorride parlando fra una flessione e l'altra, leggermente affannato. Babi si riallaccia il reggiseno e la camicia.

"Che cosa hai trovato? E smettila di fare le flessioni mentre parliamo..."

Step fa le ultime due su una mano sola. Poi si poggia su un fianco e si mette a guardarla sorridente.

"Non sei mai stata con nessuno."

"Se intendi dire se sono vergine, la risposta è sì." Quella parola le costa moltissimo. Babi si alza. Si pulisce con la mano la gonna. Alcuni pezzi di spighe cadono a terra. "E ora portami a scuola!"

"Ma che, ti sei arrabbiata?"

Step la prende fra le braccia.

"Sì. Hai un modo di fare irritante. Non sono abituata a essere trattata così. E lasciami..."

Si libera del suo abbraccio e va spedita verso la bandiera inglese. Step la rincorre.

"Dai Babi... Aspetta, non volevo offenderti. Scusami, sul serio."

"Non ho sentito."

"Sì che hai sentito."

"No, ripeti."

Step si guarda intorno scocciato. Poi la fissa. "Scusami. Va bene? Guarda che io sono felice se non sei mai stata con nessuno."

Babi si china a raccogliere la bandiera inglese e comincia a piegarla.

"Ah sì, e perché?"

"Be', perché... perché sì. Sono felice e basta."

"Perché pensi che sarai tu il primo?"

"Senti, ti ho chiesto scusa. Ora basta, falla finita. Come sei difficile."

"Hai ragione. Tregua." Gli passa un bordo della bandiera. "Tieni, aiutami a piegarla." Si allontanano. La stendono e poi si avvicinano di nuovo. Babi prende dalle sue mani l'altro bordo della bandiera e gli dà un bacio. "È che quell'argomento mi innervosisce."

Tornano in silenzio alla moto. Babi sale dietro di lui. Si allontanano così, lungo la collina, lasciandosi alle spalle spighe spezzate e un discorso a metà. È il primo giorno che stanno insieme e Step già le ha chiesto scusa due volte. Capirai... Andiamo bene. Lei lo abbraccia felice. Sì, andiamo benissimo. Babi è tranquilla ora, non pensa a niente. Non sa che un giorno, non molto lontano, affronterà con lui quel discorso che tanto la innervosisce.

40.

"Frena." Babi urla e stringe forte i fianchi di Step. La moto quasi inchioda al suo comando.

"Che succede?"

"C'è mia madre."

Babi indica la Peugeot di Raffaella ferma poco più avanti di fronte alla scalinata della Falconieri. Mancano pochi minuti all'una e mezzo. Deve tentare. Bacia Step sulle labbra. "Ciao, ti chiamo oggi pomeriggio." Si allontana tenendosi bassa lungo la fila di macchine posteggiate. Giunta davanti alla scuola si alza lentamente. Sua madre è lì, a pochi metri da lei, la può vedere perfettamente attraverso il vetro di una Mini posteggiata. Sta trafficando con qualcosa sulle gambe. Poi Raffaella alza la mano sinistra e la controlla. Babi capisce. Si sta facendo le unghie. Babi si accuccia contro la macchina, ricontrolla l'orologio. Ormai ci devono essere. Guarda a destra in fondo alla strada. Step non c'è più. Chissà cosa pensa di me. Lo chiamerò più tardi. Improvvisamente si ricorda che non può farlo. Non ha il suo cellulare. Non sa neanche dove abita. La campanella dell'uscita suona. Le prime classi compaiono in cima alla scala. Cominciano a scendere le ragazze più piccole. Un'altra campanella. È il turno delle seconde e poi le terze. Ragazze più grandi. Una la guarda incuriosita. Babi si porta il dito sulle labbra, facendole segno di stare zitta. La ragazza guarda altrove. Sono tutte abituate a segreti di ogni tipo. Finalmente è il turno della sua classe. Sua madre è ancora distratta, forse alle prese con un'unghia spezzata. È quello il momento di andare. Babi esce dal suo nascondiglio e si mischia alle altre ragazze. Ne saluta qualcuna poi, senza farsi vedere, controlla la macchina. Raffaella non si è accorta di nulla. Ce l'ha fatta.

"Babi!"

Pallina le corre incontro. Le due ragazze si abbracciano.

Babi la guarda preoccupata. "Com'è andata, hanno scoperto qualcosa?"

"No, tutto sotto controllo."

"Tieni, questi sono i compiti che hanno dato oggi. Ci sono anche le interrogazioni. Tutto preciso, potresti prendermi come tua segretaria. Be', ti sei divertita?"

"Moltissimo." Babi infila il foglio nella borsa e sorride all'amica.

"Lasciami indovinare." Pallina la fissa un attimo. "Colazione da Euclide di Vigna Stelluti. Cappuccino e maritozzo con panna."

"Ci sei quasi. Stesse cose ma a quello sulla Flaminia."

"Chiaro! Molto più riservato. Preciso. Poi fuga a Fregene e sesso sfrenato sulla spiaggia, giusto?"

"Toppato!" Babi si allontana sorridendole.

"Fregene o il resto?"

"Ti dico solo che una cosa l'hai toppata."

Sale in macchina mentendo all'amica e lasciandola lì, di fronte alla scuola, piena di curiosità. In realtà le ha sbagliate tutte e due.

"Ciao mamma."

"Ciao." Raffaella si lascia baciare sulla guancia da Babi. La situazione sembra tranquilla. "Com'è andata scuola?"

"Bene. Non mi hanno interrogato."

Arriva anche Daniela.

"Possiamo andare. Giovanna ha detto che torna per conto suo da adesso in poi."

La Peugeot parte. Quella notizia ha riempito tutte di gioia. Non dovranno più aspettarla. Mentre sono ferme al semaforo di piazza Euclide, Babi sente improvvisamente qualcosa che la punge. Senza farsi vedere si infila la mano nella camicetta. Imprigionata nel reggiseno c'è una piccola spiga dorata. La libera e la mette in mezzo al diario. Poi la fissa per un attimo. Quel piccolo grande segreto. Step le ha toccato il seno. Sorride e proprio mentre scatta il verde, lo vede. È lì, fermo sulla destra della piazza. Sventola ridendo una bandiera inglese, la sua bandiera. Ma quando gliel'ha rubata? Poi si ricorda la cosa più importante. Step è come Pollo, anche lui ruba. Non ci ha mai pensato prima. Si è messa con un ladro.

41.

La prima "a" è troppo cicciotta, la seconda con la stanghetta troppo lunga, poi troppo bassa, poi troppo sottile tutta la scritta. Babi riprova a imitare la firma della madre. Riempie alcuni fogli del quaderno di matematica.

"Dani? Questa secondo te può sembrare la firma di mamma?"

Daniela guarda quell'ultima scritta. Rimane per un po' pensierosa. "Il cognome mamma lo fa più lungo. No, non lo so. C'è qualcosa di strano. Ecco. La "g" è troppo magra, le hai fatto la pancia troppo piccola. Mamma inizia sempre il cognome con la G molto più grossa. Guarda." Apre il suo diario e mostra alla sorella una firma di quelle vere. "Vedi?"

Babi la fissa per un attimo paragonandola con quella che ha fatto lei. "A me sembrano identiche. È perché lo sai." Se ne va più tranquilla in camera sua.

"Fai come vuoi. Per me la "g" è troppo piccola. Poi non capisco perché mi chiedi sempre che ne penso se poi fai come ti pare."

Chiude la porta.

Babi prende il diario alla pagina della giustificazione. Dove c'è il motivo dell'assenza, scrive: "ragioni di salute". In fondo è vero. Sarebbe stata male all'idea di non fuggire con Step. Poi viene il momento della firma. Ritorna seria. Ne prova ancora una su un foglio lì vicino. Sotto a decine di Raffaella Gervasi. Quest'ultima le viene ancora meglio. È perfetta. Però, può falsificare anche degli assegni, comprarsi l'SH 50. Capisce di aver esagerato. In fondo non ha bisogno di soldi, solo di essere giustificata. Prende la penna e si butta decisa. Comincia con la R e via giù, scivolando il più naturalmente possibile fino a quell'ultimo puntino sulla "i". Poi, ancora tremante per la concentrazione, la fatica di copiare, di scrivere perfettamente uguale a sua madre, guarda la scritta. È venuta ancora meglio. Incredibile. Forse, il cognome è un po' tremolante. La confronta con le altre firme di sua madre sul diario. Nessuna grossa differenza. Nessun segno impreciso. Un'altra cosa poi gioca a suo favore. Alla prima ora ha la professoressa di matematica, la Boi. Occhiali spessi, una faccia larga sempre sorridente. Anche quella volta quando si è scusata con la classe per aver perso i compiti e le ha pregate di non farne parola con nessuno. Quel giorno Pallina era sicura di aver preso almeno sette. È per questo che secondo lei la Boi se li era persi. L'ha fatto apposta per non darle soddisfazione. Pallina crede che tutti i professori ce l'abbiano sempre con lei e con i suoi voti. Babi chiude il diario. Ora è più tranquilla. Quella firma la controllerà solo la Boi e non si accorgerà di sicuro che è falsa. Comincia a studiare. Poi ha una strana sensazione. Si guarda intorno ma non nota nulla. Continua a fare i compiti. Se fosse stata più attenta a guardare l'orario, avrebbe capito cosa la preoccupa. Alla seconda ora c'è la Giacci.

42.

Più tardi, quando i suoi genitori sono usciti, Step la passa a prendere. C'è tutto il gruppo giù che l'aspetta: Schello, Lucone, Dario e Gloria, il Siciliano, Hook, Pollo e Pallina e altri tipi su una Golf con un paio di ragazze. Vanno con le moto verso Prima Porta, poi prendono a destra verso Fiano. Quando arrivano Babi è tutta infreddolita. Il posto si chiama Il Colonnello ed è molto lontano. Babi non capisce perché hanno scelto un posto come quello per mangiare. Sono due grandi sale con il forno a vista e dei normalissimi tavoli. Forse si spenderà poco, pensa. Un giovane cameriere arriva per prendere le ordinazioni. Sono quindici e tutti cambiano idea continuamente tranne lei che ha scelto fin dall'inizio un'insalata mista con poco olio. Il povero cameriere è distrutto. Cerca ogni tanto di ricapitolare i primi per passare poi ai secondi ma quando è il momento dei contorni qualcuno ha già cambiato idea di nuovo.

"Senti capo, fai due pappardelle al cinghiale."

"Anche per me." Si aggiunge subito qualcun altro e un altro ancora. E subito dopo altri due decidono di prendere la polenta, o la carbonara. È il gruppo più indeciso che Babi abbia mai visto. Come se non bastasse, Pollo cerca di dare una mano ripetendo ogni volta tutte le ordinazioni e creando ancora più confusione. Alla fine tutti ridono divertiti. È diventato una specie di gioco. Il povero cameriere si allontana sempre più confuso. L'unica cosa certa è che deve portare quattordici medie chiare e una... cosa ha ordinato quella bella bionda dagli occhi azzurri? Ricontrolla il blocchetto pieno di cancellature ed entra in cucina ricordandosi di portare anche una Diet-Coke.

La cena prosegue nel massimo della confusione. Ogni volta che viene portato un piatto, dal prosciutto alle ovoline alla bruschetta, è una specie di arrembaggio, tutti ci si buttano sopra e dopo un attimo è tutto sparito.

Delle ragazze dagli occhi troppo truccati ridono divertite. Babi guarda Pallina cercando un po' di comprensione. Anche lei, però, sembra ormai essersi integrata perfettamente nel gruppo. È arrivata la sua insalata mista con poco olio. La situazione non è proprio delle più allegre. Poi è la volta del racconto del Siciliano. È la triste storia di un certo Francesco Costanzi. Ha avuto la cattiva idea di infastidire la sua ex donna. Neanche la donna, pensa Babi, la sua ex. Roba da pazzi.

Ma tutti ascoltano interessati e nessuno sembra muovere questo appunto. Quindi pensa Babi, forse ha ragione lui. La pazza sono io.

"Allora sapete che faccio?" Il Siciliano manda giù un sorso di birra. "Vado insieme a Hook da Marina che stava a casa da sola."

Dall'altra parte della tavolata Hook con la benda sull'occhio sorride. È al centro dell'attenzione e si sta prendendo giustamente la sua fetta di gloria. Il Siciliano continua.

"Allora la faccio telefonare a questo coglione di Costanzi. Lei lo chiama e gli dice se passa a salutarla. E sapete cosa fa l'infame?"

Babi guarda stupita il gruppo. Sembra che non lo sappiano veramente. Azzarda lei la risposta.

"C'è andato." Il Siciliano si gira verso di lei. Sembra un po' infastidito.

"Brava Babi. Proprio così. Ci va 'sto infame!" Lei sorride. Poi incrociando lo sguardo scocciato di Step allarga le braccia. Il Siciliano non se ne accorge e continua divertito il suo racconto. "E ora viene la parte migliore. Quando questo arriva, Marina lo fa salire. Com'è entrato, io e Hook gli saltiamo addosso e lo immobilizziamo. Poi, non sapete che ridere, lo spogliamo e lo leghiamo a una sedia. Oh! Dovevate vedere la faccia che c'aveva. Nudo come un verme. Poi prendo un coltello da cucina e glielo metto là in mezzo alle gambe. Inizia a urlare. Secondo Hook perché il coltello era gelato! Poi entra Marina. L'avevamo fatta vestire tutta di pizzo trasparente. Be', le metto la musica e inizia a fare uno spogliarello. Io dico al tipo: oh, se vedo che ti piace e il coso dà qualche segno di vita ti giuro che te lo taglio. Oh, Marina rimane in reggiseno e in mutandine e il tipo non si muove, non so se m'avete capito, è come morto l'affare."

Tutti ridono come pazzi. Una ragazza in fondo al tavolo quasi si strozza. Anche Step sembra divertirsi. Babi non crede alle sue orecchie.

"Zitti, zitti..." fa il Siciliano. "A un certo punto sentiamo il rumore della porta. Non sono i genitori di Marina? Io e Hook ci fiondiamo fuori e quelli non beccano il tipo nudo sulla sedia con Marina mezza spogliata? Vi giuro, una scena da morire, da sentirsi male. Dovevate vedere le loro facce."

"E che gli hanno fatto al tipo?"

Babi guarda Pallina. Ha anche il coraggio di fare queste domande.

"Boh, non lo so. Noi siamo scappati. So solo che adesso l'infame sta con una e ha seri problemi a farsela... Dopo la prova che gli abbiamo fatto passare, sembra che ci ha perso l'abitudine. Se vede una che si spoglia il coso non gli si tira più su."

È l'apoteosi. Tutti cominciano a ridere come pazzi. Poi non si sa come accade. Un pezzo di pane vola. Subito dopo è una pioggia, una vera e propria battaglia di avanzi di carne, patate, birra. Si tirano di tutto. Le ragazze sono le prime ad abbandonare le postazioni. Babi e Pallina si allontanano veloci dal tavolo seguite dalle altre. I ragazzi continuano a lanciarsi la roba da mangiare, con forza, con rabbia, fregandosene degli altri tavoli, di colpire i clienti vicini. Il massimo è quando il povero cameriere cerca di fermarli. Viene centrato in pieno volto da un pezzo di pane casareccio bagnato. C'è una specie di ovazione. Quel cameriere non ha mai avuto così successo in vita sua. Poi è la volta del conto. Pollo si offre di raccogliere i soldi. Step prende Babi sottobraccio e la porta fuori del ristorante. Uno dopo l'altro anche gli altri escono.

Babi tira fuori il portafoglio. "Quanto ti devo?"

Step le sorride. "Scherzi? Lascia stare."

"Grazie."

"Non devi ringraziare me. Monta."

Step accende la moto. Babi sale dietro di lui.

"Allora chi devo ringraziare? Pollo stava raccogliendo i soldi."

"No, quella è la frase convenzionale." Proprio in quel momento Pollo esce di corsa dal ristorante e salta sulla sua moto. "Via ragazzi!" Tutti partono sgommando veloci. Le moto schizzano in avanti spegnendo le luci. Dal ristorante escono di corsa il cameriere e qualcun altro. Gridano cercando inutilmente di leggere le targhe.

Il rumore delle moto echeggia forte negli stretti vicoli di Fiano. Uno dopo l'altro, piegati a tutta velocità, sbucano fuori dal paese attraverso le stradine, urlando e ridendo, suonando i clacson. Poi, quasi volando, prendono la Tiberina, avvolti dal freddo della strada, dal verde bagnato dei boschi vicini. Solo allora riaccendono le luci.

Pollo accosta Step.

"Oh, non si mangia male da questo Colonnello..."

"No. Si mangia bene."

"Comunque volevano quaranta euro a cranio..."

"Allora hai fatto bene!"

Pollo dà gas e ridendo sguaiatamente si allontana con Pallina. Babi si sporge in avanti.

"Cioè vuoi dire che non abbiamo pagato?"

"Be', che c'è qualche problema?"

"Problema? Ma ti rendi conto che ti possono denunciare? Magari hanno letto qualche targa."

"Non ci riescono con i fari spenti. Senti, lo facciamo sempre e non hanno mai beccato nessuno. Quindi non portare sfiga!"

"Io non porto sfiga. Sto solo cercando di farti ragionare. Anche se mi sembra molto difficile. Ma non pensi a quelli del ristorante? Quella è gente che lavora, che sta tutto il giorno in cucina a sudare sui fornelli, che apparecchia per te, che ti serve da mangiare, che sparecchia, che pulisce e tu non li consideri minimamente."

"Come non li considero! T'ho detto pure che mi è piaciuto un casino come si mangia in quel posto!"

Babi rimane in silenzio. È inutile. Si lascia andare indietro sul sellino scostandosi un po' da lui. Intorno il vento della notte e l'umidità dei boschi la sfiora dandole dei brividi di freddo. Ma non è solo quello. Sta con uno che non capisce, che non può capire. Guarda in alto davanti a sé. È una notte limpida. Le stelle brillano lontane. Piccole nuvole trasparenti accarezzano la luna. Sarebbe tutto bellissimo se solo...

"Ehi, Step." Hook lo accosta. "Ti giochi cinquanta euro a chi arriva fino al centro su una ruota sola?"

Step non se lo fa ripetere due volte. "Preso." Scala e dà gas. La moto s'impenna. Babi fa appena in tempo a tenersi. Di nuovo! Non ne posso più. Almeno stavolta non sto girata a testa in giù!

"Step! Step!" Grida dandogli dei forti pugni sulla schiena. "Smettila! Scendi." Step lascia andare dolcemente il gas. La moto tocca terra con tutt'e due le ruote. Hook continua ancora per un po' gridando vittoria.

"Ma che t'è preso? Sei impazzita?"

"Basta con le pinne, con le botte, con gli inseguimenti, non ne posso più, hai capito?" Babi sta urlando. "Voglio una vita normale, tranquilla. Di gente che va in motocicletta come tutti. Non voglio fuggire dai ristoranti, voglio pagare come tutti. Non voglio che tu faccia a botte. Non voglio sentire che uno dei tuoi amici ha messo il coltello in mezzo alle gambe di uno solo perché questo ha chiamato la sua ex donna e non vorrei sentirlo neanche se fosse la sua donna! Io odio la violenza, odio i picchiatori, odio i prepotenti, odio la gente che non sa vivere, che non sa parlare, che non sa discutere, che non ha rispetto per gli altri. Hai capito? La odio!"

Rimangono per un po' in silenzio, lasciandosi cullare dalla velocità costante della moto, dal vento che sembra piano piano calmarla. Poi Step scoppia a ridere.

"Si può sapere che c'è di tanto divertente?"

"Lo sai cosa odio invece io?"

"No, che?"

"Perdere cinquanta euro."

43.

Davanti al benzinaio di piazza Euclide, un gruppetto di ragazzi e ragazze sta ascoltando un tipo molto divertente. Avrebbe successo in un piccolo teatro di cabaret. Invece s'è ostinato a prendere Economia e Commercio anche se davanti ai professori fa quasi sempre scena muta. Poco più in là, davanti a Pandemonium, si sono dati appuntamento dei ragazzi un po' più grandi. Arriva una BMW Z3. Dalla macchina scende una bruna dalle calze perfette almeno quanto le sue gambe. Ha una giacca nera e dei bermuda plissettati di seta traslucida. La macchina è celeste e un pubblicitario non potrebbe creare niente di meglio. Quando scende lui però la magia svanisce. Ha pochi capelli in testa e un po' di pancia. Un vero creativo non lo sceglierebbe mai. Poco più avanti, di fronte al giornalaio, è ferma una camionetta. Due carabinieri controllano senza molta convinzione alcuni documenti dei ragazzi lì intorno, poi se ne vanno.

Una macchina passa veloce strombazzando. Una ragazza dai capelli biondi si affaccia dal finestrino salutando qualcuno e sparisce sgommando a destra, su per via Siacci. Una bruna entra al Caffè Shop a comprare le sigarette.

Poi, uno dopo l'altro arrivano loro. Suonando e sgasando. Alcuni salgono con la moto sul marciapiede, altri la posteggiano, di fronte alla serranda chiusa dell'Euclide. Babi scende dalla moto di Step, si passa i capelli indietro con la mano. In quel momento le si avvicina Pallina.

"Forte, no?"

"Cosa?"

"Be', che siamo fuggite così, nella notte, senza pagare. Io non l'ho mai fatto. Dai, è troppo divertente. E poi sono simpatici loro, no?"

"No. E non mi sono divertita affatto."

"Be', per una volta..."

"Non è una volta. Lo sai benissimo. Per loro è un'abitudi-

236

ne. Pallina, non capisci. È come se tu rubassi. Mangiando senza pagare, tu hai rubato."

"Capirai! Un piatto di tortellini e una birra. La rapina del secolo!"

"Pallina, quando non vuoi capire non c'è proprio verso, eh?"

Improvvisamente una mano le dà due colpi non proprio leggeri sulla spalla: è Maddalena. Mastica una gomma e la fissa sorridendo.

"Guarda che tu qui non ci devi venire."

"Perché?"

"Perché io non ti ci voglio."

"Non mi risulta che questo posto sia tuo. Quindi non puoi vietarmelo."

Babi si gira verso Pallina troncando ogni discussione. Cerca di iniziare una qualsiasi conversazione. Ma stavolta uno strattone violento la obbliga a girarsi.

"Forse non hai capito. Te ne devi anda'." Maddalena picchia con la mano sulla spalla di Babi. "Intendi?"

Babi sospira. "Ma che vuoi da me? Chi ti conosce? Chi sei?"

Maddalena alza la voce. Diventa rossa. "Sono una che ti spacca la faccia." Poi le si avvicina e le urla a un palmo dal viso. "Hai capito?"

Babi fa una smorfia di disprezzo. Intorno qualcuno si è girato a guardare cosa sta succedendo. Piano piano la gente smette di chiacchierare e le si fa intorno. Tutti sanno cosa sta per accadere. Anche Babi lo sa. Cerca di allontanarla. Maddalena le sta vicino, troppo.

"Senti, falla finita. Non mi piacciono le piazzate."

"Ah, non ti piacciono, eh? E allora stattene a casa..."

Maddalena avanza minacciosa. Babi allunga le mani e le mette sulle sue spalle cercando di tenerla lontana.

"Senti te l'ho detto, non mi va di discutere..."

"Che fai?" Maddalena guarda la mano di Babi sulla sua spalla. "Mi metti le mani addosso? Leva subito questa mano da qua!" E dà una botta forte al braccio di Babi.

"Va bene me ne vado. Step?"

Babi si gira per cercarlo. Ma proprio in quel momento sente un bruciore fortissimo sotto lo zigomo destro. Qualcosa l'ha colpita. Si volta. Maddalena è lì, di fronte a lei. Ha i pugni alti, chiusi e minacciosi, e sorride. È stata lei a colpirla. Babi si porta la mano sopra la guancia. Lo zigomo è caldo e le fa male. Maddalena la colpisce con un calcio in pancia. Babi si sposta indietro. Maddalena la prende di striscio ma le fa male ugualmente. Babi si gira per andarsene.

"Dove credi di andare, brutta stronza?"

Un calcio da dietro la prende in pieno nel sedere spingendola in avanti. Babi riesce a non perdere l'equilibrio. Ha le lacrime agli occhi. Continua a camminare lentamente. Intorno a lei sente degli schiamazzi, facce che ridono, altri che la fissano in silenzio, qualcuno la indica.

Delle ragazze la guardano preoccupate. Il rumore del traffico lontano. Poi vede Step. È lì davanti a lei. Improvvisamente sente dei passi di corsa dietro di lei. È Maddalena. Chiude gli occhi e abbassa leggermente la testa. L'avrebbe colpita di nuovo. Si sente tirare indietro di botto per i capelli, trascinata quasi. Si gira su se stessa per non cadere. Si ritrova a correre a testa bassa, tirata da Maddalena, da quella furia urlante che la riempie di pugni sulla testa, sul collo, sulla schiena. L'attaccatura dei capelli sembra quasi volersi staccare e un dolore atroce le raggiunge il cervello facendola impazzire. Cerca di liberarsi. Ma ogni strattone, ogni resistenza sono una fitta acuta in più, un dolore lancinante. Allora la segue rincorrendola quasi. Babi porta le mani avanti attaccandosi al suo giubbotto, spingendo con tutta la forza, sempre più vicino, sempre più veloce, senza vedere dove va, senza capire. Poi un forte rumore di ferro, del metallo che rimbalza. Si ritrova improvvisamente libera. Maddalena è finita contro dei motorini, è caduta a terra, trascinando con sé nella foga un SH 50 e un vecchio Free. Ed ora è ferma lì sotto, mentre una ruota sporca, dai raggi arrugginiti ancora gira, e un pesante telaio e il manubrio la bloccano. Babi sente la rabbia salirle improvvisamente come una marea, come un'onda enorme di odio. Sente il suo viso rosso, il respiro affannato, il suo zigomo colpito, la sua testa torturata e in un attimo le è addosso. Inizia a colpirla scalciando come un animale, irriconoscibile. Maddalena prova a rialzarsi. Babi si piega su di lei e la tempesta di pugni, colpendola dappertutto, urlando, graffiandola, tirandola per i capelli, disegnando sul suo collo lunghe linee irregolari fatte di sangue. Poi due mani forti la sollevano da dietro. Babi si trova improvvisamente a scalciare nel vuoto, divincolandosi, nel tentativo di liberarsi per tornare a colpire, per mordere di nuovo, per ferire ancora. Nell'allontanarsi un suo ultimo calcio preciso, ma non del tutto voluto, colpisce un altro motorino. Un SH 50 si abbatte lento vicino a Maddalena, ormai esausta.

"Oh, il mio motorino..." reclama un innocente.

Mentre viene trascinata via, Babi guarda la folla. Ora non ridono più. In silenzio la fissano. Si allargano per farla passare. Si lascia andare all'indietro abbandonandosi a chi la porta via. E una risata nervosa sale da lei verso il cielo. Si ricorda quella ragazza sguaiata che stava a capotavola. Ride ancora e poi di più, più forte, ma dalla sua bocca non sente uscire più nulla.

Il vento fresco accarezza la sua faccia. Chiude gli occhi. La testa le gira. Il cuore batte forte. Il suo respiro è spezzato e onde violente di rabbia la scuotono a tratti, non ancora calmate. Qualcosa sotto di lei si ferma. È sulla moto. Step l'aiuta a scendere.

"Vieni qua."

Sono sul ponte di corso Francia. Sale i gradini. Si avvicina alla fontanella. Step bagna la sua bandana e gliela passa sul viso. "Va meglio?" Babi fa cenno di sì con la testa. Step si siede sul muretto lì vicino, con le gambe aperte a ciondoloni. Rimane a fissarla sorridente.

"Chi eri tu? Quella che odia i picchiatori? I violenti? Meno male! Roba che se non te la levavo da sotto, l'ammazzavi quella poveraccia."

Babi fa un passo verso di lui, poi scoppia a piangere. Improvvisamente, in maniera convulsa. È come se qualcosa si fosse rotto, una diga, una barriera liberando quel fiume di lacrime e singhiozzi. Rimane a fissarla, allargando le mani, non sapendo bene che fare. Poi abbraccia quelle piccole morbide spalle che tremano.

"Dai, non fare così. Non è colpa tua. Ti ha provocato."

"Io non volevo colpirla, non volevo farle del male. Sul serio... Non volevo."

"Sì, lo so."

Step le mette una mano sotto il mento. Raccoglie una piccola lacrima salata, poi le alza il viso. Babi apre gli occhi, tirando su con il naso, sbattendo le ciglia, sorridendo e ridendo, ancora nervosa. Step lentamente si avvicina alla sua bocca e la bacia. Sembra ancora più morbida del solito, così sotto di lui, calda e remissiva, leggermente salata. E lei si lascia andare cercando conforto in quel bacio, prima dolcemente poi sempre più forte, disperata fino a quando si nasconde nel suo collo. E lui sente le sue guance bagnate, la sua pelle fresca, i suoi piccoli singhiozzi nascosti là dietro.

"Ora basta." La scosta. "Su, non fare così." Step sale sul muretto. "Se non smetti di piangere mi butto di sotto. Sul serio..." Fa alcuni passi insicuri sul bordo di marmo. Allarga le braccia cercando l'equilibrio. "Allora la smetti o mi butto...?"

Molti metri più sotto il fiume tranquillo e scuro, l'acqua nera dipinta dalla notte, le sponde piene di cespugli. Babi lo guarda preoccupata, ma singhiozza ancora.

"Non fare così... ti prego."

"Tu smetti di piangere!"

"Non dipende da me..."

"Allora ciao..."

Step fa un salto e gridando si butta di sotto. Babi corre verso il bordo del muretto.

"Step!" Non si vede nulla, solo il lento scorrere del fiume trascinato dalla sua corrente.

"Buuuu!"

Step spunta da sotto il muretto e la prende al volo per il bavero del giubbotto. Babi grida.

"Ci avevi creduto, eh?" La bacia.

"Ci mancava solo questo. Non vedi come sto e mi fai pure questi scherzi."

"L'ho fatto apposta. Un bello spavento è quello che ci vuole, manda via tutto."

"Quello è per il singhiozzo."

"Perché, tu non stai singhiozzando? Dai vieni di qua." L'aiuta a scavalcare il muretto. Si ritrovano al di fuori del ponte, sospesi nel buio, su un piccolo cornicione. Sotto di loro il fiume, poco più lontano l'Olimpica illuminata. Avvolti dal buio e dal lento sussurrare della corrente, si baciano di nuovo. Con passione e trasporto, pieni di desiderio. Lui le alza la maglietta e le tocca il seno, liberandolo. Poi si apre la camicia e posa la sua pelle morbida contro il suo petto. Rimangono lì a respirare il loro calore, ad ascoltare i loro cuori, a sentire la pelle sfiorarsi avvolta dal vento fresco della notte.

Più tardi, seduti sul bordo del muretto, fissano il cielo e le stelle. Babi si è sdraiata, ora calma e tranquilla, con la testa poggiata sulle gambe di Step. Lui le accarezza i capelli. In silenzio. Poi Babi vede una scritta.

"Tu non faresti mai una cosa del genere per me."

Step si guarda in giro. Una bomboletta romantica ha spruzzato la sua frase d'amore: "Cerbiatta ti amo".

"È vero. Io non so scrivere, lo dici tu."

"Be', potresti suggerirlo a qualcuno che lo scrive per te." Babi porta la testa indietro sorridendogli al contrario.

"Ah, ah... e comunque scriverei qualcosa di questo genere, mi sembra molto più adatto a te."

Su una colonna proprio di fronte a loro c'è un'altra scritta: "Cathia ha il secondo più bel culo d'Europa". "Secondo" è stato aggiunto con una piccola parentesi. Step sorride.

"È una scritta molto più sincera. Anche perché tu hai il primo."

Babi scende veloce dal muretto e lo colpisce con un piccolo pugno. "Porco!"

"Che fai? Picchi pure me? Allora è proprio un vizio il tuo..."

"Non mi piace questo scherzo..."

"Va bene, la smetto." Step cerca di abbracciarla. Babi gli sfugge. "Non mi credi? Te lo prometto..."

"Certo... anche perché sennò ti picchio!"

44

"Alessandri?"
"Presente."
"Bandini?"
"Presente."

La Boi sta facendo l'appello. Babi, seduta al suo banco, controlla preoccupata la sua giustificazione. Ora non le sembra più così perfetta. La Boi salta un cognome. Un'alunna che è presente e che ci tiene alla sua identità si alza e dal banco glielo fa notare. La Boi si scusa poi ricomincia l'appello da dove ha sbagliato. Babi si tranquillizza un po'. Con una professoressa così forse la sua giustificazione passerà inosservata. Quando è il momento porta il diario alla cattedra con le altre due assenti del giorno prima. Rimane lì, in piedi, con il cuore che le batte forte. Ma tutto va liscio.

Babi torna al suo banco e segue il resto della lezione rilassata. Le arriva un biglietto sul banco. Pallina sorride dal suo posto. È stata lei a lanciarlo. È un disegno. Una ragazza è stesa per terra e un'altra sta lì vicino in posa da pugile. Sopra un grosso titolo: "Babi III". È la parodia di Rocky. Una freccia indica la ragazza a terra. Sopra c'è scritto Maddalena, con, tra parentesi, la bora. Vicino all'altra ragazza invece c'è una frase: "Babi, i suoi pugni sono di granito, i suoi muscoli d'acciaio. Quando arriva lei tutta piazza Euclide trema e le bore, finalmente, fuggono". Babi non può fare a meno di ridere.

Proprio in quel momento suona la campanella. La Boi dopo aver faticosamente raccolto la sua roba esce dalla classe. Le ragazze non fanno in tempo a uscire dai banchi che entra la Giacci. Tutte tornano silenziosamente al loro posto. La professoressa va alla cattedra. Babi ha l'impressione che la Giacci, entrando, si guardi in giro, come se stesse cercando qualcosa. Poi, quando vede lei, ha una specie di sollievo, sorride. Mentre si siede Babi pensa che è solo una sua impressione. Deve smetterla, si sta fissando. In fondo la Giacci non ha niente contro di lei.

"Gervasi!" Babi si alza. La Giacci la fissa sorridente. "Venga, venga Gervasi." Babi esce dal banco. Altro che impressione. In storia è già stata interrogata. La Giacci ce l'ha proprio con lei. "Porti anche il diario." Quella frase la colpisce direttamente al cuore. Si sente svenire. La classe comincia come a ruotarle intorno. Guarda Pallina. Anche lei è sbiancata. Babi con il diario tra le mani, terribilmente pesante, insostenibile quasi, si avvicina alla cattedra. Perché vuole il diario? La sua coscienza sporca sembra non avere niente da suggerirle. Poi una piccola luce. Forse vuole ricontrollare la nota firmata. Si attacca a quello spiraglio, a quell'improbabile illusione. Posa il diario sulla cattedra.

La Giacci lo apre fissandola.

"Ieri lei non è venuta a scuola, vero?"

Anche quell'ultimo fragile barlume di speranza si spegne. "Sì."

"E come mai?"

"Sono stata poco bene." Adesso sta malissimo. La Giacci si avvicina pericolosamente alla pagina delle giustificazioni. Trova l'ultima, quella incriminata.

"E questa sarebbe la firma di sua madre, vero?" La professoressa le mette il diario sotto gli occhi. Babi guarda quel suo tentativo di imitazione. All'improvviso le appare follemente falso, incredibilmente tremolante, dichiaratamente finto. Un "sì" talmente flebile esce dalle sue labbra che quasi non si sente.

"Strano. Ho parlato poco fa per telefono con sua madre e non sapeva niente della sua assenza. Meno che mai di aver firmato qualcosa. Sta venendo qui ora. Non mi sembrava felice. Lei ha finito con questa scuola, Gervasi. Verrà espulsa. Una firma falsa, se denunciata a chi di dovere come farò io, equivale a una definitiva sospensione. Peccato Gervasi, poteva prendere un bel voto alla maturità. Sarà per il prossimo anno. Tenga."

Babi si riprende il diario. Ora sembra incredibilmente leggero. Improvvisamente tutto le sembra diverso, i suoi movimenti, i suoi passi. È come se galleggiasse nell'aria. Tornando al suo posto avverte gli sguardi delle compagne, quello strano silenzio.

"Stavolta, Gervasi, ha sbagliato lei!"

Non capisce bene quello che segue. Si ritrova in una stanza con delle panche di legno. C'è sua madre che strilla. Poi arriva la Giacci con la preside. La fanno uscire. Continuano a discutere a lungo mentre lei aspetta in corridoio. Una suora passa sullo sfondo. Si scambiano uno sguardo senza sorriso né saluto. Più tardi esce sua madre. La trascina via per un braccio. È molto arrabbiata.

"Mamma, mi cacceranno?"

"No, domani mattina torni a scuola. Forse c'è una soluzione, ma prima devo sentire che ne pensa tuo padre, se è d'accordo anche lui."

Quale soluzione può essere, se sua madre ha bisogno anche del consenso di suo padre? Dopo aver mangiato, finalmente lo sa. È solo una questione di soldi. Avrebbero dovuto pagare. Il bello delle scuole private è che tutto si può risolvere facilmente. L'unico vero grande problema è "quanto" facilmente.

Daniela entra nella camera della sorella con il telefonino in mano.

"Tieni, è per te." Babi, stanca dagli avvenimenti, si è addormentata.

"Pronto."

"Ciao, vieni con me?" È Step. Babi si siede meglio sul letto. Ora è completamente sveglia.

"Volentieri, ma non posso."

"Dai, andiamo al Parnaso, oppure al Pantheon. Ti offro una granita di caffè con panna alla Tazza d'Oro. L'hai mai provata? È un mito."

"Sono in punizione."

"Di nuovo? Ma non è finita?"

"Sì, ma oggi la professoressa ha beccato la firma falsa, è successo un macello. Quella ce l'ha con me. Ha fatto rapporto alla preside. Avrei dovuto ripetere tutto l'anno. Invece mia madre ha messo a posto tutto."

"Forte tua madre! Bel caratteraccio... ma arriva sempre dove vuole."

"Be', le cose non stanno proprio così. Ha dovuto pagare."

"Quanto?"

"Cinquemila euro. In beneficenza..."

Step fa un fischio. "Cazzo! Bell'atto di bontà..." Segue un silenzio imbarazzato. "Pronto, Babi?"

"Sì, sono qui."

"Credevo fosse caduta la linea."

"No, stavo pensando alla Giacci, la mia professoressa. Ho paura che la storia non finisca qui. L'ho ripresa davanti a tutte e me la vuole far pagare a ogni costo!"

"Più di cinquemila euro?"

"Quelli li ha sborsati mia madre, chiaramente... sono una specie di donazione. Ora se la prenderà con me. Che palle! Pensa che sono messa così bene con i voti, la maturità sarebbe stata una passeggiata."

"Allora non puoi proprio venire?"

"No, scherzi, se telefona mia madre e non mi trova, succede veramente il finimondo."

"Allora passo io da te." Babi guarda l'orologio. Sono quasi le cinque. Raffaella sarebbe tornata molto più tardi.

"Va bene, vieni. Ti offro un tè."

"Non ci sarebbe una birra?"

"Alle cinque?"

"Non c'è niente di più bello di una birra alle cinque, e poi c'è un altro fatto, io odio gli inglesi." Attacca.

Babi scende veloce dal letto. Si infila le scarpe.

"Dani, faccio un salto giù all'alimentari, ti serve qualcosa?"

"No, niente. Chi viene, Step?"

"Ci vediamo fra poco." Compra due tipi di birra, una lattina di Heineken e una di Peroni. Fosse stato vino ne avrebbe capito qualcosa di più. Ma di birra non ne sa proprio niente. Risale veloce a casa e le mette nel freezer. Poco dopo suona il citofono.

"Sì?"

"Babi, sono io."

"Primo piano." Spinge due volte il pulsante del citofono e va alla porta. Non può fare a meno di controllarsi nel riflesso di un quadro. È tutto a posto. Apre la porta. Lo vede salire su facendo i gradini di corsa. Rallenta solo all'ultimo proprio per permettersi quel sorriso che a lei piace tanto.

"Ciao." Babi si accosta alla porta facendolo passare. Lui la supera poi tira fuori da sotto il giubbotto una scatola.

"Tieni, sono dei biscotti inglesi al burro. Li ho presi qua vicino, sono favolosi."

"Biscotti inglesi al burro... Allora qualcosa degli inglesi ti piace..."

"Veramente non li ho mai mangiati. Ma mio fratello ne va pazzo. E lui è fissato con torte di mele e cose simili, quindi devono essere sicuramente buonissimi. A me piace solo la roba salata. Anche a colazione, magari mi faccio un toast o un tramezzino. Ma i dolci, quasi mai."

Lei sorride. Leggermente preoccupata di quanto siano diversi anche nelle cose più semplici.

"Grazie, li mangerò subito." In realtà è a dieta, e quei piccoli rettangoli al burro friabili sono roba da cento calorie l'uno. Step la segue, anche lui è leggermente preoccupato. Quei biscotti non li ha comprati per strada, li ha presi a casa sua. Poi, pensandoci meglio, si tranquillizza. In fondo sta facendo un favore a Paolo. Un po' di dieta non gli fa sicuramente male. Daniela esce apposta dalla sua camera pur di vederlo.

"Ciao Step."

"Ciao." Lui le dà la mano sorridendole, sembra non aver fatto caso più di tanto al fatto che lei sappia il suo soprannome. Babi fulmina con lo sguardo la sorella. Daniela, capendola al volo, finge di prendere qualcosa e torna subito in camera sua. Poco dopo l'acqua bolle. Babi prende una scatola colorata di rosa. Poi da un cucchiaino lascia scivolare piccole foglie di tè nel pentolino. Lentamente, un leggero profumo si sparge per la cucina.

Poco dopo sono in salotto. Lei con una tazza di tè alla ciliegia fumante tra le mani, lui con tutt'e due le birre, risolvendo così ogni possibile dubbio. Babi prende un album di fotografie dalla libreria e gliele mostra. Forse è l'Heineken, oppure anche la Peroni, fatto sta che si sta divertendo. Ascolta i suoi racconti coloriti che seguono ogni volta una foto diversa, un viaggio, un ricordo, una festa.

Questa volta non si addormenta. Foto dopo foto la vede crescere così, sfogliando quelle pagine incellofanate. Le vede spuntare i primi denti, spegnere una candelina, andare in bicicletta e poi, eccola lì, poco più grande, sulle giostre, con la sorella. Sulla slitta con Babbo Natale, allo zoo con un cucciolo di leone tra le braccia. Piano piano vede il suo viso dimagrire, i suoi capelli diventare più chiari, il suo piccolo seno crescere, e all'improvviso, dietro quella pagina, lei è donna. Ora non è più un semplice maschietto imbronciato con un bikini e le mani sui fianchi. Un piccolo due pezzi copre il corpo abbronzato di una bella ragazza, dalle gambe lisce, ora magre e più lunghe. I suoi occhi chiari adesso sono in grado di capire, la sua innocenza una scelta. Seduta su un pattino, le spalle magre, forse ancora troppo spigolose, compaiono dorate tra gli ultimi ciuffi di capelli sbiancati dal mare. Sullo sfondo bagnanti sfuocati non sanno neanche di essere stati immortalati.

A ogni pagina che sfogliano lei sembra assomigliare sempre più all'originale che gli sta seduto accanto. Step incuriosito dai racconti segue quelle foto, sorseggia la seconda birra, fa ogni tanto qualche domanda. Poi all'improvviso Babi, che sa già cosa l'aspetta, cerca di saltare una pagina.

Step, divertito da quelle sue mille piccole versioni, è più veloce di lei.

"Eh no, voglio vedere."

Lottano per finta, solo per abbracciarsi un po' e sentirsi più vicini. Poi lui, dopo aver vinto, scoppia a ridere. Buffa e smorfiosa con gli occhi storti, è lì sorridente in mezzo alla pagina. Quella foto a Babi non è mai piaciuta.

"Strano, è quella che ti assomiglia di più." Lei, finta offesa, gli dà una botta. Poi mette a posto l'album, prende la sua tazza, le due lattine di birra ormai vuote e va in cucina. Step, rimasto solo, gironzola per il salotto. Si ferma davanti ad alcuni quadri di autori a lui sconosciuti. Su un largo tavolo dalle corte zampe piccole scatole e portaceneri d'argento, senza un ordine preciso, avrebbero fatto comunque la felicità dei suoi amici.

Babi lava la sua tazza e butta le due lattine di birra vuote nel secchio sotto il lavandino coprendole con il cartone del latte finito e degli Scottex accartocciati. Non devono restare tracce. Quando torna in salotto Step è sparito sul serio.

"Step?" Nessuna risposta. Va verso la sua camera. "Step?" Lo vede. È in piedi vicino alla scrivania che sfoglia il suo diario.

"Non è carino leggere le cose degli altri senza il permesso." Babi gli strappa il diario dalle mani. Lui la lascia fare. Ormai ha letto quello che gli interessa. Lo memorizza.

"Perché, c'è scritto qualcosa per cui potrei arrabbiarmi?"

"Ci sono cose mie."

"Mica ci saranno messaggi o scritte su quel farlocco con la BMW?"

"No, quella è una storia così, un piccolo flirt." Gioca divertita sulla pronuncia esagerata della parola straniera.

"È un piccolo flirt" le fa il verso Step.

"Certo, non è come la tua storia con quella furia scatenata."

"Ma di chi stai parlando?" Step fa finta di non capire.

"Dai, hai capito perfettamente a chi mi riferisco! A quella brunetta, la picchiatrice che ieri ho messo al suo posto. Non mi dirai che quella mi è saltata addosso solo per sport. Fra voi, altro che flirt..."

Step ride e le si avvicina, la bacia, trascinandola con sé sul letto. Poi comincia ad alzarle la maglietta.

"Dai no, fermo. Se arrivano i miei e ci beccano si arrabbiano, se poi ci beccano in camera mia così, succede il finimondo."

"Hai ragione." Step la prende e la solleva con facilità, abituato a bilancieri ben più pesanti di quel morbido corpo. "Andiamo di là che è meglio." Senza darle il tempo di rispondere, si infila nella camera dei genitori e chiude la porta. Poi l'adagia sul letto, e baciandola nella penombra della camera, si stende vicino a lei.

"Sei pazzo, lo sai vero?" gli sussurra all'orecchio. Lui non risponde. Un piccolo raggio dell'ultimo sole filtra dalla tapparella abbassata e illumina la sua bocca. Lei vede quei denti bianchi e perfetti sorridere e schiudersi prima di perdersi in un bacio. Poi, senza sapere neanche come, si trova fra le sue braccia senza più niente sopra. Sente la sua pelle sfiorarla, le sue mani impadronirsi dolcemente del suo seno. Babi ha gli occhi chiusi, le sue labbra morbide si aprono e chiudono con un ritmo costante, cambiando di poco ogni tanto, piccola fantasia in quei baci. Improvvisamente si sente più tranquilla, più libera. La mano di Step silenziosa si impadronisce della sua cinta.

Sfila il passante. Nel buio della camera Babi sente il frusciare del cuoio, il rumore della cinghia metallica. È attentissima, pur continuando a baciarlo. Quella camera sembra sospesa nel vuoto. Solo il lento ticchettare di una sveglia lontana, il loro respiro vicino, ora affannato d'amore. Poi una piccola stretta. La cinta si stringe di più e quel chiodo lascia il terzo buco dai bordi scuri, il più rovinato, il più usato, frutto della sua dieta faticosa. E in un attimo i suoi Levi's si aprono. Prigionieri bottoni d'argento, al tocco fatato di quel pollice e indice, tornano liberi. Uno dopo l'altro, sempre più giù, pericolosamente. Lei trattiene il respiro e qualcosa in quei baci incantati improvvisamente accade. Un piccolo cambiamento quasi inavvertibile. Quella morbida magia sembra svanire. Anche se continuano a baciarsi, è come se tra loro ci sia una silenziosa attesa. Step cerca di capire qualcosa, un accenno, un segno del suo desiderio. Ma Babi è immobile, non fa trasparire nulla. In effetti non ha ancora preso una decisione. Nessuno è mai arrivato fino a quel punto. Sente i suoi jeans aperti e la mano di lui sul bordo della gamba. Continua a baciarlo, senza voler pensare, senza sapere bene cosa fare. In quel momento la mano di Step decide di rischiare. Si muove piano piano, delicatamente, eppure lei la sente lo stesso. Socchiude gli occhi quasi in un sospiro. Le dita di Step sulla sua pelle, sopra quel bordo orlato di rosa, le sue mutandine. Quell'elastico si allontana leggermente dalla sua pelle e subito dopo gli sfugge di mano per tornare veloce al suo posto. Un secondo tentativo più deciso. La mano di Step sotto i jeans si impadronisce del suo fianco e lì, spavalda e padrona, passa sotto l'elastico. Scivola giù, verso il centro, accarezzandole la pancia, sempre più giù, fino a bordi riccioluti, a confini inesplorati.

Ma ecco che qualcosa accade. Babi gli blocca la mano. Step la guarda nella penombra.

"Che c'è?"

"Shh." Babi si alza su un fianco, con le orecchie tese oltre la stanza, oltre la serranda, giù nel cortile. Un rumore improvviso, una sgasata a lei nota. Quella retromarcia. "Mia madre! Presto sbrighiamoci." In un attimo sono di nuovo più o meno a posto. Babi tira su la coperta del letto. Step finisce di infilarsi la camicia nei pantaloni. Bussano alla porta della camera. Rimangono per un attimo immobili. È Daniela.

"Babi guarda che è tornata la mamma." Non fa in tempo a finire la frase. La porta si spalanca.

"Grazie Dani, lo so."

Babi esce trascinandosi dietro Step. Lui fa un po' di resistenza.

"No, voglio parlarle, voglio chiarire una volta per tutte questa situazione!"

Ha di nuovo quel sorriso strafottente sul viso.

"Smettila di scherzare. Non sai mia madre che ti fa se ti becca." Vanno in salotto. "Presto, esci di qua così non l'incontri." Babi fa scattare la serratura della porta principale. Esce sul pianerottolo. L'ascensore dà direttamente sul cortile. Lo chiama. Si scambiano un bacio frettoloso.

"Voglio un appuntamento con Raffaella."

Lei lo spinge dentro l'ascensore.

"Sparisci!"

Step preme il bottone T e con un sorriso segue il consiglio di Babi. Proprio in quel momento, l'altra porta, quella secondaria, si apre. Entra Raffaella. Posa delle buste sul tavolo della cucina. Poi ha come un presentimento, sente qualcosa nell'aria, forse lo scatto dell'altra porta.

"Babi sei tu?" Va subito in salotto. Babi ha acceso la televisione.

"Sì mamma, sto guardando la tivù." Ma un lieve rossore la tradisce. A Raffaella basta quello. Si affaccia veloce alla finestra che dà sul cortile. Un rumore di un motore che si allontana, delle foglie d'edera in un angolo che ancora si muovono. Troppo tardi. Chiude la finestra. Nel corridoio incontra Daniela.

"È venuto qualcuno, qui?"

"Non lo so mamma, io sono sempre stata in camera mia a studiare."

Raffaella decide di lasciar perdere. Con Daniela è inutile insistere. Va in camera di Babi, si guarda intorno. Tutto sembra a posto. Non c'è niente di strano. Anche la coperta del letto è perfetta. Ma potrebbe anche essere stata rimessa a posto. Allora, senza che nessuno possa vederla, la sfiora con la mano. È fresca. Nessuno ci si è sdraiato sopra. Tira un sospiro di sollievo e va in camera sua. Si leva il tailleur, lo attacca a una stampella. Poi prende un golf d'angora e una morbida gonna. Si siede sul letto e se li infila. Ignara e tranquilla, senza poter mai immaginare che, proprio lì, poco prima c'è stata sua figlia. Abbracciata a quel ragazzo che lei non sopporta. Lì, dove ora è seduta lei, su quella coperta ancora calda di giovani e innocenti emozioni.

Più tardi torna anche Claudio. Discute a lungo con Babi della giustificazione falsa, dei cinquemila euro spesi, del comportamento di quegli ultimi giorni. Poi si mette davanti alla televisione, finalmente tranquillo, aspettando che sia pronto da mangiare. Ma proprio in quel momento dalla cucina lo chiama Raffaella. Claudio raggiunge subito la moglie.

"Che succede ancora?"

"Guarda..." Raffaella gli indica le due lattine di birra che si è bevuto Step.

"Be', della birra. E allora?"

"Era nascosta nel secchio della spazzatura sotto degli Scottex."

"Capirai, avranno bevuto della birra. Che c'è di male?"

"Quel ragazzo è stato qui oggi pomeriggio. Ne sono sicura..."

"Quale ragazzo?"

"Quello che ha picchiato Accado, quello per il quale tua figlia non è andata a scuola. Stefano Mancini, Step, il ragazzo di Babi."

"Il ragazzo di Babi?"

"Non vedi com'è cambiata? Possibile che non ti accorgi di nulla... È tutta colpa sua. Va a fare le corse sulla moto, firma giustificazioni false... E poi hai visto quel livido sotto l'occhio? Per me la picchia pure."

Claudio rimane senza parole. Altri problemi. Possibile che abbia picchiato Babi? Deve fare qualcosa, intervenire. Lo avrebbe affrontato, sì, lo avrebbe fatto.

"Tieni." Raffaella gli dà un biglietto.

"Cos'è?"

"La targa della moto di quel ragazzo. Telefoni al nostro amico Davoni, gliela dai, risali all'indirizzo e ci vai a parlare."

Ora sì che l'avrebbe dovuto fare. Si attacca a quell'ultima speranza.

"Sei sicura che è giusta?"

"L'ho letta davanti alla scuola di Babi l'altro giorno. Me la ricordo perfettamente."

Claudio si infila quel biglietto nel portafoglio.

"Non te la perdere!" Quelle parole di Raffaella sono quasi più una minaccia che un consiglio. Claudio torna in salotto e si lascia cadere sul divano davanti alla tivù. Una coppia parla dei propri affari davanti a una donna dai modi un po' troppo maschili. Come fanno ad aver voglia di andare a discutere in televisione davanti a tutti, lui non ce la fa neanche a casa sua, da solo, nella sua cucina. E ora dovrà andare a parlare con quel ragazzo. Picchierà anche lui. Pensa ad Accado. Forse finirà nella stessa camera d'ospedale. Si faranno compagnia. Anche questo non lo rallegra. Accado non gli è poi così simpatico. Claudio tira fuori il portafoglio e va al telefono. Stefano Mancini, Step. Quel ragazzo gli è già costato cinquemila euro e due birre. Prende il foglietto con la targa della moto e compone il numero di telefono del suo amico Davoni. Poi, mentre aspetta che dall'altra parte qualcuno risponda, pensa a sua moglie. Raffaella è incredibile. Ha visto una o due volte la moto di quel ragazzo e ne ricorda perfettamente la targa. Lui che ha da un anno quella Mercedes, ancora non sa a memoria la sua.

"Pronto, Enrico?"

"Sì."

"Ciao, sono Claudio Gervasi."

"Come stai?"

"Bene, e tu?"

"Benissimo... che piacere sentirti."

"Senti, scusa se ti disturbo, ma avrei bisogno di un favore." Per un attimo Claudio spera che Enrico non sia poi così gentile.

"Ma certo! Dimmi tutto."

È proprio vero, quando non hai bisogno di un favore tutti sono disposti a fartelo.

45.

Non capisce se è sogno o realtà quel leggero ticchettio sulla tapparella. Forse il vento. Si muove nel letto. Lo sente di nuovo. Poco più forte, preciso, quasi un segnale. Babi scende dal letto. Si avvicina alla finestra. Guarda tra le piccole fessure lasciate aperte. Illuminato dalla luce della luna piena c'è lui. Alza sorpresa la tapparella cercando di fare meno rumore possibile.

"Step, che ci fai qui? Come hai fatto a salire?"

"Facilissimo. Sono salito sul muretto e mi sono arrampicato lungo i tubi. Dai, andiamo."

"Dove?"

"Ci aspettano."

"Chi?"

"Gli altri. I miei amici. Dai, non fare storie, forza! Che stavolta, se ci beccano i tuoi, davvero sono cavoli amari."

"Aspetta che mi metto qualcosa."

"No, andiamo qua vicino."

"Ma non ho nulla sotto la camicia da notte."

"Meglio."

"Dai cretino. Aspetta un attimo." Accosta la finestra, si siede sul letto e si veste velocemente. Reggiseno, mutandine, una felpa, un paio di jeans, le Nike ed è di nuovo alla finestra.

"Andiamo, ma passiamo dalla porta."

"No, scendiamo di qui, è meglio."

"Ma che, stai scherzando? Ho paura. Cado di sotto e mi ammazzo. Sai se i miei si svegliano con un urlo e il mio botto che succede? Dai, seguimi... ma fai piano!"

Lo guida nel buio di quella casa addormentata, tra piccoli passi su morbida moquette e maniglie abbassate dolcemente. Toglie l'allarme, prende le chiavi e via. Un piccolo scatto alla porta che si chiude dietro di loro, accompagnata fino all'ultimo, per non far rumore. Poi giù per le scale nel cortile, sulla moto, in discesa, con il motore spento per non farsi sentire.

Superato il cancello, Step ingrana la marcia, mette la seconda e dà gas. Volano in avanti, ormai lontani e al sicuro, liberi di andare ovunque insieme, per tutti addormentati e soli nei propri letti.

"Che c'è qui?"

"Seguimi e vedrai. Non fare rumore mi raccomando." Sono in via Zandonai, sopra la chiesa. Entrano in un piccolo cancello. Percorrono una strada buia in mezzo ad alcuni cespugli. "Ecco, passa qui sotto."

Step alza un pezzo di rete che è stata strappata alla base. Babi si abbassa stando ben attenta a non rimanere impigliata. Poco dopo camminano al buio su dell'erba tagliata corta di fresco. La luna illumina tutt'intorno. Sono all'interno di un comprensorio.

"Ma dove stiamo andando?"

"Shh." Step le fa segno di stare zitta. Poi, scavalcato un piccolo muretto, Babi sente dei rumori. Risate lontane. Step le sorride e la prende per mano. Superano un cespuglio ed eccola che appare. È lì, sotto la luce della luna, azzurra e trasparente, tranquilla, bordata dalla notte. Una grande piscina. Dentro ci sono alcuni ragazzi. Si muovono nuotando senza far troppo rumore. Piccole onde superano i bordi spegnendosi sull'erba circostante. Si sente come uno strano respiro, quell'acqua che va e viene, perdendosi nel vuoto di una piccola grata.

"Vieni." Alcuni ragazzi li salutano.

Babi riconosce i loro volti bagnati. Sono tutti gli amici di Step. Ormai ha anche imparato qualche nome: il Siciliano, Hook, Bunny. Sono più facili di quelle presentazioni normali dove tutti si chiamano Guido, Fabio, Francesco. Ci sono persino Pollo e Pallina che si avvicina al bordo nuotando.

"Cavoli, ero sicura che non saresti venuta. Ho perso la scommessa."

Pollo la tira via dal bordo. "Hai visto, che ti avevo detto?" Ridono.

Pallina tenta di affogarlo, ma non ci riesce. "Ora devi pagare."

Si allontanano schizzandosi e baciandosi. Babi si chiede cosa avranno scommesso e le viene qualche vaga idea.

"Step, ma io non ho il costume."

"Neanch'io. Ho i boxer. Che t'importa, quasi nessuno ce l'ha."

"Ma fa freddo..."

"Ho portato degli asciugamani per dopo, uno anche per te. Dai, non farla lunga."

Step si leva il giubbotto. Poco dopo, tutti i suoi vestiti sono per terra.

"Guarda che ti butto vestita ed è peggio. Lo sai che lo faccio." Lei lo guarda. È la prima volta che lo vede spogliato. Pennellate d'argento lunare ne mettono ancora di più in risalto i muscoli. Addominali perfetti, pettorali squadrati e compatti. Babi si leva la felpa. Il suo soprannome è giusto, pensa. Merita proprio 10 e lode. Poco dopo sono tutti e due dentro l'acqua. Nuotano vicini. Un brivido la fa tremare un po'.

"Brr, fa freddo."

"Ora ti scaldi. Stai attenta a non andare sotto con gli occhi aperti. È piena di cloro. È la prima piscina aperta della zona, lo sai? È una specie di inaugurazione. Tra poco arriva l'estate. Bella, no?"

"Bellissima."

"Vieni qua."

Si avvicinano al bordo. Ci sono delle bottiglie che galleggiano un po' dovunque.

"Tieni, bevi."

"Ma io sono astemia."

"Ti riscalda." Babi prende la bottiglia e ci si attacca. Sente quel fresco liquido leggermente agro e frizzante scenderle lungo la gola. È buono. Si stacca dalla bottiglia e la passa a Step.

"Non è male, mi piace."

"Ci credo, è champagne." Step dà un lungo sorso. Babi si guarda in giro. Champagne? Dove l'hanno preso? Sicuramente hanno rubato anche quello. "Tieni." Step le ripassa la bottiglia. Lei decide di non pensarci e ne beve un altro sorso. Calcola male e ne beve un po' troppo. Quasi si strozza e lo champagne con tutte le sue bollicine le sale su per il naso. Si mette a tossire. Step scoppia a ridere. Aspetta che si riprenda. Poi nuotano insieme verso l'angolo opposto. Un cespuglio più grosso lo protegge dai raggi della luna. Fa filtrare solo alcuni riflessi d'argento. Ben presto si spengono fra i suoi capelli bagnati. Step la guarda. È bellissima. Le bacia le labbra fresche e subito si trovano abbracciati. I loro corpi nudi si sfiorano ora completamente per la prima volta. Avvolti da quell'acqua fredda cercano e trovavano calore fra loro, conoscendosi, emozionandosi, scansandosi a volte per non creare troppo imbarazzo. Step si stacca da lei, fa una piccola bracciata laterale e torna poco dopo con una nuova preda.

"Questa è ancora piena." Un'altra bottiglia. Sono circondati. Babi sorride e beve, stavolta lentamente, attenta a non strozzarsi. Le sembra quasi più buono. Poi cerca le sue labbra.

Continuano a baciarsi così, frizzanti, mentre lei si sente galleggiare e non capisce bene perché. È l'effetto normale dell'acqua o quello dello champagne? Lascia andare dolcemente la testa indietro, l'appoggia sull'acqua e per un attimo smette di girarle. Sente e non sente i rumori lì intorno. Le sue orecchie, sfiorate da piccole onde, finiscono ogni tanto sott'acqua e strani e piacevoli suoni silenziosi la raggiungono stordendola ancora di più. Step la tiene fra le sue braccia, la fa ruotare intorno a sé, trascinandola. Lei apre gli occhi. Brevi increspature di corrente le accarezzano la guancia e piccoli e dispettosi schizzi ogni tanto raggiungono la sua bocca. Le viene da ridere. Più in alto nuvole argentate si muovono lente sopra un blu infinito. Si tira su. Abbraccia le sue spalle forti e lo bacia con passione. Lui la guarda negli occhi. Le mette una mano bagnata sulla fronte e accarezzandole i capelli li porta all'indietro, scoprendo il suo viso liscio.

Poi scende lungo la guancia, fino al suo mento, lungo il collo, e poi più giù sul suo seno orlato di acqua, increspato di freddo e d'emozioni, e ancora più giù, lì dove solo quel pomeriggio lui per primo, lui e solo lui, ha osato sfiorarla. Lei lo abbraccia più forte. Poggia il mento sulla sua spalla e con gli occhi socchiusi guarda più in là. Una bottiglia semivuota galleggia poco lontano. Va su e giù. E lei pensa al messaggio arrotolato che c'è dentro: "Aiuto. Ma non salvatemi". Chiude gli occhi e comincia a tremare, e non solo per il freddo. Mille emozioni la prendono e all'improvviso capisce. Sì, è lei che sta naufragando.

"Babi, Babi." Si sente chiamare improvvisamente e scuotere forte. Apre gli occhi. Davanti a lei c'è Daniela.

"Ma che, non hai sentito la sveglia? Dai, muoviti che siamo in ritardo. Papà è quasi pronto."

La sorella esce dalla stanza. Babi si rigira nel letto. Ripensa a quella notte, Step che è entrato in casa di nascosto. La fuga in moto, il bagno in piscina con Pallina e gli altri. L'ubriacatura. Lei e lui dentro l'acqua. La sua mano. Forse ha immaginato tutto. Si tocca i capelli. Sono perfettamente asciutti. Peccato, è stato un sogno, bellissimo, ma nient'altro che un sogno. Da sotto la coperta allunga la mano fuori e cerca a tastoni la radio. La trova e l'accende. Spinta dalla nuova allegra canzone dei Simply Red, *Fake*, scende giù dal letto. È ancora leggermente assonnata e ha un po' di mal di testa. Si avvicina alla sedia per vestirsi. La divisa è poggiata lì ma il resto della roba non l'ha preparato. Che buffo, pensa, me ne sono dimenticata. È la prima volta. Hanno ragione i miei. Forse sto cambiando sul serio. Diventerò come Pallina. È così disordinata che si scorda tutto. Be', vorrà dire che saremo ancora più amiche. Apre il primo cassetto. Tira fuori un reggiseno. Poi, mentre fruga in mezzo alla biancheria cercando un paio di mutandine, trova una dolce sorpresa. Nascosto sul fondo, dentro una piccola busta di plastica, c'è un completo bagnato. Un leggero odore di cloro si sparge lì intorno. Non è stato un sogno. Quel completo l'ha messo sulla sedia la sera prima, come sempre, solo che quella notte l'ha usato come costume. Sorride. Poi improvvisamente si ricorda di esser stata fra le sue braccia. È vero, è cambiata. Molto. Comincia a vestirsi. Si mette la divisa e alla fine, infilandosi le scarpe, prende la sua decisione. Non gli permetterà mai più di andare oltre. Finalmente tranquilla, si guarda allo specchio. I suoi capelli sono quelli di tutti i giorni, i suoi occhi gli stessi che ha truccato qualche giorno prima. Perfino la bocca è quella. Si pettina sorridendo, posa la spazzola ed esce in fretta dalla stanza per fare colazione. Non sa che molto presto cambierà ancora. Così tanto da passare davanti a quello specchio e non riconoscersi lei stessa.

46.

La Giacci scende in sala colloqui. Saluta alcune madri che conosce poi va in fondo alla sala. Un ragazzo con un giubbotto scuro e un paio di occhiali neri è seduto su una poltrona in maniera scomposta. Ha una gamba su uno dei braccioli e, come se questo non bastasse, fuma con aria strafottente. Tiene la testa indietro e lascia andare ogni tanto boccate di fumo verso l'alto.

La Giacci si ferma.

"Mi scusi?" Il ragazzo fa finta di non sentire. La Giacci alza la voce. "Scusi?"

Step finalmente tira su la testa.

"Sì?"

"Non sa leggere?" gli chiede indicando il cartello, ben visibile sul muro, che vieta di fumare.

"Dove?"

La Giacci decide di lasciar perdere.

"Qui non si può fumare."

"Ah, non me n'ero accorto." Step lascia cadere la sigaretta per terra e la spegne con una botta secca del tacco. La Giacci si innervosisce.

"Che ci fa lei qua?"

"Sto aspettando la professoressa Giacci."

"Sono io. A cosa devo la sua visita?"

"Ah, è lei, professoressa. Mi scusi per la sigaretta."

Step si siede meglio sulla poltrona. Per un attimo sembra sinceramente dispiaciuto.

"Lasci perdere, allora, che cosa vuole?"

"Ecco, le volevo parlare di Babi Gervasi. Lei non deve trattarla così. Vede professoressa, quella ragazza è molto sensibile. E poi i suoi genitori sono dei veri rompicoglioni, capisce. Quindi se lei la prende di petto, loro la mettono in punizione e chi ci va di mezzo sono io che non posso uscire con lei, e questo non mi va proprio professoressa, lei capisce, no?"

La Giacci è fuori di sé. Come si permette quel cafone di parlarle così.

"No, non capisco assolutamente e soprattutto non capisco cosa ci sta a fare lei qui. È un parente forse? È il fratello?"

"No, diciamo che sono un amico."

Improvvisamente la professoressa si ricorda di averlo già visto. Sì, dalla finestra. È il ragazzo con il quale Babi si è allontanata da scuola. Ne hanno discusso a lungo, lei e la madre, povera signora. Quello è un tipo pericoloso.

"Lei non è autorizzato a stare qui. Se ne vada o faccio chiamare la polizia."

Step si alza e le passa davanti sorridendo.

"Io sono venuto solo per parlare. Volevo trovare con lei una soluzione, ma vedo che è impossibile." La Giacci lo fissa con aria superiore. Non le fa paura, quel tipo. Con tutti quei muscoli è pur sempre un ragazzo, una mente piccola, insignificante. Step le si avvicina come se volesse farle una confidenza. "Vediamo se capisce questa parola professoressa. Stia bene attenta, eh: Pepito." La Giacci sbianca. Non vuole credere alle sue orecchie. "Vedo che ha capito il concetto. Quindi si comporti bene, professoressa, e vedrà che non ci saranno problemi. Nella vita è solo questione di trovare le parole adatte, no? Si ricordi: Pepito."

La lascia così, in mezzo alla sala, pallida, ancora più vecchia di quello che è, con un'unica speranza: che non sia vero niente. La Giacci va dalla preside, chiede un permesso, corre a casa e quando arriva ha quasi paura di entrare. Apre la porta. Nessun rumore. Niente. Va in tutte le camere gridando, chiamandolo per nome poi si lascia cadere su una sedia. Ancora più stanca e più sola di quanto non si senta ogni giorno. Il portiere compare sulla porta.

"Professoressa, come sta? È così pallida. Senta, oggi sono venuti due ragazzi a nome suo per portare a spasso Pepito. Io gli ho aperto. Ho fatto bene, vero?" La Giacci lo fissa. È come se non lo vedesse. Poi, senza odio, rassegnata, piena di tristezza e malinconia, annuisce. Il portiere si allontana, la Giacci a fatica si alza dalla sedia e va a chiudere la porta. L'aspettano giorni di solitudine in quella grande casa senza l'allegro abbaiare di Pepito. Ci si può sbagliare sulla gente. Babi le è sembrata una ragazza orgogliosa e intelligente, forse un po' troppo saputa, ma non così cattiva da arrivare a un'azione del genere. Va in cucina per prepararsi da mangiare. Apre il frigorifero. Vicino alla sua insalata c'è il cibo già pronto per Pepito. Scoppia a piangere. Ora è veramente sola. Ora ha definitivamente perso.

47.

Quel pomeriggio Paolo finisce presto di lavorare. Tutto felice entra in casa. All'improvviso sente abbaiare. In salotto un volpino dal pelo bianco scodinzola sul suo tappeto turco. Lì davanti c'è Pollo con un cucchiaio di legno in mano.

"Pronto? Vai!" Pollo lancia il cucchiaio sul divano di fronte. Il volpino neanche si gira, minimamente interessato a dove sia finito quel pezzo di legno. Piuttosto, comincia ad abbaiare.

"Cazzo, ma perché non va? 'Sto cane non funziona! Abbiamo preso un cane deficiente! Sa solo abbaiare."

Su una poltrona, Step smette di leggere il nuovo Dago.

"Mica è un cane da riporto questo. Non è predisposto, no? Che pretendi?"

Step si accorge del fratello. Paolo è in piedi sulla porta con il cappello ancora in testa.

"O Pa' ciao, come stai? Non ti ho sentito entrare. Come mai così presto oggi?"

"Ho finito prima. Che ci fa questo cane in casa mia?"

"È nuovo. Ce lo siamo presi a mezzi io e Pollo. Ti piace?"

"Per niente. Non lo voglio vedere qui. Guarda." Si avvicina al divano. "È già tutto pieno di peli bianchi, qua."

"Dai Pa', non fare il prepotente. Starà nella mia mezza casa."

"Cosa?!"

Il cane scodinzola e comincia ad abbaiare.

"Vedi, a lui gli sta bene!"

"Già mi svegli tu, quando rientri, figuriamoci con questo cane che abbaia tutto il tempo. Non se ne parla proprio."

Infuriato, Paolo se ne va di là.

"Cazzo, si è arrabbiato." A Pollo viene un'idea, urla fino a farsi sentire nell'altra stanza.

"Paolo, per i duecento euro che ti devo... me lo porto via io."

Step si mette a ridere e ricomincia a leggere Dago. Paolo compare sulla porta.

"Affare fatto. Tanto quei soldi non li avrei visti comunque, almeno mi levo di mezzo questo cane. A proposito Step, si può sapere che fine hanno fatto i miei biscotti al burro? Li ho comprati l'altroieri per fare colazione e sono già scomparsi."

"Boh, se li sarà mangiati Maria. Io non li ho presi, sai che non mi piacciono."

"Non so com'è, ma qualunque cosa succeda è sempre colpa di Maria. Mandiamola via allora questa Maria, no? Fa solo danni..."

"Che scherzi? Maria è un mito. Fa certe torte di mele. Quella dell'altro giorno, per esempio..." interviene Pollo.

"Allora l'avete mangiata voi, ne ero sicuro!"

Step guarda l'orologio.

"Cazzo, è tardissimo. Io devo uscire." Anche Pollo si alza.

"Anch'io devo andare." Paolo rimane solo nel salotto.

"E il cane?"

Prima di uscire Pollo fa in tempo a rispondere.

"Passo dopo."

"Guarda che o te lo porti via o mi dai i duecento euro!"

Paolo guarda il volpino. È lì, in mezzo al salotto che scodinzola. Strano che non abbia ancora fatto pipì sul suo tappeto. Poi apre la sua valigetta di pelle e tira fuori un nuovo pacco di biscotti inglesi al burro. Dove può metterli? Sceglie il piccolo armadio lì in basso, quello delle buste e delle lettere. In questa casa non scrive mai nessuno. Difficilmente li troveranno. Li nasconde sotto un pacco ancora chiuso di buste.

Quando si rialza vede che il volpino lo sta fissando. Rimangono così per un attimo. Magari questo me l'hanno lasciato apposta. Esistono cani da tartufi. Questo può essere un cane da biscotti. E per un attimo Paolo, stupidamente, non è più tanto sicuro del nascondiglio.

48.

Babi è dietro a Step. La sua guancia poggiata sul giubbotto, il vento rapisce la punta dei suoi capelli.

"Be', com'è andata a scuola oggi?"

"Benissimo. Abbiamo avuto due ore di buco. È mancata la Giacci. Ha avuto dei problemi familiari. D'altronde, con una come lei abbiamo problemi noi, pensa la sua famiglia..."

"Vedrai che da adesso in poi con lei andrà tutto meglio. Ho come un presentimento."

Babi non capisce bene il significato di quelle parole e lascia cadere il discorso.

"Sei sicuro che non mi farà male?"

"Sicurissimo! Ce l'hanno tutti. Hai visto il mio com'è grande. Sennò sarei morto, no? Tu te ne fai uno piccolissimo. Neanche te ne accorgerai."

"Non ho detto che lo faccio. Ho detto che vengo a vedere."

"Va bene, come vuoi, se non ti piace non te lo fai, d'accordo?"

"Ecco, siamo arrivati." Camminano lungo una stradina. Per terra c'è della sabbia, portata fin là dal vento, rubandola alla spiaggia vicina. Sono a Fregene, al villaggio dei pescatori. Babi per un attimo si chiede se non è pazza. Oddio, sto per essere tatuata, pensa, devo farmelo in un punto nascosto, ma non troppo. Immagina sua madre che la scopre. Si metterebbe a urlare. Sua madre urla sempre.

"Stai pensando a dove fartelo?"

"Ancora sto pensando se farmelo."

"Dai, ti è tanto piaciuto il mio quando l'hai visto. E poi ce l'ha anche Pallina, no?"

"Sì, lo so, ma che c'entra? Lei se l'è fatto a casa da sola con gli aghi e la china."

"Be', questo è molto meglio. Con la macchinetta viene anche colorato poi... È una figata."

"Ma siamo sicuri che la sterilizzano?"

"Ma certo, che ti viene in mente?"

Io non mi drogo, non ho mai fatto l'amore. Sarebbe proprio il massimo della sfiga prendersi l'Aids facendomi un tatuaggio.

"Ecco, è questa."

Si fermano davanti a una specie di capanna. Il vento muove le canne che coprono il tetto in lamiera. Alla finestra ci sono dei vetri colorati. La porta è di legno marrone scuro. Sembra quasi di cioccolata.

"John, si può?"

"Oh, Step, vieni."

Babi lo segue. La colpisce un forte odore di alcol. Almeno quello c'è, ora bisogna solo vedere se lo usano anche. John è seduto su una specie di sgabello e sta trafficando con la spalla di una ragazza bionda seduta davanti a lui su una panchetta. Si sente il rumore di un motorino. A Babi ricorda quello del trapano del dentista. Spera solo che non faccia così male. La ragazza guarda avanti. Se prova dolore, non lo dà a vedere. Un ragazzo, appoggiato al muro, smette di leggere il "Corriere dello Sport".

"Ti fa male?"

"No."

"E dai che ti fa male."

"Ti ho detto di no."

Il ragazzo riprende a leggere il giornale. Sembra quasi scocciato che non le faccia male.

"Ecco fatto." John allontana la macchinetta e si avvicina alla spalla per guardare meglio il suo lavoro. "Perfetta!"

La ragazza tira un sospiro di sollievo. Allunga il collo per vedere se anche lei è d'accordo con l'entusiasmo di John. Babi e Step si avvicinano incuriositi. Il ragazzo smette di leggere e si sporge in avanti. Tutti si guardano in silenzio. La ragazza cerca in giro un po' di approvazione.

"È bella, eh?" Una farfalla di mille colori splende livida sulla sua spalla. La pelle è un po' gonfia. Il colore ancora fresco, misto al rosso del sangue, sembra particolarmente lucente.

"Bellissima" le risponde sorridendo quello che deve essere il suo ragazzo.

"Molto." Anche Babi decide di darle un po' di soddisfazione.

"Ecco tieni, mettici questa." John le mette una garza adesiva sulla spalla. "Devi pulirla ogni mattina per qualche giorno. Vedrai che non ti farà infezione!"

La ragazza stringe i denti e tira su con la bocca dell'aria.

Una cosa è sicura. Almeno dopo, John l'alcol lo usa. Il tipo tira fuori cinquanta euro e paga. Poi sorride e abbraccia la sua ragazza appena tatuata.

"Ahia. Mi fai male, no!?"

"Oh, scusa tesoro." La prende delicatamente più sotto ed esce con lei da quella pseudocapanna.

"Allora Step, fai vedere come va il tuo tattoo..."

Step tira su la manica destra del giubbotto. Sul suo muscoloso avambraccio compare un'aquila dalla lingua rossa fiammeggiante. Step muove la mano come un pianista. I suoi tendini guizzano sotto la pelle dando vita a quelle grandi ali.

"È proprio bella." John guarda compiaciuto il suo lavoro. "Andrebbe un po' ribattuta..."

"Un giorno di questi magari. Oggi siamo qui per lei."

"Ah, per questa bella signorina, e che cosa vorrebbe farsi?"

"Prima di tutto non vorrei farmi male e poi... lei la sterilizza ogni volta quella macchinetta, vero?"

John la tranquillizza. Smonta gli aghi e li pulisce con l'alcol proprio davanti a lei.

"Hai già deciso dove fartelo?"

"Ma, vorrei un posto che non si noti. Se se ne accorgono i miei sono dolori."

Si pente di quella frase. Forse sono dolori comunque.

"Be'," John le sorride, "ne ho fatti alcuni sulle chiappe, altri sulla testa. Una volta è arrivata un'americana che ha insistito per farselo, sì, insomma, hai capito dove... no? Prima l'ho dovuta perfino rasare!"

John scoppia a ridere davanti a lei mostrando dei terribili denti gialli. Babi lo guarda preoccupata. Oddio, è un maniaco.

"John." La voce un po' dura di Step arriva dalle sue spalle.

John cambia subito espressione. "Sì, scusa Step. Allora non so, potremmo fare sul collo, sotto i capelli, oppure sulla caviglia, o su un fianco."

"Ecco, su un fianco va benissimo."

"Tieni, scegli fra questi." John tira fuori da sotto un tavolo un grosso libro. Babi comincia a sfogliarlo. Ci sono teschi, spade, croci, rivoltelle, tutti disegni terribili. John si alza e si accende una Marlboro. Ha intuito che sarà una cosa lunga. Step le si siede accanto. "Questo?" Le indica una svastica nazista dentro una bandiera dal fondo bianco.

"Ma che...!!"

"Be', non è male..."

"Questo?" Le indica un grosso serpente dai colori violacei e la bocca aperta in segno di attacco. Babi non gli risponde neppure. Continua a sfogliare il grosso libro. Guarda le figure velocemente, insoddisfatta, come se già sapesse che lì non avrebbe trovato nulla di buono. Alla fine Babi gira anche l'ultima pagina, quella di plastica dura e richiude il libro. Poi guarda John.

"No, non mi piace niente."

John dà un tiro alla sigaretta e butta fuori il fumo sbuffando. Proprio come prevedeva.

"Be', è il caso di farsi venire un'idea. Una rosa?"

Babi scuote la testa.

"Un fiore in generale, no?"

"Non lo so..."

"Be', figlia mia, dacci una mano sennò qua ci possiamo stare pure tutta la notte. Guarda che alle sette ho un altro appuntamento."

"Ma non lo so. Vorrei una cosa un po' strana."

John si mette a camminare per la stanza. Poi si ferma. "Una volta ho fatto sulla spalla di uno una bottiglia di Coca-Cola. È venuta benissimo. Ti piacerebbe?"

"Ma a me la Coca-Cola non piace."

"Be', Babi digli qualcosa che ti piace, no?"

"Ma io prendo solo gli yogurt. Mica mi posso far tatuare uno yogurt sul fianco!"

Alla fine trovano una soluzione. La propone Step. John è d'accordo e a Babi piace moltissimo.

Step la distrae raccontando la vera storia di John, il cinese dagli occhi verdi. Tutti lo chiamano così e lui si dà un sacco di arie orientali. Si spaccia per tale contornandosi di roba cinese. In realtà è di Centocelle. Sta con una tipa di Ostia dalla quale ha avuto pure un figlio e l'ha chiamato Bruce, in onore del suo idolo. In realtà si chiama Mario e ha imparato a fare i primi tatuaggi al Gabbio. Quegli occhi a mandorla, poi, sono solo due gradi di miopia corretti con lenti da quattro soldi. Mario, o meglio John, scoppia a ridere. Step paga cinquanta euro. Babi controlla il suo tatuaggio: perfetto. Poco dopo, sulla moto, si lascia il primo bottone dei jeans aperto, allarga la garza e lo guarda di nuovo, felice. Step se ne accorge. "Ti piace?"

"Moltissimo."

Sulla sua pelle delicata, ancora gonfia di colore, una piccola aquila appena nata, identica a quella di Step, figlia della stessa mano, assapora il vento fresco del tramonto.

Il campanello della porta suona. Paolo va ad aprire. Davanti a lui un signore dall'aria distinta.

"Buonasera, cerco Stefano Mancini. Sono Claudio Gervasi."

"Buonasera, mio fratello non c'è."

"Sa quando torna?"

"No, non so nulla, non ha detto niente. A volte non viene neanche a cena, torna direttamente la sera tardi." Paolo guarda quel signore. Chissà cosa ha a che fare con Step. Guai in arrivo. Al solito, un'altra storia di botte. "Senta, se vuole accomodarsi, magari torna fra poco oppure telefona."

"Grazie."

Claudio entra nel salotto. Paolo chiude la porta, poi non riesce più a resistere.

"Mi scusi, posso aiutarla in qualche cosa?"

"No, volevo parlare con Stefano. Sono il padre di Babi."

"Ah, ho capito." Paolo fa un sorriso di convenienza. In realtà non ha capito nulla. Non sa minimamente chi sia questa Babi. Una ragazza, altro che botte. Guai ancora peggiori. "Mi scusi un attimo." Paolo va di là. Claudio, rimasto solo, si guarda in giro. Si avvicina ad alcuni poster attaccati al muro, poi tira fuori il pacchetto di sigarette e ne accende una. Almeno tutta questa storia un pregio ce l'ha. Posso tranquillamente fumare. Che strano, però, quello è il fratello di Stefano, di quello Step che ha picchiato Accado, eppure sembra un ragazzo così perbene. Forse la situazione non è poi così disperata. Raffaella come al solito esagera. Magari non valeva neanche la pena di venire. Queste sono cose di ragazzi. Si sistemano naturalmente fra loro. È una storia così, una cotta. Magari a Babi passa presto. Si guarda in giro in cerca di un portacenere. Lo vede su un tavolino dietro al divano. Si avvicina per buttarci la cenere.

"Stia attento." Paolo è sulla porta con uno straccio in mano. "Mi scusi. Ma sta camminando proprio dove ha fatto pipì il cane."

Pepito, il piccolo volpino dal folto pelo bianco compare in un angolo del salotto. Abbaia quasi felice di rivendicare la sua bravata.

Step e Babi si fermano nel cortile sotto casa. Babi guarda il loro posto macchina. È vuoto.

"I miei non sono ancora tornati. Vuoi salire un attimo?"

"Sì, dai." Poi si ricorda del cane lasciato a casa con suo fratello. Tira fuori il cellulare. "Aspetta, prima chiamo mio fratello, voglio sapere se ha bisogno di qualcosa."

Paolo va a rispondere.

"Pronto?"

"Ciao, Pa'. Come va? È passato Pollo a prendere il cane?"

"No, quel deficiente del tuo amico ancora non è venuto. Aspetto altri dieci minuti e poi metto il volpino fuori della porta."

"Dai, non fare così. Sai che non vanno maltrattati gli animali. Piuttosto bisognerebbe portarlo fuori per fargli fare pipì."

"Già fatto, grazie!"

"Ma dai, come sei previdente, sei troppo forte, fratello."

"Non hai capito. L'ha già fatta lui e ha bagnato tutto il tappeto turco!"

Paolo all'immagine di uomo manager efficientissimo preferisce quella di semplice sfigato con straccio in mano che asciuga la pipì del cane. Tutto per far sentire in colpa Step. Niente da fare. Dall'altra parte del telefono, una grassa risata.

"Non ci credo!"

"Credici! Ah, senti. Qui c'è un signore che ti sta aspettando."

Paolo si gira verso il muro cercando di non farsi sentire troppo. "È il padre di Babi. Ma che, è successo qualcosa?"

Step guarda sorpreso Babi.

"Sul serio?"

"Sì, ti pare che scherzo con te e su cose di questo genere poi... Allora cosa succede?"

"Niente, poi ti dico. Passamelo, va."

Paolo allunga la cornetta verso Claudio.

"Signor Gervasi, è fortunato. C'è mio fratello al telefono."

Claudio andando al telefono si chiede se è veramente un uomo fortunato. Forse sarebbe stato meglio non averlo trovato. Cerca di fare una voce sicura e profonda.

"Pronto?"

"Buonasera. Come va?"

"Bene, Stefano. Senta, io vorrei parlarle."

"Va bene, di cosa parliamo?"

"È una cosa delicata!"

"Non possiamo parlarne per telefono?"

"No. Preferirei vederla e dirgliela di persona."

"Va bene. Come vuole."

"Allora, dove ci possiamo incontrare?"

"Non lo so, mi dica lei."

"Tanto si tratta di una cosa di pochi minuti. Lei dove si trova in questo momento?"

A Step gli viene da ridere. Non è proprio il caso di dirgli che è a casa sua.

"Sto da un amico. Dalle parti di Ponte Milvio."

"Ci potremmo vedere davanti alla chiesa di Santa Chiara, ha presente dov'è?"

"Sì. Io però l'aspetto alla quercia lì davanti. Preferisco. Sa qual è? C'è una specie di giardinetto."

"Sì, sì la conosco. Allora facciamo lì fra un quarto d'ora."

"Va bene. Mi ripassa mio fratello, per favore?"

"Sì, subito."

Claudio gli ripassa la cornetta.

"La rivuole."

"Sì Step, dimmi?"

"Paolo, mi hai fatto fare una bella figura? L'hai fatto accomodare? Mi raccomando eh, che ci tengo. È una persona importante. Pensa che sua figlia si è mangiata tutti i tuoi biscotti al burro..."

"Ma veramente..." Paolo non ha il tempo di rispondergli. Step ha già attaccato.

Claudio va verso la porta. "Mi scusi, io devo andare, la saluto."

"Ah, certo, l'accompagno."

"Spero che avremo modo di vederci in una situazione più tranquilla."

"Certamente." Si danno la mano. Paolo apre la porta. Proprio in quel momento arriva Pollo.

"Ciao, sono venuto a prendere il cane."

"Meno male, era ora."

"Be', io la saluto."

"Buonasera."

Pollo rimane perplesso a guardare andar via quel signore.

"Chi era quello?"

"Il padre di una certa Babi. È venuto a cercare Step. Ma cos'è successo? Chi è questa Babi?"

"È la donna del momento di tuo fratello. Dov'è il cane?"

"Sta in cucina. Ma perché vuole parlare con Step? C'è qualche problema?"

"Che ne so io!" Pollo sorride vedendo il cane. "Vieni Arnold, andiamo." Il volpino, ribattezzato da poco, gli corre incontro abbaiando. Fra i due c'è una certa simpatia oppure il cane preferisce essere chiamato così piuttosto che Pepito. Forse la Giacci non l'ha mai capito, ma in realtà lui è un duro.

Paolo lo ferma.

"Oh, ma non è che questa Babi è..." Fa con la mano un arco, allargando la sua pancia già abbastanza rilassata per conto suo.

"Incinta? Ma figurati. Da quanto ho capito, Step non ci riuscirebbe manco se fosse lo Spirito Santo."

"Ehi Babi, ciao, devo andare!" Step la prende fra le braccia.

"Ma dove? Rimani un altro po'."

"Non posso. Ho un appuntamento."

Babi si ribella al suo abbraccio.

"Sì, lo so con chi ti vedi. Con quella terribile rompisca-tole, con quella brunetta. Ma ancora non ha capito? Non le sono bastate le botte che le ho dato?"

Step ride e l'abbraccia di nuovo. "Ma che dici?" Babi cerca di resistergli. Lottano per un po'. Poi Step vince facilmente e le dà un bacio. Babi rimane con le labbra serrate. Alla fine accetta la dolce sconfitta. Però gli morde la lingua.

"Ahia."

"Dimmi subito con chi esci."

"Non potresti mai indovinare."

"Non è quella che ho detto prima, vero?"

"No."

"La conosco?"

"Benissimo. Scusa, ma prima di tutto chiedimi se è una donna o un uomo?"

Babi sbuffa. "È una donna o un uomo?"

"Un uomo."

"Allora sono già più tranquilla."

"Mi vedo con tuo padre."

"Mio padre?"

"È venuto a cercarmi a casa. Quando ho telefonato stava lì. Abbiamo appuntamento fra poco in piazza Giochi Delfici."

"E cosa vuole mio padre da te?"

"Non lo so! Ma quando lo saprò ti telefono e te lo dico. Va bene?"

Le dà un bacio prepotente. Lei lo lascia fare, ancora stordita e sorpresa da quella notizia. Step accende la moto e si allontana velocemente. Lei lo guarda sparire dietro l'angolo. Poi sale in casa. Silenziosa, sinceramente preoccupata. Cerca di immaginare il loro incontro. Di che cosa avrebbero parlato? E dove? E cosa sarebbe successo? Poi, pensando soprattutto a suo padre, spera solo che non facciano a botte.

49.

Quando Claudio arriva Step è già lì, seduto sul bordo del muretto a fumare una sigaretta.

"Salve."

"Buonasera Stefano." Si danno la mano. Poi Claudio si accende anche lui una sigaretta per sentirsi più a suo agio. Purtroppo non raggiunge il risultato sperato. Quel ragazzo è strano. Sta lì che sorride in silenzio, fissandolo con quel giubbotto scuro. È diverso da suo fratello. Tra l'altro è molto più grosso. A un tratto, mentre sta per sedersi vicino a lui sul muretto, ha come un ricordo improvviso. Quel ragazzo ha menato il suo amico Accado, gli ha spaccato il naso. Ora sta insieme a sua figlia. Quel ragazzo è un tipo pericoloso. Avrebbe preferito mille volte parlare con il fratello.

Claudio rimane in piedi. Step lo guarda incuriosito.

"Allora, di che parliamo di bello?"

"Be', ecco Stefano. A casa mia ultimamente ci sono stati dei problemi."

"Sapesse quanti ce ne sono stati da me..."

"Sì, lo so, però vedi, noi prima eravamo una famiglia molto tranquilla. Babi e Daniela sono due brave ragazze."

"È vero. Babi è una ragazza veramente a posto. Senta Claudio, non è che ci potremmo dare del tu? A me già non piace parlare troppo in generale. Poi se devo pensare a tutti quei lei, le, allora diventa proprio impossibile."

Claudio sorride. "Certo." In fondo quel ragazzo non è antipatico. Se non altro non gli ha ancora messo le mani addosso. Step scende dal muretto.

"Senti perché non andiamo a sederci da qualche parte. Almeno parliamo più comodi, magari ci beviamo una cosa."

"Va bene. Dove andiamo?"

"Qua vicino c'è un posto che hanno aperto certi amici miei.

È come se fossimo a casa, non ci darà fastidio nessuno." Step monta sulla moto. "Seguimi."

Claudio sale in macchina. È soddisfatto. La sua missione si sta rivelando più facile del previsto. Meno male. Segue Stefano giù verso la Farnesina. A Ponte Milvio svoltano a destra. Claudio sta ben attento a non perdere quel fanalino rosso che corre nella notte. Se fosse successa una cosa del genere Raffaella non gliel'avrebbe mai perdonata. Poco dopo si fermano in una piccola via dietro a piazzale Clodio. Step indica a Claudio un posto vuoto dove può mettere la macchina mentre lui lascia la moto proprio davanti all'entrata del Four Green Fields. Al piano di sotto c'è una gran confusione. Molti ragazzi sono seduti su degli sgabelli davanti a un lungo bancone. Tutt'intorno quadri e stemmi di birre di vari paesi. Un tipo con dei sottili occhialetti e dei capelli spettinati si aggira frenetico dietro il bancone preparando cocktail di frutta e semplici gin tonic.

"Ciao Antonio."

"Oh, ciao Step, che ti porto?"

"Non lo so, ora decidiamo. Tu cosa prendi?"

Mentre vanno a sedersi, Claudio si ricorda che non ha mangiato niente. Decide di tenersi sul leggero.

"Un Martini."

"Una bella birra chiara e un Martini."

Si siedono a un tavolo in fondo, dove c'è un po' meno confusione. Quasi subito arriva da loro una bellissima ragazza dalla pelle color ebano di nome Francesca. Porta quello che hanno ordinato e si ferma al tavolo a chiacchierare con Step. Step le presenta Claudio che educatamente le dà la mano alzandosi. Francesca rimane sorpresa.

"È la prima volta che viene una persona così in questo locale."

Trattiene la mano di Claudio un po' più a lungo del solito. Lui la guarda leggermente imbarazzato.

"È un complimento?"

"Certo! Lei è signorilmente affascinante." Francesca ride. I lunghi capelli corvini danzano allegri davanti ai suoi bellissimi denti bianchi. Poi si allontana sensuale, sapendo benissimo che sarebbe stata osservata. Claudio decide di non deluderla. Step se ne accorge.

"Bel culo, eh? È brasiliana. Le brasiliane hanno un culo da favola. Almeno così dicono. Io non lo so perché in Brasile non ci sono ancora stato, ma se sono tutte come Francesca..." Step si scola divertito mezza birra.

"Sì, è veramente molto carina." Claudio beve il suo Martini, un po' scocciato che quel suo pensiero sia stato così limpido.

"Allora, che stavamo dicendo? Ah sì, che Babi è proprio una brava ragazza. È verissimo."

"Ecco, sì, insomma e Raffaella, mia moglie..."

"Sì, l'ho conosciuta. Bel caratterino m'è sembrato."

"Sì, in effetti." Claudio finisce il suo Martini. Proprio in quel momento passa di nuovo Francesca. Si aggiusta i capelli ridendo e lanciando uno sguardo provocante al loro tavolo.

"Hai fatto colpo, Claudio, eh? Senti, ci prendiamo qualcos'altro?" Non gli dà il tempo di rispondere. "Antonio mi fai portare un'altra birra? Tu che vuoi?"

"Ma no grazie, io non prendo niente..."

"Come non prendi niente, dai..."

"Va bene, prendo anch'io una birra, va'!"

"Allora due birre e un po' d'olive, qualche patatina, insomma facci portare un po' di roba da sgranocchiare."

Poco dopo arriva quello che hanno chiesto. Claudio rimane un po' deluso. A portargliela infatti non è Francesca, ma un tipo brutto, un negro cicciotto dalla faccia buona. Step aspetta che si allontani.

"Anche lui è brasiliano. Ma è tutta un'altra storia, eh?"

Si sorridono. Claudio assaggia la sua birra. È buona e fresca. Stefano è un tipo simpatico. Forse pure più simpatico del fratello. Anzi, senz'altro. E beve un altro po' di birra.

"Insomma, ti stavo dicendo, Stefano, che mia moglie è molto preoccupata per Babi. Sai, è l'ultimo anno e ha la maturità."

"Sì, lo so. Ho saputo pure la storia della professoressa, dei problemi che ci sono stati."

"Ah, hai saputo..."

"Sì, ma sono sicuro che le cose si risolveranno."

"Lo spero proprio..." Claudio manda giù un lungo sorso di birra ripensando ai cinquemila euro che ha dovuto sborsare.

Step invece pensa al cane della Giacci e ai tentativi di Pollo di insegnargli a riportare gli oggetti.

"Vedrai Claudio, andrà tutto a posto. La Giacci non darà più fastidio a Babi. Quel problema non esiste più, ti assicuro."

Claudio cerca di sorridere. Come fa a dirgli che il vero problema adesso è lui?

Proprio in quel momento entra un gruppo di ragazzi. Due di loro vedono Step e gli vanno incontro.

"Oh, ciao Step! Dove cazzo sei finito? Non sai quanto ti abbiamo cercato, ancora aspettiamo la rivincita."

"Ho avuto da fare."

"Strizza, eh?"

"Ma che cazzo dici? Paura di che? Vi abbiamo distrutto... Ancora parli?"

"Ehi calma, non t'arrabbiare. Non t'abbiamo più visto. Hai vinto quei soldi e sei sparito."

Anche l'altro ragazzo prende un po' di coraggio.

"Che poi avete sculato su quell'ultima palla."

"Ringraziate che non c'è Pollo. Sennò me li rigiocavo subito, altro che sculato. Abbiamo fatto una serie di palle incredibili, una buca dopo l'altra."

I due ragazzi fanno un'aria poco convinta.

"Sì, vabbe'." Vanno a prendere da bere al bancone. Step li vede che chiacchierano. Poi guardano verso di lui e si mettono a ridere.

"Senti Claudio, tu sai giocare a biliardo?"

"Un tempo giocavo spesso, ero pure forte. Ma adesso è una vita che non prendo una stecca in mano."

"Dai, ti prego, mi devi aiutare. Io quelli li batto come niente. Basta che tu appoggi le palle. A metterle in buca ci penso io."

"Ma veramente, scusa, dovremmo parlare."

"Dai, parliamo dopo. Va bene?"

Forse dopo una partita a biliardo sarà più semplice parlargli. E se perdiamo? Preferisce non pensarci. Step va al bancone dai due ragazzi.

"Allora preso. Dai. Antonio aprici il tavolo. Ce li rigiochiamo subito, quei soldi."

"E con chi giochi tu, con quello?" Uno dei due ragazzi indica Claudio.

"Sì, perché, ti fa schifo?"

"Come ti pare, contento tu..."

"Certo, se c'era Pollo era tutta un'altra storia. Lo sapete pure voi. Vorrà dire che vi regalerò questi soldi. Va bene?"

"No, se devi fare così non giochiamo. Che poi dici che abbiamo vinto perché non c'era Pollo."

"Tanto a voi due vi batto pure da solo."

"Sì, ancora!"

"Volete aumentare la posta? Facciamo duecento euro? Ci state? Però una secca, perché ho poco tempo."

I due si scambiano uno sguardo. Poi guardano il compagno di Step. Claudio, seduto in fondo alla sala, gioca imbarazzato con un pacchetto di Marlboro sul tavolo. È proprio questo forse che li convince.

"Ok, andata, dai andiamo di là." I ragazzi prendono la scatola con le palle.

"Claudio, sai giocare all'americana? Una partita secca, due-cento euro?"

"No Stefano grazie. È meglio se parliamo."

"Dai, ne facciamo solo una. Se perdiamo, pago io."

"Non è questo il problema..."

"Che fate, giocate a biliardo?" È Francesca. Si mette davanti a Claudio sorridente, con tutto il suo entusiasmo brasiliano.

"Dai, vi vengo a vedere e tifo per voi. Faccio la ragazza pompon."

Step guarda Claudio incuriosito.

"Allora?"

"Una sola però."

"Yahooo! Andiamo di là che li sfondiamo." Francesca lo prende divertita sottobraccio e vanno tutti e tre nella sala vicina.

Le palle sono già disposte sul panno verde. Uno dei due ra-gazzi leva il triangolo. L'altro si mette in fondo al tavolo e con un tiro preciso spacca. Palle di tutti i colori si spargono sul panno scivolando silenziose. Alcune si urtano con dei rumori secchi poi, piano piano, si fermano. Cominciano a giocare. Pri-ma colpi semplici, calibrati, poi sempre più forti, pretenziosi, difficili. A Claudio e a Step toccano le palle fasciate. Step im-buca per primo. Gli altri fanno due palle, una terza di fortuna. Quando tocca a Claudio gioca una palla lunga. È fuori allena-mento. Il tiro risulta corto. Non riesce neanche ad avvicinarsi alla buca. I due ragazzi si guardano divertiti. Si sentono già i soldi in tasca. Claudio si accende una sigaretta. Francesca gli porta un whisky. Claudio nota che, come tutte le brasiliane, ha un seno piccolo, ma sodo e dritto sotto la maglietta scura. Po-co dopo tocca di nuovo a lui. La seconda palla gli va meglio. Claudio la centra in pieno e con un effetto preciso, mettendo-la al centro. È il quindici, i due gliel'hanno lasciata giocare si-curi che la sbagliasse.

"Centro!" Step gli dà una pacca sulla spalla. "Bel colpo!"

Claudio lo guarda sorridendo, poi manda giù un altro sor-so di whisky e si piega sul biliardo. Si concentra. Colpisce la palla bianca leggermente a sinistra, prende la sponda e poi giù lungo il bordo, dolcemente effettata. Un calcio perfetto. Buca. I due ragazzi si guardano preoccupati. Francesca applaude.

"Bravo!" Claudio sorride. Con la punta della lingua bagna il gessetto azzurro e lo passa rapido sulla sua stecca.

"Un tempo sì che ero forte!" Continuano a giocare. Anche Step ne imbuca alcune. Ma i due sono più fortunati. Dopo po-chi colpi a loro sono rimaste da mettere in buca solo una palla rossa e poi la uno. Ora però tocca a Claudio. Sul tavolo ci sono ancora due palle fasciate. Claudio spegne la sigaretta. Prende il gessetto e mentre lo passa veloce sulla stecca studia la situazione. Non è delle migliori. La dodici è abbastanza vicino alla buca di fondo, ma la dieci è quasi a metà tavolo. Dovrebbe fare un'uscita perfetta, fermarsi lì davanti e imbucarla nella buca centrale sinistra. Un tempo forse ci sarebbe riuscito, ma ora... Quanti anni sono che non gioca? Si scola l'ultimo sorso di whisky. Tornando giù incrocia lo sguardo di Francesca. Tanti, almeno quanti sembra averne quella splendida ragazza. Si sente leggermente stordito. Le sorride. Ha la pelle color miele e quei capelli scuri e un sorriso così sensuale. È anche tenera, nello stesso tempo. Le ha dato diciotto anni. Forse ne ha anche qualcuno in meno. Oddio pensa, potrebbe essere mia figlia. Perché sono venuto qui? Per parlare con Stefano, il mio amico Step, il mio compagno. Apre e chiude gli occhi. Sta sentendo l'effetto dell'alcol. Be', ormai sto giocando, tanto vale finire la partita. Poggia la mano sul tavolo, ci mette sopra la stecca e la fa scivolare tra il pollice e l'indice, provandola. Poi inquadra la pallina bianca. È lì, ferma in mezzo al tavolo, fredda. In attesa di essere colpita. Fa un lungo respiro, butta fuori l'aria. Ancora una prova e poi colpisce. Preciso. Con la giusta forza. Sponda laterale e poi di striscio la dodici: buca. Perfetto. Poi la palla bianca comincia a risalire. Veloce, troppo veloce. No, fermati, fermati. L'ha colpita con troppa forza. La palla bianca supera la dieci e si ferma più in là, oltre la metà campo, davanti a Claudio, dispettosa e crudele. I due avversari si guardano tra loro. Uno dei due alza le sopracciglia, l'altro fa un sospiro di sollievo. Per un attimo hanno temuto di perdere la partita. Si sorridono. Da quella posizione è veramente un tiro impossibile. Claudio fa il giro del tavolo. Studia tutte le distanze. Difficile. Dovrebbe fare quattro sponde. Sta lì in un angolo appoggiato con le mani sul bordo del tavolo che ci pensa.

"Che ti frega, provaci." Claudio si gira. Step è dietro di lui. Ha capito benissimo a cosa sta pensando.

"Sì, ma quattro sponde..."

"Embe'? Al massimo perdiamo... Ma se le fai, pensa come cazzo ci rimangono!"

Claudio e Step guardano i loro due avversari. Si sono fatti portare due birre e stanno già bevendo alla loro vittoria.

"Già che ci frega, al massimo perdiamo!" Claudio ormai è ubriaco. Si porta dall'altra parte del tavolo. Ingessa la stecca, si concentra e colpisce. La palla bianca sembra volare sul panno verde. Una. Claudio ripensa ai tanti pomeriggi passati a giocare a biliardo. Due, agli amici di un tempo, quando si stava sempre insieme. Tre, alle ragazze, ai soldi che non aveva, a quanto ci si divertiva. Quattro. Alla giovinezza passata, a Francesca, ai suoi diciassette anni... E in quel momento la palla bianca colpisce in pieno la dieci. Da dietro, con forza, sicura, precisa. Un rumore sordo. La palla vola in avanti nella buca centrale.

"Centro!"

"Yahooo!" Claudio e Step si abbracciano. "Cazzo hai pure sculato. Guarda dove ti è uscita."

La palla bianca è ferma di fronte alla uno gialla a pochi centimetri dalla buca di fondo. Claudio la mette dentro con un colpo facilissimo.

"Abbiamo vinto!" Claudio abbraccia Francesca e riesce perfino a sollevarla. Poi, ballando abbracciato a lei finisce addosso a uno dei due avversari.

"E levati dal cazzo." Il tipo dà una spinta a Claudio, facendolo finire contro il biliardo. Francesca si rialza subito. Claudio, leggermente stordito, ci mette un po'. Il tipo lo prende per la giacca e lo tira su.

"Hai fatto il furbo, eh? Sono tanti anni che non gioco... Ragazzi sono fuori allenamento." Claudio è terrorizzato. Sta lì, senza capire bene che fare.

"Era tanto che non giocavo, sul serio."

"Ah sì! Be', dall'ultimo colpo non si direbbe."

"È stata solo fortuna."

"Ehi, basta, mollalo." Il tipo fa finta di non sentire Step. "Ho detto lascialo." Improvvisamente si sente trascinare via. Claudio si ritrova libero con la giacca di nuovo larga. Riprende fiato mentre il tipo finisce contro il muro. Step gli tiene la mano sulla gola. "Che, non ci senti? Non mi va di litigare. Forza, tira fuori i duecento euro. Avete insistito voi a giocare."

L'altro si avvicina con i soldi in mano.

"Ci hai imbrogliato però, quello gioca dieci volte meglio di Pollo."

Step prende i soldi, li conta e se li mette in tasca.

"È vero, ma mica è colpa mia... io neanche lo sapevo..."

Poi prende Claudio sottobraccio ed escono vincitori dalla sala del biliardo. Claudio si fa un altro whisky. Stavolta per riprendersi dallo spavento.

"Grazie Step. Cavoli, quello mi voleva spaccare la faccia."

"No, è tutta scena, è solo incavolato nero! Tieni Claudio, questi sono i tuoi cento euro."

"No, dai, non posso accettarli!"

"Come no? Cazzo la partita l'hai praticamente vinta tu!"

"Va bene, allora facciamo una bella bevuta. Pago io."

Poco più tardi, Step, vedendo com'è ridotto Claudio, lo accompagna alla macchina.

"Sei sicuro di arrivare fino a casa?"

"Sicurissimo, non ti preoccupare."

"Sicuro, eh? Non ci metto niente a scortarti."

"No, sul serio, sto bene."

"Va bene, come vuoi. Bella partita, eh?"

"Bellissima!" Claudio fa per chiudere la portiera.

"Claudio, aspetta!" È Francesca. "Che fai, non mi saluti?"

"Hai ragione, ma c'era tutta quella confusione."

Francesca si infila in macchina e lo bacia sulle labbra, teneramente, con ingenuità. Poi si stacca e gli sorride.

"Allora ciao, ci vediamo. Vieni a trovarmi qualche volta. Io sto sempre qui."

"Certo che verrò." Poi, mette in moto e si allontana. Abbassa il finestrino. L'aria fresca della notte è piacevole. Infila un cd nello stereo e si accende una sigaretta. Poi, completamente ubriaco, batte forte le mani sul volante.

"Uau! Cazzo che palla! E che fica..." Improvvisamente si sente felice come non lo è da tanto tempo. Poi, man mano che si avvicina a casa, ritorna triste. Cosa posso dire a Raffaella? Si infila nel garage ancora indeciso sulla versione definitiva. La manovra, che già gli riesce difficile da sobrio, da ubriaco risulta impossibile. Scendendo dalla macchina, guarda il graffio sulla fiancata e la Vespa caduta contro il muro. La tira su scusandosi da solo.

"Povera Puffina, ti ho abbozzato la Vespa." Poi sale a casa. Raffaella è lì che lo aspetta. È il peggior interrogatorio della sua vita, peggio di quello dei film polizieschi. Raffaella fa solo il poliziotto cattivo, l'altro, quello buono, quello che nei film fa l'amico e offre un bicchier d'acqua o una sigaretta, non esiste.

"Allora si può sapere com'è andata? Forza, racconta!"

"Bene, anzi benissimo. Step è una persona perbene in fondo, un bravo ragazzo. Non c'è da preoccuparsi."

"Come non c'è da preoccuparsi? Ma se ha spaccato il naso ad Accado?"

"Magari è stato provocato. Che ne sappiamo noi? E poi Raffaella, diciamoci la verità, Accado è un bel rompicoglioni..."

"Ma cosa stai dicendo? Ma gli hai detto di lasciar stare nostra figlia, che non deve vederla, sentirla, andarla a prendere a scuola?"

"Veramente a quel punto non ci siamo arrivati."

"E che gli hai detto? Cosa hai fatto fino adesso? È mezzanotte!"

Claudio crolla.

"Abbiamo giocato a biliardo. Pensa tesoro, abbiamo battuto due sbruffoni! Io ho fatto le ultime due palle. Ho pure vinto cento euro. Forte, no?"

"Forte? Sei il solito deficiente, un incapace. Sei ubriaco, puzzi di fumo e non sei riuscito neanche a mettere a posto quel delinquente."

Raffaella se ne va di là, arrabbiata. Claudio fa un ultimo tentativo per calmarla.

"Raffaella, aspetta!"

"Che c'è?"

"Step ha detto che si laurea." Raffaella sbatte la porta e si chiude in camera. Neanche quell'ultima bugia è servita. Cavoli, dev'essere proprio arrabbiata. Per lei quel pezzo di carta è tutto. In fondo a me non ha mai perdonato di non aver preso la laurea. Poi, sconfortato da quell'ultima considerazione, agitato dalla serata in generale, si trascina ubriaco in bagno. Alza la tavoletta e vomita. Più tardi, mentre si spoglia, dalla tasca della giacca cade un foglietto. È il numero di telefono di Francesca. La bella ragazza dai capelli corvini e la pelle color miele. Deve avermelo messo quando mi ha baciato in macchina. Lo rilegge. Sì, quella scena gli ricorda il film *Papillon*. Steve McQueen, in prigione, riceve un messaggio di Dustin Hoffman e per farlo sparire lo ingoia. Claudio impara il numero a memoria poi preferisce buttare il foglietto nel water. Se avesse provato a mandarlo giù avrebbe vomitato di nuovo. Tira l'acqua, spegne la luce, esce dal bagno e si infila nel letto. Rimane così, galleggiando fra le lenzuola ancora leggermente ubriaco, dolcemente trascinato da quei giramenti di testa. Che serata grandiosa. Un colpo magnifico. Una carambola incredibile. La birra, il whisky, il suo compagno Step. Hanno vinto duecento sacchi. E Francesca? Hanno ballato insieme, l'ha presa fra le braccia e stretto quel corpo sodo. Ricorda i suoi capelli scuri, la pelle color miele, il suo morbido bacio in macchina, tenero e sensuale, profumato. Si eccita. Ripensa al foglietto che ha trovato in tasca. È un chiaro invito. È fatta. Una passeggiata. Domani la chiamo. Oddio, com'è il numero? Prova a ripeterselo. Ma si addormenta con un senso di disperazione. Se l'è già dimenticato.

50.

"E avete vinto?" Pollo non crede alle sue orecchie.

"Gli abbiamo tolto duecento euro pari pari!"

"Giura, quindi questo padre di Babi è un tipo simpatico?"

"Un mito, un vero fratello! Pensa che Francesca mi ha detto che le piace un casino."

"A me sembra un farloccone!"

"Perché, te quando l'hai visto?"

"Quando sono tornato a casa tua a prendere il cane."

"Ah, già. A proposito, Arnold come va?"

"Fortissimo. Guarda che quel cane è proprio intelligente. Sono sicuro che fra un po' imparerà a riportare la roba. L'altro giorno stavo sotto casa, gli ho tirato un bastone ed è andato a prenderlo. Solo che poi s'è messo a giocare lì nel parco con una cagnetta. Quello va con tutte, poveraccio, mi sa che la Giacci non lo faceva chiavare mai!"

Step si ferma davanti a un portone.

"Siamo arrivati. Mi raccomando non fare casino." Pollo lo guarda storto.

"Perché faccio mai casino io?"

"Sempre."

"Ah, sì? Guarda che sono venuto solo per farti un favore."

Salgono al secondo piano. Babi sta facendo la baby-sitter a Giulio, il figlio dei Mariani, un bambino di cinque anni dai capelli chiari come la sua pelle.

Babi li aspetta sulla porta.

"Ciao." Step la bacia. Lei rimane un po' sorpresa di vedere anche Pollo. Lui borbotta qualcosa che deve essere un "ciao" e si piazza subito sul divano vicino al bambino. Cambia canale in cerca di qualcosa di meglio di quegli stupidi cartoni animati giapponesi. Giulio naturalmente comincia a fare storie. Pollo cerca di convincerlo.

"No dai, adesso cominciano quelli più belli. Adesso arrivano le tartarughe volanti." Giulio ci casca in pieno. Si mette anche lui a vedere in silenzio *Il processo del lunedì*, attendendo fiducioso. Babi va in cucina con Step.

"Si può sapere perché l'hai portato?"

"Mah, ha tanto insistito. E poi Pollo ha un debole per i bambini."

"Non mi sembra! Neanche è arrivato e già l'ha fatto piangere."

"Allora diciamo che l'ho fatto per stare solo con te." L'abbraccia. "Certo che sono proprio sincero, tu tiri fuori il meglio di me. Anzi, perché non ci spogliamo?"

La trascina ridendo nella prima camera da letto che trova. Babi cerca di resistere, ma alla fine si lascia convincere dai suoi baci. Finiscono tutti e due su un piccolo letto.

"Ahia."

Step si porta la mano dietro la schiena. Un carro armato appuntito l'ha centrato proprio fra le due scapole. Babi si mette a ridere. Step lo butta sul tappeto. Libera il letto da guerrieri elettronici e alcuni mostri scomponibili. Poi, finalmente tranquillo, accosta la porta con il piede e si dedica al suo gioco preferito. Le accarezza i capelli baciandola, la sua mano corre veloce sui bottoni della sua camicetta slacciandoli. Le alza il reggiseno e la bacia sulla pelle più chiara, dolcemente più morbida, rosata. Poi all'improvviso qualcosa trafigge il suo collo.

"Ahia." Step porta veloce la mano nel punto dove è stato colpito. Nell'oscurità la vede ridere, armata di uno strano pupazzetto dalle orecchie appuntite. E quel sorriso così fresco, quella sua aria così ingenua lo colpiscono ancora più in fondo.

"Mi hai fatto male!"

"Non possiamo stare qua, è la camera di Giulio. Pensa se entra."

"Ma se c'è Pollo. Gli ho dato ordini precisi. Quel terribile bambino è praticamente finito, immobilizzato. Non si può alzare da quel divano."

Step si rituffa sul suo seno. Lei gli accarezza i capelli lasciandosi baciare.

"Giulio è bravissimo. Sei tu che sei un bambino terribile."

Pollo sta mangiando un panino che ha preso dalla cucina insieme a una bella birra gelata, quando Giulio si alza dal divano.

"Dove vai?"

"In camera mia."

"No, devi stare qua."

"No, voglio andare in camera mia."

Giulio fa per andarsene, ma Pollo lo tira per il piccolo golf di lana rosso trascinandolo praticamente vicino a lui sul divano. Giulio prova a ribellarsi, ma Pollo gli mette il gomito sulla pancia bloccandolo. Giulio comincia a lamentarsi.

"Lasciami, lasciami!"

"Dai, che adesso iniziano i cartoni animati."

"Non è vero." Giulio guarda di nuovo la televisione e, forse anche per colpa di un primo piano di Biscardi, scoppia a piangere. Pollo lo libera.

"Tieni, la vuoi assaggiare questa? È buonissima, la bevono solo i grandi."

Giulio sembra leggermente interessato. Si impadronisce con tutt'e due le mani della lattina di birra e ne beve un sorso.

"Non mi piace, è amara."

"Allora guarda zio Pollo che ti dà..."

Poco dopo, Giulio gioca felice per terra. Fa rimbalzare i palloncini rosati che zio Pollo gli ha regalato. Pollo lo guarda sorridente. In fondo ci vuole così poco per far felice un bambino. Bastano due o tre preservativi. Tanto lui quella sera non li avrebbe usati. Dalla camera da letto non viene nessun rumore. Neanche Step sembra averne bisogno, pensa divertito Pollo. Poi, siccome si sta annoiando, decide di fare qualche telefonata.

Nella penombra di quella camera piena di giocattoli, Step le accarezza la schiena, le spalle. Fa scivolare la mano lungo il suo braccio poi lo prende e lo porta vicino al viso. Lo bacia. La sfiora con la bocca, lungo tutta la sua pelle. Babi ha gli occhi socchiusi, dolcemente prigioniera dei suoi sospiri. Step le apre la mano delicatamente, le bacia il palmo e poi la posa sul suo petto nudo, abbandonandola ai suoi pensieri. Babi rimane immobile, improvvisamente spaventata. Oddio, ho capito. Ma non ce la farò mai. Non l'ho mai fatto. Non ci riuscirò. Step continua a baciarla teneramente sul collo, dietro le orecchie, sulle labbra. Mentre le sue mani, più sicure e tranquille, più esperte, si impadroniscono di lei come morbide onde, lasciando in quella spiaggia sconosciuta un naufrago piacere.

Poi all'improvviso, trascinata da quella corrente, da quella brezza di passione, anche lei si muove. Babi prende coraggio. Si stacca lentamente da lì dove è stata lasciata e comincia ad accarezzarlo. Step la stringe a sé dandole fiducia, tranquillizzandola. Babi si lascia andare. Le sue dita scendono leggere su quella pelle. Sente la sua pancia, i forti addominali. Ogni scalino per lei è un baratro, un abisso, un passo difficile da compiere, quasi impossibile. Eppure ce la deve fare e, trattenendo il respiro nel buio della stanza, improvvisamente salta. Si ritrova così con le sue dita che accarezzano quell'accenno di morbidi riccioli e poi più giù sui suoi jeans, su quel bottone, il primo per lei in ogni senso. E in quel momento, senza sapere perché, pensa a Pallina. Lei, già più sicura, più esperta. Immagina quando glielo racconterà. Sai, allora lì non ce l'ho fatta, non ci sono riuscita. Questo forse le dà il coraggio, l'ultima spinta. Improvvisamente lo fa. L'apre. Quel primo bottone dorato esce dall'asola con un rumore leggero, jeansato. Nel silenzio della stanza lo sente tutto, arriva nitido e chiaro fino alle sue orecchie. Ce l'ha fatta. Fa quasi un sospiro. Ora è tutto più facile. La sua mano, ora più sicura, passa al secondo e poi al terzo e poi più giù mentre i bordi dei jeans si allontanano fra loro, sempre più liberi. Step si stacca dolcemente da lei, lascia andare la testa all'indietro. Babi lo raggiunge subito di nuovo, rifugiandosi timida in quel bacio, vergognandosi di quella minima lontananza. Poi un rumore improvviso. Delle porte che sbattono.

"Che succede?"

E, come per incanto, si spezza quella magia. Babi leva la mano e si tira su.

"Che cos'era?"

"Che ne so? Dai vieni qua." Step la tira di nuovo a sé. Un altro rumore. Qualcosa che si rompe.

"No, cavoli, di là sta succedendo un macello!" Babi si alza dal letto. Si mette a posto la gonna, si riabbottona la camicia ed esce veloce dalla stanza. Step si lascia cadere sul letto con le braccia aperte.

"Vaffanculo a Pollo!" Poi si richiude i jeans e quando arriva in salotto non crede ai suoi occhi. "Che cazzo fate?"

Ci sono tutti. Bunny e Hook stanno facendo una specie di lotta sul tappeto. Vicino a loro c'è un lume rovesciato. Schello sta seduto con i piedi sul divano, mangia un pacco di patatine e guarda *Sex and the City*. Lucone ha il bambino sulle gambe e gli sta facendo fumare una canna.

"Guarda Step! Guarda che faccia da sconvolto ha questo ragazzino." Babi si scaglia come una furia su Lucone, gli toglie la canna dalle mani e la spegne in un portacenere.

"Fuori! Fuori di qui. Immediatamente."

Sentendo quelle grida, dalla cucina escono Dario e un altro con una birra in mano. Arriva anche il Siciliano con una ragazza. Sono rossi in viso. Step pensa che devono aver fatto quello che lui e Babi non hanno neanche tentato. Beati loro! Babi comincia a spingerli uno per uno fuori dalla porta.

"Uscite tutti da qui... Fuori!"

Divertiti, si lasciano trascinare facendo ancora più casino. Step l'aiuta.

"Forza ragazzi fuori." Per ultimo spinge Pollo. "Con te faccio i conti dopo."

"Ma io ho chiamato solo Lucone; è colpa sua che ha avvisato gli altri."

"Stai zitto." Step gli dà un calcio nel sedere e lo scaraventa fuori dalla porta. Poi aiuta Babi a mettere a posto.

"Guarda, guarda che hanno fatto quei vandali."

Gli mostra il lume rotto e il divano macchiato con la birra. Le patatine sparse ovunque. Babi ha le lacrime agli occhi. Step non sa più che dire.

"Scusami. Dai, ti do una mano a pulire."

"No grazie, faccio da sola."

"Ma sei arrabbiata?"

"No, ma è meglio se te ne vai. Fra poco tornano i genitori."

"Sei sicura che non vuoi che ti aiuto?"

"Sicura."

Si scambiano un bacio frettoloso. Poi lei chiude la porta. Step scende giù. Si guarda intorno. Non c'è nessuno. Monta sulla moto e l'accende. Ma proprio in quel momento da dietro una macchina spunta tutto il gruppo. Nella notte si alza un coro. "Bravo baby-sitter, oh oh oh!" con tanto di applausi. Step scende al volo dalla moto e comincia a correre dietro a Pollo.

"Oh, io non c'entro niente! Prenditela con Lucone! È colpa sua!"

"Mortacci tua, ti sfondo!"

"Dai che non stavi a fare niente di là. Ti stavi annoiando!"

Continuano a correre giù per la via tra le risate lontane degli altri e la curiosità di qualche inquilino insonne.

Babi raccoglie i pezzi del lume, li butta nel secchio poi pulisce per terra e smacchia il divano. Alla fine, stanca, si guarda intorno. Be', poteva andare peggio. Dirò che il lume mi è caduto mentre giocavo con Giulio. Il bambino d'altronde non potrà mai negarlo. È lì che dorme un sonno profondo, completamente fumato.

51.

La mattina dopo Step si sveglia e va in palestra. Ma non lo fa per allenarsi. Cerca qualcuno. Alla fine lo trova. Si chiama Giorgio. È un ragazzino di quindici anni che ha un'ammirazione sconfinata per lui. Non è l'unico. Anche gli amici di Giorgio parlano di Step come di una specie di Dio, un mito, un idolo. Sanno tutte le sue storie, tutto ciò che si racconta su di lui e loro non fanno altro che alimentare ancora di più quella che ormai è diventata una specie di leggenda. Quel ragazzino è uno fidato. L'unico al quale Step può chiedere un favore di quel genere senza correre il pericolo di finire sputtanato. Anche per ché dove finisce l'ammirazione comincia il terrore.

Poco più tardi Giorgio è alla Falconieri. Cammina rasente i corridoi senza farsi vedere e alla fine entra nella III B, la classe di Babi. La Giacci sta facendo lezione, ma stranamente non dice nulla. Babi rimane senza parole. Guarda sul suo banco quell'enorme mazzo di rose rosse. Legge divertita il biglietto: *I miei amici sono un po' un disastro, ma ti prometto che stasera a cena da me saremo soli. Uno che non c'entra niente.*

La notizia fa presto il giro della scuola. Nessuno ha mai fatto una cosa del genere. All'uscita Babi scende le scale della Falconieri con quell'enorme mazzo di rose rosse fra le braccia spazzando via gli ultimi dubbi. Tutti parlano di lei. Daniela è fiera di sua sorella. Raffaella si arrabbia ancora di più e Claudio naturalmente si prende un'altra strigliata.

Quel pomeriggio Step sta rimettendo a posto una raccolta di tavole di Pazienza appena comprate quando suonano alla porta. È Pallina.

"Oh, prima ho fatto la cupida, ora faccio la postina. La prossima volta che mi toccherà fare?" Step ride. Poi le prende il pacco dalle mani e la saluta. C'è un grembiule a fiorellini rosa e un biglietto: *Accetto solo se cucini tu e soprattutto se lo fai mettendoti il mio regalo. P.S. Vengo io, ma alle otto e mezzo, non prima perché ci sono i miei!"*.

Poco dopo Step è nell'ufficio di suo fratello.

"Paolo, stasera mi serve casa libera, assolutamente."

"Ma io ho invitato Manuela."

"E invece la inviti un altro giorno... Dai, Manuela la vedi sempre. Cavoli, Babi viene solo stasera..."

"Babi? Ma chi è? La figlia di quello che è venuto a casa nostra?"

"Sì, perché?"

"Quello mi sembrava arrabbiato. Ci hai parlato poi?"

"Come no. Siamo andati a giocare a biliardo insieme e ci siamo pure ubriacati."

"Vi siete ubriacati?"

"Sì, insomma... Veramente si è ubriacato solo lui."

"L'hai fatto bere?"

"Ma che l'ho fatto bere. Ha bevuto lui. Ma dai! Ma che mi frega. Allora siamo d'accordo, eh? Stasera esci. Va bene?"

Poi, senza aspettare la sua risposta esce veloce dall'ufficio. È talmente preso da quello che deve fare che non si accorge neanche del sorriso che gli fa la segretaria di Paolo.

Da casa telefona a Pollo. Lo avvisa di non passare, di non telefonare e soprattutto di non fare casini di alcun genere.

"Guarda, ne va della tua testa. Anzi peggio, della nostra amicizia e non sto scherzando!" Poi fa una lista della roba da comprare, va al supermercato sotto casa e prende di tutto, perfino un pacco di quei biscotti inglesi al burro che piacciono tanto a suo fratello. In fondo Paolo se li merita. Tutto sommato è un bravo ragazzo. Ha alcune fissazioni tipo la macchina, il lavoro e soprattutto Manuela. Ma, con il tempo, gli sarebbero passate. Poi mentre sale in casa ci ripensa. No, Manuela non gli sarebbe passata mai. Ormai sono sei anni che stanno insieme e non dà segni di cedimento. Bella cozza però e, da quanto ha capito, si è perfino fatta qualche storia per conto suo. A parte suo fratello, non riesce a capacitarsi di quale pazzo possa avere una storia con Manuela. Brutta, antipatica e perfino saputa. Una tuttologa. Non c'è niente di peggio. Povero Paolo. In fondo sono affari suoi. Io mi farei la segretaria. E dopo quest'ultima considerazione positiva, accende la radio e va in cucina a lavare l'insalata.

Alle otto è tutto pronto. Ha sentito la ultima new entry della classifica americana, non si è messo il grembiule di Babi, ma in compenso l'ha poggiato su una sedia pronto a mentire al momento opportuno. Guarda i risultati di quella faticaccia. Carpaccio grana e rughetta. Insalata mista con avocado e una macedonia di frutta condita con del maraschino. Affiorano i ricordi. Quella macedonia la mangiava spesso da piccolo. Li lascia passare tranquillo. È felice. Quella è la sua serata, non vuole che nulla possa rovinarla. Controlla compiaciuto la tavola, mette meglio un tovagliolo. È proprio un grande chef, ma non sa che i coltelli vanno messi dall'altra parte. Comincia a girare per casa nervoso. Si lava le mani. Si siede sul divano. Si fuma una sigaretta, accende la televisione. Si lava i denti. Le otto e un quarto. Il tempo sembra non passare mai in certe occasioni. Fra un quarto d'ora arriva, ceneremo insieme, chiacchiereremo tranquilli. Staremo sul divano senza che nessuno ci disturbi. Poi andremo in camera mia e... No, Babi non lo farebbe mai. È troppo presto. O forse sì. Non c'è un presto per certe cose. Sarebbero stati un po' insieme, poi magari sarebbe successo. Cerca di ricordarsi una canzone di Battisti. "Che sensazione di leggera follia sta colorando l'anima mia, il giradischi, le luci basse e poi... Champagne ghiacciato e l'avventura può..." Cavoli. Ecco che mi sono dimenticato! Lo champagne! Fondamentale! Step va veloce in cucina, apre tutti gli sportelli. Niente da fare. Trova solo un Pinot grigio. Lo mette in freezer. Be', meglio di niente. Proprio in quel momento squilla il cellulare. È Babi.

"Non vengo." Ha una voce fredda e scocciata.

"Perché? Ho preparato tutto. Mi sono messo pure il grembiule che mi hai regalato" mente Step.

"Ha telefonato la signora Mariani. Le è sparita una collana d'oro con dei brillanti. Ha dato la colpa a me. Non mi chiamare più."

Babi attacca. Poco dopo Step è a casa di Pollo.

"Chi cazzo può essere stato? Ti rendi conto? Begli amici di merda."

"Dai Step, non dire così! Quante volte è capitato di andare a casa di qualcuno e fottere la roba. Praticamente a ogni festa."

"Sì, ma mai a casa della donna di uno di noi!"

"Mica era casa di Babi..."

"No, ma c'è andata di mezzo lei. Devi aiutarmi a fare una lista di quelli che c'erano..." Step prende un pezzo di carta. Poi comincia a cercare frenetico una penna. "Oh, ma non c'è niente per scrivere qua..."

"Non ce n'è bisogno. Io so chi ha preso la collana."

"Chi?"

Allora Pollo fa un nome, l'unico che Step non avrebbe mai voluto sentire. È stato il Siciliano.

Step guida la sua moto nella notte. Non s'è voluto fare accompagnare da Pollo. Quella è una questione fra lui e il Siciliano. Nessun altro. Stavolta non è una faccenda di semplici flessioni. Questa volta la storia è più complicata.

Il sorriso del Siciliano non promette niente di buono.

"Ciao Siciliano. Senti, non voglio litigare."

Un pugno colpisce Step in pieno viso. Step barcolla all'indietro. Questa proprio non se l'aspettava. Scrolla la testa per riprendersi. Il Siciliano gli si scaglia contro. Step lo blocca con un calcio dritto per dritto. Poi, mentre riprende fiato, pensa alla cena che ha preparato, al grembiule a fiori e a quanto avrebbe voluto diversa quella serata. Una serata tranquilla, a casa, con la sua donna fra le braccia. Invece no. Il Siciliano è lì, di fronte a lui, in posizione. Con tutt'e due le mani gli fa segno di avanzare.

"Vieni dai, vieni avanti."

Step scuote la testa e respira a fondo.

"Cazzo, non so com'è, ma i miei sogni non si realizzano mai."

Proprio in quel momento il Siciliano si getta in avanti. Step stavolta è preparato. Scarta di lato, lo colpisce in faccia con un diretto potente e preciso. Sotto il suo pugno sente il naso accartocciarsi, la cartilagine già morbida e provata scrocchiare di nuovo. Le sopracciglia unirsi doloranti. Allora vede la sua faccia, quella smorfia, il labbro inferiore che assaggia il suo stesso sangue. Lo vede sorridere e in quel momento capisce quanto tutto sarebbe stato difficile.

Babi è seduta sul divano. Guarda svogliatamente la tivù sorseggiando una tisana alle rose quando suonano alla porta.

"Chi è?"

"Io."

Step è di fronte a lei. Ha i capelli arruffati, la camicia strappata e il sopracciglio destro ancora sanguinante.

"Che ti è successo?"

"Niente. Ho semplicemente ritrovato questa..." Alza la mano destra. Il girocollo d'oro della signora Mariani è lì che brilla nella penombra delle scale. "Ora puoi venire a cena?"

Babi, dopo aver restituito la collana alla signora e inevitabilmente perso il posto di baby-sitter, si lascia portare da Step a casa sua. Ma quando aprono la porta hanno una terribile sorpresa. Nel tavolino al centro del salotto illuminato da una romantica candela, c'è Manuela. Paolo arriva poco dopo dalla cucina. Porta la macedonia preparata da Step e, come se non bastasse, indossa il grembiule a fiori che gli ha regalato Babi.

"Ciao Step. Scusa eh... ma ho telefonato, non rispondeva nessuno. Allora siamo venuti a casa, abbiamo aspettato un po'. Ma poi erano le dieci. Allora ci siamo detti: ormai non verranno più. E così abbiamo iniziato a mangiare. Vero?"

Cerca il consenso di Manuela che annuisce e accenna un sorriso. Step guarda il suo piatto. Ci sono ancora dei pezzi della sua insalata con l'avocado.

"E avete anche finito vedo. Be', com'era la cena? Almeno era buona?"

"Buonissima." Manuela sembra sincera. Poi torna subito zitta. Ha capito che è una di quelle domande che non vogliono risposta.

"Be', Paolo prestami la macchina va', che andiamo a prendere qualcosa fuori."

Paolo posa la macedonia sul tavolo.

"Ma veramente..."

"Che cosa? Non ci provare, eh? Ti sei mangiato tutta la mia roba, ti sei finito l'insalata che ho preparato con le mie mani tutto oggi pomeriggio, e fai pure storie?"

Paolo tira fuori le chiavi dalla tasca e le abbandona nelle mani del fratello con un timido "Vai piano, eh?".

Step fa per uscire.

"A proposito, ti ho comprato i tuoi biscotti al burro. Se vuoi pure il dessert, stanno nell'armadietto della cucina."

Paolo abbozza un sorriso, ma i suoi pensieri ormai sono tutti per la sua Golf grigio metallizzata e la fine che avrebbe fatto.

Step e Babi vanno a mangiare delle crêpe calde dalle parti della Piramide. Poi, pur sospinti da allegre bollicine di birra, scartano l'idea di tornare a casa sua. A Babi scoccia perché c'è suo fratello. Allora Step, maledicendo Paolo e quella cozza della sua donna, volta a sinistra per il Gianicolo. Posteggiano nello spiazzo vicino ai giardini, fra altre macchine dai vetri già appannati d'amore, piene di passioni sfrattate, di quello scomodo piacere consumato in fretta. Davanti a loro, lontano, la città si sta addormentando.

Più vicino, a cavalcioni di un muretto, alcuni ragazzi si passano un'illegale boccata di momentanea allegria. Step cambia stazione dello stereo. 92.70. La radio romantica. Si allunga verso di lei e comincia a baciarla. Poi piano piano le è addosso. Malgrado il dolore della sua spalla contusa, dello sterno colpito, dei fianchi provati dai colpi del Siciliano. Quel fresco desiderio cancella i lividi. Baci appassionati superano difficoltà meccaniche. Il freno a mano diventa indisponente, la rotella dello schienale orgogliosa. Step sente la sua pelle morbida e profumata. Il suo respiro diventa irregolare di passione. Prova di nuovo a tirare giù il sedile. Niente da fare, è bloccato. Allora, mentre con la mano destra gira la rotella in basso, punta un piede contro il cruscotto e spinge con tutta la sua forza. Si sente un crac, un rumore secco. Lo schienale va giù di botto e Babi con lui e lui con lei, ridendo, senza pensare a niente, meno che mai a Paolo, alla sua faccia scocciata, alla sua macchina metallizzata. Ognuno si impadronisce dei jeans dell'altro, quasi fosse una gara, una sfida sensuale. Poi Babi rallenta, inesperta e imbarazzata, chiude gli occhi e alla fine abbracciandolo si emoziona per quella sua tenera vittoria personale. Quando si accorge che Step vuole andare ancora più avanti, lo ferma.

"No, che fai?"

"Niente. Ci si provava."

Babi lo allontana un po' scocciata.

"Ma dai, qui in macchina? La mia prima volta deve essere una cosa bellissima, in un posto romantico con il profumo dei fiori, la luna."

"La luna c'è." Step apre un po' il tettino. "Vedi, un po' coperta, ma c'è. Poi senti..." Aspira a fondo. "È pieno di fiori qua intorno. Che cosa manca? Il posto è romantico, dai. Stiamo pure su Tele Radio Stereo. È perfetto!"

Babi si mette a ridere.

"Io intendevo qualcos'altro." Guarda l'orologio. "È tardissimo. Se tornano i miei e non mi trovano finisco di nuovo in punizione! Dai sbrighiamoci."

Si tirano su i jeans poi provano insieme a sistemare il sedile di Babi. Niente da fare. Tornano ridendo con lo schienale rotto. Ogni volta che accelera Babi finisce stesa giù. Ipotizzano tutto quello che potrebbe dire suo fratello. Che serata... con questo finale poi, è diventata tragicomica. Accompagna Babi fino alla porta e la saluta. Guida veloce nella notte godendosi quella "romantica" astinenza e quel profumo dei sospiri di lei che rimane tra le sue mani.

"Ma dove sei finito? È un'ora che ti aspetto, devo riaccompagnare Manuela a casa."

Paolo è già nervoso. Si immagina come sarebbe diventato se solo gli avesse detto del sedile.

"Potevi prendere la moto, tanto ormai ti prendi tutta la roba mia."

Paolo non ride affatto e si chiude in salotto con Manuela. Step va in camera, si spoglia e si infila nel letto. Spegne la luce. È distrutto. Dal salotto arrivano delle voci. Cerca di sentire meglio. Sono Paolo e Manuela. Stanno discutendo di qualcosa. La voce di suo fratello è ripetitiva e noiosa.

"Dimmi la verità. Voglio sapere la verità."

"Te l'ho detta."

"Ho detto dimmi la verità."

"Ma è quella, te lo giuro."

"Te lo chiedo per l'ultima volta. Dimmi la verità, voglio sapere la verità."

"Ti giuro che ti ho detto tutto." Anche Manuela sembra abbastanza decisa. Nel buio della stanza Step scuote la testa. Non so se sono peggio i cazzotti del Siciliano o le discussioni di mio fratello. Chissà che vuole sapere Paolo, tanto Manuela non glielo dirà mai. Una cosa è sicura. L'unica grande verità è che Manuela tornerà a casa distesa sul sedile. E a quel pensiero Step si addormenta divertito.

52.

Babi sta a Fregene da Mastino con tutta la sua classe. Stanno festeggiando i cento giorni. Hanno finito di mangiare da un po' e si sono messe a passeggiare sulla spiaggia. Alcune sue amiche giocano a ruba bandiera. Lei si è seduta su un pattino a chiacchierare con Pallina. Poi lo vede. Viene verso di lei con quel suo sorriso, con quegli occhiali scuri e quel giubbotto. Babi ha un tuffo al cuore. Pallina se ne accorge subito.

"Ehi, non morire, eh?"

Babi le sorride poi corre incontro a Step. Va via con lui, senza chiedergli come ha fatto a trovarla, dove la sta portando. Ha salutato le sue compagne con un "ciao" distratto. Alcune di loro smettono di giocare e la seguono con lo sguardo. Invidiose e sognanti, desiderose di essere al suo posto, abbracciate a Step, a 10 e lode. Poi la ragazza al centro chiama forte. "Numero... sette." Due di loro arrancano nella sabbia, correndo verso di lei. Si fermano una di fronte all'altra, con le braccia larghe, guardandosi negli occhi, sfidandosi sorridenti, accennando piccole finte, sostenute dalle compagne. Improvvisamente quel piccolo fazzoletto bianco sospeso nell'aria diventa il loro unico pensiero.

Arrivata davanti alla moto, Babi lo guarda curiosa.

"Dove andiamo?"

"È una sorpresa." Step va dietro di lei e tira fuori dalla tasca la bandana blu che le ha rubato e le copre gli occhi.

"Non imbrogliare eh... Non devi vedere."

Lei se lo sistema meglio divertita.

"Ehi, questo fazzoletto mi sembra di conoscerlo..." Poi gli dà una cuffia del suo Sony e partono insieme abbracciati sulle note di Tiziano Ferro.

Più tardi... Babi si tiene stretta dietro a lui con la testa poggiata sulla sua schiena e gli occhi coperti dalla bandana. Le sembra di volare, un vento fresco accarezza i suoi capelli e un odore di ginestra profuma l'aria. Da quanto sono partiti? Cerca di calcolare il tempo del cd che sta ascoltando. Quindi è quasi un'ora che sono in viaggio. Ma dove stanno andando?

"Manca molto?"

"Siamo quasi arrivati. Non è che stai guardando?"

"No."

Babi sorride e si appoggia di nuovo alla sua schiena, stringendolo forte. Innamorata. Lui scala dolcemente e va a destra, su per la salita chiedendosi se lei ha capito.

"Ecco, siamo arrivati. No, non toglierti la bandana. Aspettami qua."

Babi cerca di capire dove si trova. Ormai è pomeriggio tardi. Sente un rumore lontano, ripetitivo e soffocato, ma non riesce a capire di cosa si tratti. A un tratto sente un rumore più forte, come se fosse stato spaccato qualcosa.

"Eccomi." Step la prende per mano.

"Che è successo?"

"Niente. Seguimi." Babi timorosa si lascia portare. Ora il vento è cessato, l'aria si è fatta più fredda, sembra quasi umida. La sua gamba urta qualcosa.

"Ahi."

"Non è niente."

"Com'è non è niente. Ma la gamba è mia!"

Step si mette a ridere.

"E ti lagni sempre. Stai ferma qui." Step l'abbandona un attimo. La mano di Babi rimane sola, sospesa nel vuoto.

"Non mi lasciare..."

"Sono qui vicino a te."

Poi un forte rumore continuato, meccanico, legnoso. Una tapparella che si alza. Step le sfila dolcemente la bandana. Babi apre gli occhi e improvvisamente le appare tutto.

Il mare al tramonto splende davanti a lei. Un sole caldo e rosso sembra sorriderle. È in una casa. Esce fuori, sotto la tapparella alzata, sulla terrazza. In basso a destra riposa romantica la spiaggia del loro primo bacio. Lontano le sue colline preferite, il suo mare, gli scogli conosciuti: Port'Ercole. Un gabbiano le passa vicino salutandola. Babi si guarda intorno emozionata. Quel mare argentato, le gialle ginestre, i cespugli verde scuro, quella casa solitaria sulle rocce. La sua casa, la casa dei suoi sogni. E lei è lì, con lui, e non sta sognando. Step l'abbraccia.

"Sei felice?" Lei fa segno di sì con la testa. Poi apre gli occhi. Bagnati e sognanti di piccole lacrime trasparenti, lucidi d'amore, bellissimi. Lui la guarda.

"Cosa c'è?"

"Ho paura."

"Di cosa?"

"Che non sarò mai più così felice come adesso..."

Poi pazza d'amore lo bacia di nuovo, sognante nel tepore di quel tramonto.

"Vieni, andiamo dentro."

Si mettono a girare per quella casa sconosciuta, aprendo stanze ignote, inventando la storia di ogni camera, immaginandone gli ignari proprietari.

Alzano tutte le tapparelle, trovano un grande stereo e l'accendono. "Anche qui si prende Tele Radio Stereo." Ridono. Girano per quella casa aprendone i cassetti, svelandone i segreti, divertendosi insieme. Separati, si chiamano ogni tanto per mostrarsi anche la più piccola stupida scoperta e tutto sembra magico, importante, incredibile.

Step stacca il bauletto della moto e rientra in casa. Poco dopo la chiama. Babi entra nella camera. La grande finestra dà sul mare. Il sole ora sembra fare l'occhiolino. Sta scomparendo in silenzio dietro l'orizzonte lontano. Quell'ultimo spicchio educato colora di rosa morbide nuvole sparse più in alto. Il suo riflesso quasi addormentato corre lungo una scia dorata. Attraversa il mare per spegnersi sulle pareti di quella camera, tra i suoi capelli, sulle lenzuola nuove, appena messe.

"Le ho comprate io, ti piacciono?" Babi non risponde. Si guarda intorno. Un piccolo mazzo di rose rosse riposa in un vaso vicino al letto. Step cerca di buttarla sullo scherzo. "Giuro che non le ho comprate al semaforo..."

Apre il bauletto.

"E voilà! "

Dentro c'è del ghiaccio sciolto e alcuni cubetti ancora galleggianti. Step tira fuori una bottiglia di champagne con due coppe incartate nel giornale.

"Per non romperle" spiega. Poi dalla tasca del giubbotto prende una piccola radio.

"Non sapevo se c'era."

L'accende, la sintonizza sulla stessa frequenza dello stereo della casa e la posa sul comodino.

Una piccola eco di *Certe notti* si sparge per la stanza.

"Sembra quasi fatto apposta... anche se siamo ancora al tramonto..."

Step le si avvicina, la prende tra le braccia e la bacia. Quell'attimo le sembra così bello che Babi dimentica tutto, i suoi propositi, le sue paure, i suoi scrupoli. Piano piano si lascia togliere i vestiti, spogliandolo anche lei. Si trova fra le sue braccia interamente nuda per la prima volta, mentre una luce magica, spargendosi sul mare, illumina timidamente i loro corpi. Una giovane stella curiosa brilla alta nel cielo. Poi, tra un mare di carezze, il rumore delle onde lontane, il verso di un allegro gabbiano, il profumo dei fiori, accade.

Step scivola delicatamente sopra di lei. Babi apre gli occhi teneramente sovrastata. Step la guarda. Non sembra impaurita. Le sorride, le passa una mano tra i capelli rassicurandola. In quel momento, dalla piccola radio lì vicina e in tutta la casa attacca innocentemente *Beautiful* ma nessuno dei due se ne accorge. Non sanno che quella sarebbe diventata la "loro canzone". Lei chiude gli occhi trattenendo il respiro, improvvisamente rapita da quell'emozione incredibile, da quel dolore d'amore, da quel magico diventare sua per sempre. Alza il viso verso il cielo, sospirando, aggrappandosi alle sue spalle, abbracciandolo forte. Poi si lascia andare, delicatamente più tranquilla. Sua. Apre gli occhi. Lui è lì, dentro di lei. Quel morbido sorriso ondeggia d'amore sul suo viso baciandola ogni tanto. Ma lei non c'è più. Quella ragazza dagli occhi azzurri spaventati, dai tanti dubbi, dalle mille paure, è scomparsa. Babi pensa a quanto da piccola l'ha sempre affascinata la storia delle farfalle. Quel bozzolo, quel piccolo bruco che si tinge di mille splendidi colori e improvvisamente impara a volare. Allora di nuovo si vede. Fresca, delicata farfalla appena nata, tra le braccia di Step. Gli sorride e lo abbraccia guardandolo negli occhi. Poi gli dà un bacio, morbido, nuovo, appassionato. Il suo primo bacio da giovane donna.

Più tardi, distesi tra le lenzuola, lui le accarezza i capelli, mentre lei lo stringe a sé con la testa poggiata sul suo petto.

"Non sono brava, vero?"

"Sei bravissima."

"No, mi sento negata. Mi devi insegnare."

"Sei perfetta. Vieni."

Step la prende per mano e la porta di là. Tra i fiori delle lenzuola, un piccolo fiore rosso, appena sbocciato, si distingue fra gli altri, più puro e innocente di tutti.

Di nuovo abbracciati nella vasca da bagno. Sorseggiano champagne chiacchierando allegri, leggermente brilli d'amore. Ben presto ubriachi di passione si amano di nuovo. Questa volta senza paura, con più slancio, più desiderio. Ora le sembra più bello, più facile muovere le ali, ora non ha paura del volo, capisce la bellezza di essere una giovane farfalla. Poi prendono degli accappatoi e scendono giù nella caletta privata. Si divertono a inventare nomi che possono andare per quelle due cifre sconosciute cucite sul loro petto. Dopo aver fatto a gara a trovarne i più strani, li abbandonano sulle rocce.

Babi perde. Si tuffa per seconda. Nuotano così, nell'acqua fresca e salata, nella scia della luna, sospinti da piccole onde, abbracciandosi ogni tanto, schizzandosi, allontanandosi per poi prendersi di nuovo, per assaggiare quelle labbra dal sapore di champagne marino. Più tardi, seduti su una roccia, avvolti negli accappatoi di Amarildo e Sigfrida guardano sognanti le mille stelle sopra di loro, la luna, la notte, il mare scuro e tranquillo.

"È bellissimo qui."

"È la tua casa, no?"

"Sei pazzo!"

"Lo so!"

"Sono felice. Non sono mai stata così bene in tutta la mia vita. E tu?"

"Io?" Step l'abbraccia forte. "Sto benissimo."

"Da arrivare a toccare il cielo con un dito?"

"No, non così."

"Come, non così?"

"Molto di più. Almeno tre metri sopra il cielo."

Il giorno dopo Babi si sveglia e, mentre sotto la doccia le ultime tracce salate abbandonano i suoi capelli, ripensa ancora emozionata alla sera prima.

Fa colazione, saluta sua madre e monta in macchina con Daniela, pronta per andare a scuola come ogni mattina. Suo padre si ferma al semaforo sotto il ponte di corso Francia. Babi è ancora insonnolita e distratta quando improvvisamente la vede. Non crede ai suoi occhi. In alto, più in alto di tutte, sulla bianca colonna del ponte, una scritta domina le altre, incancellabile. È lì, sul freddo marmo, azzurra come i suoi occhi, bella come l'ha sempre desiderata. Il suo cuore comincia a battere veloce. Per un attimo le sembra che tutti possano sentirla, tutti possano leggere quella frase, proprio come sta facendo lei in quel momento. È lì, in alto, irraggiungibile. Lì dove solo gli innamorati arrivano: "Io e te... Tre metri sopra il cielo".

53.

24 dicembre.

È sveglio. In realtà non ha dormito affatto. La radio è accesa. Ram Power. Uno lo vivi uno lo ricordi. Cosa c'è da ricordare? Ha mal di testa e gli occhi gli fanno male. Si gira nel letto.

Dalla cucina vengono dei rumori. Suo fratello sta facendo colazione. Guarda l'orologio. Sono le nove. Chissà dove va Paolo a quell'ora, la vigilia di Natale. Ci sono persone che hanno sempre da fare, pensa, anche nei giorni di festa. Sente sbattere la porta. È uscito. Prova un senso di sollievo. Ha bisogno di stare solo. Poi una strana sofferenza lo prende. Non ne ha bisogno. È solo. A quell'idea si sente ancora peggio. Non ha fame, non ha sonno, non prova nulla. Rimane così a pancia sotto. Non sa per quanto tempo. A poco a poco rivede quella stanza in giorni più felici. Quante volte la mattina svegliandosi ha trovato gli orecchini di Babi sul suo comodino, quante volte il suo orologio, quante volte sono stati insieme in quel letto, abbracciati, innamorati, desiderosi l'uno dell'altra. Sorride. Si ricorda dei suoi piedi freddi, quelle piccole dita gelate che lei ridendo poggiava sulle sue gambe, più calde. Dopo che avevano fatto l'amore quando restavano lì, a chiacchierare, guardando la luna dalla finestra, la pioggia o le stelle, ugualmente felici, facesse caldo o piovesse. Accarezzandole i capelli qualunque cosa fosse successa fuori, malgrado le guerre, i problemi del mondo, le strade nuove, la gente. Poi la rivede andare verso il suo bagno, ammira di nuovo innamorato quei segni più chiari sulla sua pelle, l'ombra di un costume appena tolto, un reggiseno slacciato. La sente ridere da quella porta chiusa, la vede camminare con quel suo modo buffo, con quei capelli sciolti, correre vergognosa verso il letto, tuffarsi su di lui, ancora fresca d'acqua, di lavaggi timorosi, ancora profumata d'amore e di passione. Step si gira di nuovo nel letto, guarda il soffitto. Quante volte, a malincuore, è venuta l'ora di vestirsi, di accompagnarla a casa. Allora silenziosi e vicini, seduti su quel letto avevano cominciato a vestirsi, piano piano, passandosi ogni tanto qualcosa che apparteneva all'altro. Scambiandosi un sorriso, un bacio, infilandosi una gonna, chiacchierando piegati, allacciandosi le scarpe, lasciando la radio accesa, per poco, prima di tornare. Dove sarà in questo momento. E perché. Prova una stretta al cuore.

Nei giorni di festa si mette a posto la camera, ci si sente più allegri o più tristi. Non si sa dove mettere alcuni pensieri.
"Dani, questa la vuoi? Sennò la butto." Daniela guarda la sorella. Babi è sulla porta della sua camera con la giacca blu in mano.
"No, lasciala, me la metto io."
"Ma è tutta scucita."
"La faccio mettere a posto."
"Come vuoi." Babi la lascia sul letto. Daniela la guarda uscire dalla camera. Quante volte lei e Babi hanno litigato per quella giacca. Non avrebbe mai pensato che la buttasse. Sua sorella è proprio cambiata. Poi lascia perdere quel pensiero e si mette a incartare gli ultimi regali. Babi sta finendo di liberare l'armadio quando entra sua madre.
"Brava. Hai tolto un sacco di roba."
"Sì, tieni, questa è tutta da buttare. Non la vuole neanche Dani."
Raffaella prende alcuni vestiti posati sul tavolo.
"Ne farò un pacco per i poveri. Dovrebbero passare oggi a ritirarli. Più tardi usciamo insieme?"
"Non lo so, mamma." Babi arrossisce leggermente.
"Come vuoi, non ti preoccupare."
Raffaella sorride ed esce dalla camera. Babi apre alcuni cassetti. È felice. È un periodo che va proprio d'accordo con sua madre. Che strano. Solo sei mesi fa litigavamo sempre. Si ricorda la fine del processo, quando è uscita dal tribunale e sua madre l'ha raggiunta fuori correndo.
"Ma sei pazza, perché non hai detto come sono andate veramente le cose? Perché non hai detto che quel delinquente ha colpito Accado senza ragione?"
"Per me le cose sono andate come ho detto. Step è innocente. Non c'entra niente. Che ne sapete voi di cosa ha passato? Cosa ha provato in quel momento. Voi non sapete giustificare, non sapete perdonare. L'unica cosa che siete in grado di fare è giudicare. Decidete la vita dei vostri figli sui vostri desi-

deri, su quello che pensate voi. Senza sapere minimamente cosa noi ne pensiamo. Per voi la vita è come giocare a gin, tutto quello che non conoscete è una carta scomoda che non vorreste aver mai pescato. Non sapete che farci, vi scotta averla tra le mani. Ma non vi chiedete perché uno è violento, perché uno è drogato, che vi frega, tanto non è vostro figlio, non vi riguarda. Invece stavolta ti interessa mamma, stavolta tua figlia sta con uno che ha dei problemi, che non pensa solo ad avere il GTI 16 valvole, il Daytona o ad andare in Sardegna. È violento, è vero, ma forse lo è perché non si sa spiegare tante cose, perché gli hanno detto tante bugie, perché quello è l'unico modo per reagire."

"Ma che stai dicendo? Sono tutte cretinate... E poi non ci pensi? Che figura fai? Sei una bugiarda. Hai mentito davanti a tutti."

"A me non me ne frega niente degli amici tuoi, di quello che pensano, di come mi giudicano. Dite sempre che è tutta gente che si è fatta da sola, che è arrivata. Ma dove è arrivata? Che cosa ha fatto? Solo i soldi. Non parlano con i figli. Non gliene frega niente in realtà di quello che fanno, di quanto soffrono. Di noi, non ve ne frega un cazzo."

Raffaella allora le dà uno schiaffo in pieno viso. Babi si passa una mano sulla guancia, poi sorride.

"L'ho detto apposta, cosa credi? Ora che mi hai dato uno schiaffo la tua coscienza è a posto. Ora puoi tornare a chiacchierare con le tue amiche e sederti al tavolo da gioco. Tua figlia è stata educata bene. Ha capito cosa è giusto e cosa non lo è... Ha capito che non bisogna dire parolacce e che ci si deve comportare bene. Ma non lo vedi che sei ridicola, che fai ridere? Mi mandi a messa la domenica ma se ascolto troppo il Vangelo allora no, non va bene. Se amo troppo i miei simili, se porto a casa uno che non si alza quando entri o che non sa stare a tavola, allora storci la bocca. Dovreste inventare delle chiese per voi, un vostro Vangelo, dove non resuscitano tutti, ma solo quelli che non mangiano in canottiera, che non firmano mettendo prima il cognome, quelli che sai di chi sono figli, quelli che sono abbronzati e belli, che vestono come dite voi. Siete dei buffoni."

Babi se ne va. Raffaella rimane a guardarla finché la vede salire sulla moto di Step e allontanarsi con lui.

Quanto tempo è passato. Quante cose sono cambiate. Sospira, aprendo il secondo cassetto.

Povera mamma, quante gliene ho fatte passare. In fondo ha ragione lei. L'ho capito forse solo ora. Ma ci sono cose più importanti nella vita. Continua a mettere a posto la sua roba. Ma di quelle cose così importanti non gliene viene in mente neanche una, forse perché non ci vuole più pensare, perché è più comodo così. Forse perché in realtà non ce ne sono poi così tante. È un rimorso o un reggiseno sul quale lui ha riso.

"Come sei sexy stasera." Uno dopo l'altro arrivano, implacabili, malinconici e tristi, lontani. I ricordi. La festa dei suoi diciott'anni ad Ansedonia. Alle dieci di sera, improvvisamente un rumore di moto. Tutti gli invitati si sono affacciati dalla terrazza. Finalmente qualcosa di cui parlare. Sono arrivati Step, Pollo e i suoi altri amici. Scendono dalle moto ed entrano alla festa ridendo, spavaldi e sicuri, guardandosi in giro, gli amici in cerca di qualche bella fica, lui di lei.

Babi gli corre incontro, perdendosi tra le sue braccia, tra un dolce "tanti auguri tesoro" e un bacio in bocca strafottente.

"Dai, ci sono i miei..."

"Lo so, per questo l'ho fatto! Vieni, vieni via con me..."

Dopo la torta con le candeline e il Rolex che i suoi le hanno regalato, scappano via. Si lascia rapire dai suoi occhi allegri, da quelle sue proposte divertenti, dalla sua moto veloce. Via, giù per la discesa, verso il mare notturno, nel profumo delle ginestre, lontano da inutili invitati, dallo sguardo sprezzante di Raffaella, da quello dispiaciuto di Claudio che vorrebbe ballare il valzer con sua figlia come fanno tutti i padri.

Ma lei non c'è più, lei è lontana. Piccola maggiorenne, si perde danzando tra i suoi baci, sulle note di morbide onde salate, di una romantica luna, del suo giovane amore.

"Tieni, questo è per te." Sul suo collo splende una collana d'oro dalle pietre turchesi come i suoi occhi felici. Babi gli sorride e lui baciandola riesce perfino a convincerla. "Ti giuro che non l'ho rubata."

E la notte della maturità. Che ridere quella volta, a casa fino a tardi a ripassare. Ipotesi continue, soffiate clandestine. Tutti credono di sapere il titolo del tema. Ci si telefona sicuri, certi che ognuno abbia quello giusto.

"È il cinquantesimo della televisione, è stato scoperto un nuovo scritto del Manzoni, è sulla Rivoluzione francese, di sicuro."

Alcuni dicono di averlo saputo dall'Australia dove è uscito il giorno prima, altri da un amico professore, da uno in commissione, qualcuno addirittura da un medium. Quando il giorno dopo il futuro diventa presente, si scopre che quel professore non è poi così amico, quel medium un semplice imbroglione, l'Australia una terra troppo lontana per prendersela con qualcuno. Eppure quando sono usciti i quadri, quella grande sorpresa.

Babi ha preso cento. È corsa da Step felice, entusiasta del risultato. Lui ha riso, scherzando con lei.

"Come sei matura... sei proprio una pesca matura..." L'ha spogliata ridendo, prendendola in giro, sembra quasi sapesse, si aspettasse quel voto. Hanno fatto l'amore. Poi lei si è presa la sua rivincita ridendo.

"Te lo saresti mai immaginato? Tu qui, un semplice settanta che hai l'onore di baciare un emerito cento... Ma ti rendi conto della fortuna che hai?"

Lui le ha sorriso. "Sì, me ne rendo conto." E l'ha abbracciata in silenzio.

Qualche tempo dopo Babi è andata a trovare la Giacci. In fondo, dopo le loro discussioni, la professoressa sembrava averla presa in simpatia. Ha cominciato a trattarla bene, con riguardo, con fin troppo rispetto. Quel giorno, quando è andata a casa sua, ha saputo perché.

Quel rispetto non era che paura. Paura di restare sola, di non avere più quel suo unico amico e compagno. Paura di non rivedere il suo cane, paura della solitudine. Babi è rimasta senza parole. Ha ascoltato la sfuriata della professoressa, la sua rabbia, le sue parole cattive. La Giacci era lì di fronte a lei, di nuovo con il suo Pepito tra le braccia. Quella donna anziana sembrava ancora più stanca, più acida, più delusa da quel mondo, da quei giovani. Babi è fuggita via scusandosi, senza sapere più che dire, senza sapere più chi è, chi ha vicino, quale sarebbe stato il suo voto, quello vero, quello che avrebbe meritato.

Babi va alla finestra e guarda fuori. Alcuni alberi di Natale si accendono e si spengono sui terrazzi delle case, nei salotti eleganti della palazzina di fronte. È Natale. Bisogna essere buoni. Forse dovrei chiamarlo. Quante volte però sono stata buona. Quante volte l'ho perdonato. Giacci compresa. Si ricorda delle mille discussioni che hanno avuto, il loro modo diverso di vedere le cose, le litigate, il dolce fare pace sperando che tutto potesse migliorare. Ma così non è stato. Discussioni su discussioni, giorno dopo giorno, con i suoi che le fanno guerra, telefonate nascoste, squilli notturni. Sua madre che risponde, Step che attacca. E il suo telefonino che a casa purtroppo non prendeva... E lei in punizione, sempre più spesso. Quella volta che Raffaella ha organizzato una cena a casa sua, costringendola a restare. Aveva invitato tutta gente perbene, il figlio di un loro amico molto ricco. Un buon partito, le aveva detto. Poi è arrivato Step. Daniela ha aperto senza pensarci, senza chiedere chi è. Step ha spalancato la porta facendole sbattere la testa.

"Scusa Dani, non ce l'ho con te, lo sai!"

Ha preso Babi per un braccio e l'ha trascinata via tra le inutili urla di Raffaella e il tentativo del buon partito di fermarlo. Quel tipo si è ritrovato per terra con il labbro spaccato e sanguinante. Lei si è addormentata tra le braccia di Step, piangendo.

"Com'è tutto diventato difficile. Vorrei tanto essere lontana con te, senza più problemi, senza i miei, senza tutti questi casini, in un posto tranquillo, fuori dal tempo."

Lui le ha sorriso.

"Non ti preoccupare. So io dove andiamo, nessuno ci darà fastidio. Ci siamo stati spesso, basta volerlo."

Babi lo guarda con gli occhi pieni di speranza.

"Dove?"

"Tre metri sopra il cielo, dove vivono gli innamorati."

Ma il giorno dopo è tornata a casa e da lì è cominciato o forse finito tutto.

Babi si è iscritta all'università, comincia a frequentare Economia e Commercio, passa i pomeriggi a studiare. Comincia a vederlo meno spesso, ora. Un pomeriggio con lui. Sono andati da Giovanni a prendersi un vitaminico. Stanno chiacchierando fuori dal bar quando all'improvviso arrivano due tipi tremendi. Step non fa in tempo a realizzare. Gli sono subito addosso. Cominciano a prenderlo a capocciate tenendosi abbracciati fra loro, colpendolo con la testa a turno, in una tremenda altalena di sangue. Babi ha cominciato a urlare. Step alla fine è riuscito a liberarsi. I due sono fuggiti su un Vespino truccato dileguandosi nel traffico. Step è rimasto a terra, intontito. Poi, aiutato da lei, si è rialzato. Con dei fazzoletti di carta, ha cercato di fermare il sangue che gli scende giù dal naso, sporcandogli la Fruit. Più tardi l'ha accompagnata a casa, in silenzio, senza sapere bene che dire. Ha parlato di una rissa di tanto tempo fa, quando ancora non stavano insieme. Lei gli ha creduto, o forse ha voluto farlo. Quando Raffaella l'ha vista entrare a casa con la camicetta sporca di sangue, le ha preso un colpo.

"Che ti sei fatta? Babi, sei ferita? Che ti è successo? È colpa di quel delinquente vero? Non capisci che finirai male?"

Lei è andata in camera sua, si è cambiata in silenzio. Poi è rimasta là, da sola, stesa sul letto. Ha capito che qualcosa non andava. Qualcos'altro avrebbe dovuto cambiare. Non sarebbe stato così facile, non come togliersi una camicetta e buttarla tra i panni sporchi. Qualche giorno dopo ha rivisto Stép. Ha un altro taglio sul viso. Gli hanno messo dei punti sul sopracciglio.

"Ma che ti sei fatto?"

"Sai, per non svegliare Paolo sono rientrato a casa e non ho acceso la luce del corridoio. Ho sbattuto contro uno spigolo. Non sai che male, una cosa bestiale."

Proprio come quella che ha fatto. La verità l'ha saputa da Pallina per caso, parlando al telefono. Sono andati a Talenti dallo Zio d'America, con bastoni e catene, guidati da Step. Una rissa gigantesca, una vera vendetta. È uscito perfino un trafiletto sul giornale. Babi ha attaccato. È inutile discutere con Step, avrebbe sempre fatto come voleva, a modo suo. Ha la testa dura. Gliel'ha detto mille volte che lei odia la violenza, le botte, i picchiatori.

Mette a posto gli scaffali, tira giù alcuni quaderni buttandoli sulla moquette, senza interesse. Quaderni degli anni passati, appunti del liceo, vecchi libri.

"Che facciamo stasera? Andiamo alle corse della moto? Dai, ci vanno tutti."

"Stai scherzando spero, non esiste! Io in quel posto non ci voglio mettere più piede. Magari rincontro quella bora scatenata e mi tocca farci di nuovo a botte. Abbiamo un dopocena, se ti va di venire."

Step si è messo una giacca blu. È rimasto tutto il tempo seduto su un divano guardandosi in giro, cercando di trovare qualcosa di divertente in quello che sentiva, non riuscendoci. Lui quella gente l'ha sempre odiata. Si è imbucato a quelle feste, ha sfondato tutto, si è divertito un casino con gli altri a rubare nelle camere da letto, a lanciare di sotto la roba. Gli altri. Chissà dove sono in questo momento. Alla serra, pinnando a centoquaranta, sulla moto con gli amici che fanno il tifo, con Sica che prende le puntate, con le camomille, Ciccio e tutti gli altri. Che palle questa festa. Incrocia lo sguardo di Babi. Le sorride. Lei è scocciata, sa benissimo cosa pensa.

Babi riesce a prendere anche quel libro più su degli altri. Poi se lo ricorda come fosse in quel momento.

Il citofono suona all'impazzata. La padrona di casa attraversa il salotto correndo, la porta che si apre e Pallina lì, pallida, sconvolta che scoppia a piangere.

È una notte terribile. Smette di pensarci. Comincia a raccogliere i libri che ha buttato per terra. Ne prende altri posandoli sul tavolo e quando si curva di nuovo, la vede. È lì, chiara e secca, gialla, sbiadita come il tempo che è stato. Spezzata, sulla moquette scura, priva di vita da tanto tempo ormai. La piccola spiga che ha messo nel suo diario la prima volta che ha fatto sega con Step. Quella mattina nel vento che annuncia l'estate, quei baci che sanno di pelle profumata dal sole. Il suo primo amore. Si ricorda quando era convinta che non ce ne sarebbe mai potuto essere un altro. La raccoglie. La spiga si sbriciola fra le sue dita, come vecchi pensieri, come leggeri sogni e deboli promesse.

Step guarda la caffettiera sul fornello. Il caffè ancora non esce. Alza un po' la fiamma. Vicino c'è ancora un po' di cenere, un ultimo pezzo di foglio ingiallito. I suoi amati disegni, le tavole di Andrea Pazienza. Sono degli originali. Li ha rubati in quella redazione di un nuovo giornale, "Zut", quando Andrea era ancora vivo e collaborava con loro. Una notte ha sfondato il vetro della finestra con il gomito ed è entrato da sopra. È stato facile, ha preso solo le tavole del mitico Paz e poi via veloce dalla porta, dileguandosi nella notte, felice, con i disegni del suo idolo fra le mani. Poco tempo dopo Andrea muore.

È giugno. Una sua fotografia su un giornale. Intorno ad Andrea c'è tutta la redazione. Quella foto deve essere stata fatta pochi giorni dopo il suo furto. Step raccoglie tra le gabbie dei fornelli quel pezzo di carta. Quale tavola era? Deve essere quella con la faccia di Zanardi. Ormai non importa più. Le ha bruciate tutte quella sera dopo la telefonata. Era lì a guardare colori bruciare, le facce dei suoi eroi accartocciarsi abbracciate dalla fiamma, le frasi mitiche di poeti sconosciuti scomparire in dissolvenze di fumo. Poi è entrato suo fratello.

"Ma che stai facendo? Ma che, sei cretino? Guarda, stai bruciando la cappa della cucina..."

Paolo ha cercato di spegnere quella fiamma troppo alta ma lui l'ha fermato.

"Step ma ti dà di volta il cervello? Poi la devo ripagare io, no? Queste cazzate valle a fare fuori."

Step non ci ha visto più. L'ha sbattuto contro il muro, vicino alla finestra. Gli ha messo una mano alla gola, strozzandolo quasi. Paolo ha perso gli occhiali. Sono volati lontano, per terra, rompendosi. Poi Step si è calmato. L'ha lasciato andare. Paolo ha raccolto i suoi occhiali rotti ed è uscito in silenzio, senza dire nulla. Step è stato ancora peggio. Ha sentito sbattere la porta di casa. È rimasto lì, a fissare i suoi disegni che bruciavano, rovinando la cappa della cucina, soffrendo come non ha mai sofferto. Solo come non è mai stato. Gli viene in mente Battisti. "Prendere a pugni un uomo solo perché è stato un po' scortese, sapendo che quel che brucia non son le offese." È vero, ha ragione. E a lui brucia ancora di più. Quell'uomo è suo fratello. Il caffè esce improvvisamente, borbottando, come se avesse anche lui qualcosa da dire. Step lo versa nella tazza poi lo manda giù. Nella sua bocca rimane un sapore caldo e amaro, lo stesso gusto di ricordi abbandonati sul suo cuore.

Settembre. I genitori di Babi le hanno comprato un biglietto per Londra. Si sono messi d'accordo con la madre di Pallina. Vogliono allontanarle da quelle nuove cattive amicizie.

È bastato poco. Un piano ben congeniato. Una corsa da un amico in questura. I passaporti nuovi. Su quel charter per l'Inghilterra salgono in due, ma i biglietti, cambiati pochi giorni prima, portano nomi diversi. Pollo e Pallina.

Sono quindici giorni indimenticabili per tutti. Per i genitori di Babi, illusi e contenti, finalmente tranquilli. Per Pollo e Pallina, in giro per Londra, nei pub e le disco, spedendo a tutti cartoline comprate a Roma alla Lyon Book, cartoline inglesi, già firmate da Babi. E Step e lei, lontani da tutti, in quell'isola greca, Astipaleia. Un viaggio epico. Con la moto fino a Brindisi, poi in traghetto, abbracciati sotto le stelle, distesi sul ponte, su colorati sacchi a pelo, cantando con gente straniera canzoni inglesi, migliorando così la pronuncia, certo non come avrebbero voluto i suoi. Poi i mulini bianchi, le capre, le rocce, una piccola casa sul mare. La pesca all'alba, dormire il pomeriggio, uscire di notte, passeggiare sulla spiaggia. Padroni del posto, del tempo, soli, contando le stelle, dimenticando i giorni, telefonando bugie.

Step sorseggia il caffè. Sembra ancora più amaro. Comincia a ridere. Quella volta che Babi ha invitato tutti gli amici di lui a cena. Tentativo di socializzare. Si sono seduti a tavola e si sono comportati abbastanza bene proprio come Step si era tanto raccomandato. Poi non hanno più resistito. Uno dopo l'altro si sono alzati, impadronendosi dei piatti, scolandosi le birre, andando in salotto. Mai invitare di mercoledì. Mai quando ci sono le coppe. Naturalmente è finita in maniera tragica. La Roma ha perso, qualche laziale ha cominciato a sfottere e c'è stato un inizio di rissa. Step ha dovuto cacciarli tutti. Divergenze, differenze, difficoltà. Ha cercato di venirle incontro. Festa mascherata. Si sono travestiti da Tom e Jerry e proprio a quella festa sono arrivati Pollo e gli altri. Un semplice caso del destino beffardo? O più semplicemente una soffiata di Pallina? Tutti hanno fatto finta di non riconoscerlo. Hanno salutato Babi, quel piccolo Jerry dagli occhi azzurri e hanno ignorato Tom, ridendo ogni volta che passava quel gattone dai muscoli gonfi.

Il giorno dopo, in piazza, Pollo, Schello, Hook e qualcun altro gli si sono avvicinati con aria grave.

"Step, ti dobbiamo dire una cosa. Sai, ieri siamo stati a una festa e c'era Babi."

Step li ha guardati facendo finta di niente.

"E allora?"

"Be', insomma, era travestita da topo e c'era un gattone che ci provava... Come un porco. Sembrava pure uno grosso, uno che mena. Se vuoi una mano che lo dobbiamo sistemare, diccelo. Sai, è un problema. Ci sono dei gattoni che hanno certi..." Pollo non fa in tempo a finire la frase. Step gli salta addosso, bloccandogli la testa sotto il braccio, frizionandogli la nuca con il suo pugno duro. Tra le risate degli altri, fra le risate di Pollo, tra le sue risate. Che amici! Improvvisamente si sente triste. Quella sera. Perché è andato a quella festa, perché ci è andato, invece di andare alle corse? Babi ha insistito tanto. Quante cose ha fatto per lei. Forse non sarebbe successo. Forse.

Il citofono suona all'impazzata. La padrona di casa attraversa il salotto correndo, la porta si apre. Pallina bianca in volto, pallida, tremante compare sulla porta. I suoi occhi tristi, lucidi di lacrime, di sofferenza. Step le si avvicina. Lei lo guarda trattenendo a stento quel primo singhiozzo.

"Pollo è morto." Poi l'abbraccia cercando in lui quello che non può più trovare da nessuna parte. Il suo amico, il suo ragazzo, quella risata forte e piena. Sono andati di corsa alla serra con Babi, con la Y10 che da poco le hanno regalato i genitori. Tutti e tre insieme, in quella macchina, con quel sapore nuovo che si tinge di sofferenza e silenzio. Poi l'ha visto. Luci lampeggianti intorno a quell'unico punto. La moto del suo amico. Divise odiate e macchine della polizia intorno a Pollo, steso lì per terra, senza più la forza di ridere, di scherzare, di prenderlo in giro, di dire cazzate. Qualcuno misura qualcosa tendendo un metro. Qualche altro ragazzo guarda. Ma nessuno può vedere o misurare tutto quello che se n'è andato. Step si piega su di lui in silenzio, accarezza il volto dell'amico. Quel gesto d'amore che non si sono mai fatti in anni d'amicizia, che non gli è stato mai permesso. Poi sussurra piangendo: "Mi mancherai". E Dio solo sa com'è stato sincero.

Il caffè è finito. Improvvisamente gli viene voglia di sentir leggere le ultime notizie del "Corriere dello Sport", di quel tipo ingombrante che gli terrorizza la cameriera, che gli entra in casa svegliandolo la mattina, che attraversa la sua vita facendo casino, ridendo. Poi si chiede da quanto non mangia un tramezzino al salmone. Da tanto, da allora. Ma stranamente in quel momento non gliene viene voglia. Forse perché, se volesse un tramezzino, lo potrebbe avere.

Babi guarda il regalo che ha comprato per Pallina. È lì, sul suo tavolo, incartato con della carta rossa e un nastro dorato. L'ha scelto con cura, le sarebbe perfino piaciuto, l'ha pagato tanto. Eppure è ancora lì. Non l'ha chiamata, non si sono sentite. Quante cose sono cambiate con Pallina. Non è più la stessa, non si trovano, non riescono a parlarsi. Forse anche per il fatto che dopo il liceo hanno preso due strade diverse. Lei Economia e Commercio, Pallina un Istituto di grafica. Ha sempre amato disegnare. Le vengono in mente tutti i biglietti che le ha mandato durante le ore di lezione. Caricature, frasi spiritose, commenti, facce di amici. Indovina, chi è questa? Era talmente brava che a Babi bastava pochissimo. Guardava il disegno, alzava la testa ed ecco che la trovava. Quella compagna dal mento sporgente, dalle orecchie un po' a sventola, dal sorriso eccessivo. E ridevano da lontano, semplici compagne, grandi amiche. Ogni pretesto era buono per farsi riprendere, quasi fiere di quell'allegria, di quei sorrisi non così nascosti.

Poi quella sera, e i giorni seguenti e il mese successivo. Silenzi prolungati, pianti. Pollo non c'è più e lei non sa farsene una ragione. Finché quel giorno è stata chiamata dalla madre di Pallina. È corsa a casa sua. L'ha trovata là, distesa sul letto, che rigetta. Si è scolata mezza bottiglia di whisky e ingoiato una boccetta di valeriana. Il suicidio dei poveri, così Babi le ha detto quando l'ha vista in grado di capire. Pallina si è messa a ridere poi è scoppiata a piangere fra le sue braccia. La madre le ha lasciate sole, non sapendo bene che fare. Babi le accarezza la testa.

"Dai Pallina, non fare così, tutti passiamo dei momenti terribili, tutti abbiamo pensato almeno una volta a farla finita, che non vale la pena di vivere. Ma ti dimentichi forse i cornetti di Mondi, la pizza da Baffetto, i gelati di Giovanni?" Pallina sorride, si asciuga le lacrime con il polso, tirando su con il naso.

"Anch'io, tanto tempo fa, quando mi sono lasciata con quello stronzo di Marco credevo di morire, di non farcela, che non ci fosse più nessuna ragione valida per vivere. Ma poi mi sono ripresa, tu mi hai aiutato, mi hai portato in giro, ho incontrato Step. Certo, adesso vorrei ammazzare lui e il suo modo di fare, ma è meglio, no?"

Scoppiano a ridere. Pallina singhiozzando ancora un po', Babi dandole un fazzoletto di carta per asciugarsi. Ma da quel giorno qualcosa è cominciato a cambiare, qualcosa si è incrinato. Si sono sentite sempre meno spesso e quelle volte non hanno avuto poi così tante cose da dirsi.

Forse perché farsi vedere troppo deboli da un amico poi ci fa sentire in difficoltà. Forse perché pensiamo sempre che il nostro dolore sia unico, improvabile, come tutto ciò che ci riguarda.

Nessuno può amare come amiamo noi, nessuno soffre come soffriamo noi. Quel mal di pancia, giustamente, "ce l'ho io, mica te". Forse Pallina non le aveva mai perdonato di essere andata alla festa con Step. Step, che se quella notte fosse stato alle corse, non avrebbe permesso a Pollo di gareggiare, Step che l'avrebbe salvato, che non gli avrebbe permesso di morire, Step che era il suo angelo custode. Babi fissa il regalo. Forse ci sono altre ragioni, più nascoste, più difficili da capire. L'avrebbe dovuta chiamare. A Natale sono tutti più buoni.

"Babi!" È la voce di Raffaella. Avrebbe telefonato a Pallina più tardi.

"Sì, mamma?"

"Puoi venire un attimo... Guarda chi c'è?"

Alfredo è lì, fermo sulla porta.

"Ciao."

Babi diventa leggermente rossa. In questo non è cambiata. Mentre va a salutarlo se ne accorge anche lei. Forse, in questo, non sarebbe cambiata mai. Alfredo cerca di metterla a suo agio.

"Fa caldo qua dentro."

"Sì" dice Babi sorridendo.

La madre li lascia soli.

"Ti va di andare a vedere la mostra dei presepi a piazza del Popolo?"

"Sì, aspetta che mi metto qualcosa addosso. Qui fa caldo. Ma fuori deve fare un freddo..."

Si sorridono. Lui le stringe la mano. Lei lo guarda complice. Poi va di là. Che strano, vivono da tanti anni in quello stesso comprensorio e non si sono mai conosciuti prima.

"Sai, io ho studiato molto in questi ultimi tempi, sto preparando la tesi e poi mi sono lasciato con la mia ragazza."

"Anch'io."

"Stai preparando la tesi?" Ha sorriso lui.

"No, mi sono lasciata con il mio ragazzo."

In realtà allora Step ancora non lo sapeva, ma lei aveva già deciso. Una decisione difficile, fatta di litigi, di discussioni, di problemi con i suoi e, in fondo, perché no?, anche di Alfredo. Babi si infila il cappotto. Attraversa il corridoio. Proprio in quel momento squilla il telefono. Babi rimane per un attimo a fissarlo. Uno squillo, due. Raffaella va a rispondere.

"Sì?"

Babi le rimane vicino, la guarda interrogativa, preoccupata, chiedendole con lo sguardo se è per lei. Raffaella scuote dolcemente la testa, copre la cornetta con la mano.

"È per me... vai. Vai..."

Babi la saluta tranquilla, parole esili come quel suo bacio.

"Io torno più tardi."

Raffaella la guarda uscire, con un sorriso ricambia il saluto educato di Alfredo. La porta si chiude.

"Pronto? No mi dispiace, Babi è fuori. No, non so quando torna."

Step attacca il telefono. Si chiede se è uscita davvero. Se gliel'avrebbe detto. Solo su quel divano, ricordando, vicino a un telefono muto, senza speranza. Giorni felici passati, sorrisi, giorni d'amore e di sole. Lentamente la immagina più vicina a lui, fra le sue braccia, proprio su quel divano, così com'è stato.

Illusione di un momento, violenti attimi di passione, ora solitaria. Dopo si sente ancora più solo, svuotato anche dell'orgoglio. Più tardi, camminando tra la gente, vede macchine dalle coppie felici, nel traffico festivo, con i sedili pieni di doni. Sorride. È difficile guidare quando lei si abbraccia a te, quando vuole mettere per forza le marce e non è capace, quando hai una mano sola per girare il volante e, nello stesso tempo, amare.

Continua a camminare tra finti Babbo Natale e odore di castagne arrosto, fra vigili fischianti e gente con i pacchi, cercando i suoi capelli, il suo profumo, la scambia per un'altra che cammina veloce ed è costretto a rallentare il suo cuore deluso.

Via di Vigna Stelluti, un giorno pieno di risate. Step la porta in braccio come una bambina, baciandola sotto gli occhi di tutti, ammirati da quella diversità. Poi entra all'Euclide, la poggia delicatamente sul bancone e la gente guardandola lo sente ordinare: "Un peroncino e una crostata alla crema per la mia piccoletta". Poco dopo di nuovo fuori, per strada, lei in braccio a lui, fra la gente normale, diversa. Una coppia li guarda. La ragazza sorride fra sé desiderando un lui così, esagerato e pazzo. Poi ripensa al suo debole ragazzo, alla dieta non ancora iniziata, a quando arriva lunedì.

I genitori di Babi, vedendola in braccio a Step, le corrono incontro preoccupati.

"Che ti è successo? Sei caduta dalla moto? Ti sei fatta male?"

"No mamma, sto benissimo." Così li guardano allontanarsi, chiedendosi un perché. Persone sempre in cerca di ragioni, quel giorno tornano a casa a mani vuote.

Qualcuno lo urta, non si accorge neppure che è una bella ragazza. Dovunque guarda vede ricordi. Le magliette uguali che si sono comprate, lui un'extralarge, lei una tenera medium.

Estate. Il concorso delle miss all'Argentario. Babi ha partecipato per scherzo, lui ha preso troppo sul serio un commento peraltro sincero di qualcuno. "Oh, guarda quella che culo da favola." Ed è subito rissa.

Sorride. È stato sbattuto fuori dalla discoteca, non ha potuto vederla vincere. Quante volte ha fatto l'amore con Miss Argentario. Di notte a Villa Glori, sotto la croce ai caduti, su quella panchina nascosta dietro un cespuglio, sopra la città. I loro sospiri baciati dalla luna. In macchina, quella volta che la polizia ha interrotto i loro baci furtivi e lei scocciata ha dato i suoi documenti. Step ha salutato i poliziotti, una volta lontani, con un divertito "A invidiosi!".

Quella rete bucata. Aiutarla a scavalcare di notte, abbracciarla vicino alle gabbie, amarsi impauriti su quella panchina, tra ruggiti di bestie feroci e richiami di uccelli nascosti. Loro, così liberi, in quello zoo pieno di prigionieri.

Si dice che quando muori vedi in un attimo passarti davanti i momenti più significativi della tua vita. Allora Step cerca di allontanare tutti quei ricordi, quei pensieri, quella dolce sofferenza. Ma all'improvviso capisce. È tutto inutile. È finita.

Continua a camminare per un po'. Si ritrova quasi per caso alla moto. Decide di andare a casa di Schello. I suoi amici sono tutti lì per festeggiare il Natale.

I suoi amici. Quando la porta si apre prova una strana sensazione.

"Ehi, ciao Step! Cazzo è una vita che non ti si vede. Buon Natale. Stiamo giocando a cavallini. Sai come si gioca?"

"Sì, ma preferisco guardare. C'è una birra?"

Il Siciliano gliene passa una già aperta.

Si sorridono. È acqua passata. Ne manda giù un sorso. Poi si siede su uno scalino. La televisione è accesa. Su uno sfondo natalizio dei concorrenti dalle coccarde colorate giocano a qualche stupido gioco. Un presentatore ancora più stupido ci mette troppo a spiegare quello successivo. Perde interesse. Da uno stereo nascosto da qualche parte arriva della musica. La birra è fredda e ben presto lo riscalda. I suoi amici sono tutti vestiti bene o ci provano. Giacche blu un po' larghe su un paio di jeans.

Questa è la loro eleganza. Qualcuno sfoggia un completo, qualcun altro un paio di pantaloni di velluto un po' troppo stretti. Improvvisamente si ricorda il funerale di Pollo. C'erano tutti e tanti altri ancora. Vestiti meglio, con un'aria più seria. Ora ridono, scherzano, si lanciano fiches e carte colorate, ruttando, mangiando grossi pezzi di panettone. Quel giorno avevano tutti le lacrime agli occhi. Un addio a un amico vero, un addio sincero, commosso, dal profondo del cuore. Li rivede in quella chiesa, con i muscoli sofferenti, in camicie troppo strette, con facce serie, seguire la predica del prete, uscire in silenzio. Sullo sfondo, ragazze scappate da scuola che piangono. Amiche di Pallina, compagne di serate, di uscite notturne, di birre al baretto. Quel giorno tutti hanno sofferto sul serio. Ogni lacrima è stata sincera. Nascosti dietro Ray-Ban, Web, occhiali a specchio o scuri Persol, i loro sguardi sono diventati lucidi guardando quel "Ciao Pollo" fatto di crisantemi rosati. Firmato "Gli amici". Dio come mi manca. Il suo sguardo torna lucido per un attimo. Incontra un sorriso. È Madda. Sta in un angolo abbracciata a un tipo che Step ha visto spesso in palestra. Le sorride poi guarda altrove.

Step beve un altro po' di birra. Gli manca da morire Pollo. Quella volta davanti al Gilda quando facendo finta di essere dei posteggiatori si sono inculati una Ferrari con tanto di telefono. Sono stati in giro tutta la notte, chiamando tutti, telefonando ad amici in America, a donne appena conosciute, prendendo a parolacce genitori ancora insonnoliti. Quando sono andati a riportare il cane alla Giacci. E Pollo che non voleva restituirglielo.

"Cazzo, mi sono troppo affezionato ad Arnold. È un mito questo cane. Perché glielo devo ridare a quella vecchia befana? Sono sicuro che, se potesse scegliere, Arnold resterebbe con me. Cazzo, non si è mai divertito così tanto in vita sua, lo faccio chiavare tutti i giorni, dorme con me, mangia da favola, che può volere di più?"

"Sì, però a insegnargli a fare il riporto non ci sei riuscito..."

"Mi basta un'altra settimana e ce la fa, ne sono sicuro."

Step ride, poi citofonano alla Giacci. Le lasciano il cane le-

309

gato al cancello con una corda al collo. Si nascondono là vicino, dietro una macchina. Vedono la Giacci uscire di corsa dal portone, liberare il cane e abbracciarlo. Si mette a piangere stringendoselo al petto.

"Mortacci, peggio di Merola" commenta Pollo da lontano. Poi l'incredibile.

La Giacci toglie al cane quella specie di guinzaglio e lo getta lontano. Arnold salta a terra, corre veloce, abbaiando come un pazzo. Poco dopo torna dalla Giacci con la corda in bocca, scodinzolando, fiero di quel riporto perfetto. Pollo non ce la fa più. Sbuca fuori dalla macchina urlando di gioia: "Lo sapevo! Cazzo lo sapevo! Ce l'ha fatta!".

Pollo si vuole riprendere Arnold. La Giacci urla come una pazza correndo verso di loro, il cane continua a fissare quei suoi due strani padroni con molti meno dubbi di Buck. Step si carica l'amico sulla moto tirandolo per un braccio. E poi di corsa, fuggendo veloci, gridando come mille altre volte. Di giorno, di notte senza fari, urlando a perdifiato, spavaldi, padroni di tutto, padroni della vita. E questa consapevolezza gli fa ancora più male. Si sentivano immortali, e non lo erano.

"Come stai?"

Step si gira. È Madda. Il suo sorriso nascosto dall'orlo di un bicchiere pieno di bollicine, i suoi capelli frizzanti come il suo sguardo.

"Ne vuoi?" Step alza la sua birra.

"Ah." Madda è quasi delusa ma cerca di nasconderlo. "Che fai di bello stasera? Dove ceni?" Gli si avvicina di più.

"Ancora non lo so, non ho deciso."

"Perché non resti qui? Stiamo tutti insieme. Come ai vecchi tempi. Dai!"

Step la fissa per un attimo. Quante notti, quanta passione. Le corse insieme a lei, il suo giardino, la finestra, il suo corpo caldo, fresco, le canzoni di Eros. Quello sguardo provocante, lo stesso di quel momento. Step la guarda ancora per un attimo. Vede un ragazzo sullo sfondo che lo fissa incuriosito, disturbato, chiedendosi se è il caso di intervenire. Vede una ragazza ancora più lontano, da qualche parte, in quella città, in una macchina, a una festa, vicino a qualcun altro. Si chiede com'è possibile. Eppure è tutta qui nel mio cuore. Step passa la mano tra i capelli di Madda. Scuote la testa sorridendole. Lei alza le spalle.

"Peccato."

Madda raggiunge il tipo dallo sguardo duro. Quando si gira Step non c'è più. Sullo scalino c'è solo la lattina di birra vuota. Il rumore dello stereo copre la porta che si chiude. Fuori ora fa freddo. Step si chiude bene il giubbotto di pelle. Si tira su il bavero coprendosi il collo. Poi senza quasi volerlo accende la moto. Quando la spegne è sotto il comprensorio di Babi. Rimane lì seduto sull'Honda, guardando la gente che passa, frettolosa, piena di pacchi. Un ragazzo e una ragazza per mano fingono interesse per qualcosa dietro una vetrina. I loro regali sono sicuramente a casa, già incartati. Ridono sicuri di aver scelto bene e se ne vanno lasciando il posto a una madre con una figlia, stesso naso ma di differente età. Fiore esce dalla guardiola, fa alcuni passi davanti al cancello e saluta Step con un cenno. Poi senza dire nulla torna al caldo. Step si chiede se sa. Che sciocco. I portieri sanno sempre tutto. L'avrà visto di sicuro. Conoscerà di persona quello che io ho saputo solo per telefono.

"Pronto?"

"Ciao."

Rimane per un attimo in silenzio, senza sapere che dire, lasciando libero il suo cuore di correre sfrenato. Sono più di due mesi che non batte così. Poi la domanda più banale: "Come stai?".

Poi mille altre, piene d'entusiasmo. Piano piano perderlo tutto, nelle sue parole inutili, piene di notizie cittadine, di novità vecchie d'interesse, almeno per lui. Perché ha telefonato? Ascolta il suo inutile parlare facendosi ogni momento quella domanda. Perché ha chiamato? Poi improvvisamente lo sa.

"Step... mi sono messa con un altro."

Rimane in silenzio, colpito come non è mai stato in vita sua, più di mille pugni, di ferite, di cadute, più di capocciate in faccia, di morsi, di ciocche di capelli strappati. Allora facendosi forza rincorre la sua voce, la trova lì, in fondo al cuore e la costringe a venir fuori, a controllarsi.

"Spero che sarai felice."

Poi più niente, il silenzio. Quel telefono muto. Non può essere. È un incubo. Voler correre indietro nel tempo, e lì, poco prima di aver saputo, in bilico fermarsi, senza più vivere, senza andare avanti. In un magico, terribile equilibrio. Solo nel letto, prigioniero della sua mente, di ipotesi, di idee vaghe senza forma. Facce di persone intraviste, di possibili amanti appaiono e si mischiano fra loro prestandosi nasi, occhi, bocche, corpi. Si immagina lei tra le braccia di qualcun altro. Il suo viso, vicino a quello di un lui immaginario ma purtroppo ben esistente. Allora la vede sorridere. Quale può essere stato il loro primo approccio, il primo bacio. La immagina a casa prepararsi nervosa prima di uscire, provando vestiti, accostando colori, piena di entusiasmo, di novità. Sente il cuore di lei battere più felice al suono di un citofono. La vede uscire dal portone bella come è stata tante volte per lui, più bella ancora perché adesso non lo è più. La vede salire su una macchina sicuramente ricca, salutare qualcuno divertita con un bacio sulla guancia e allontanarsi con lui, già chiacchierando. Freschi e frizzanti, pieni di cose facili da dirsi, assaggiando i profumi dell'altro e fantasie comuni. E poi una cena di sguardi e di attenzioni, di sorrisi, educazione, una cena tutta scena. Più tardi la vede passeggiare da qualche parte in quella città, lontana da lui, dalla loro vita, dai mille ricordi. La vede spostare i capelli come ha sempre fatto ma adesso per un altro, vede lei che sorride e lentamente le loro labbra avvicinarsi. Allora come non mai soffre. Poi si chiede. Perché se un Dio c'è, l'ha permesso? Perché non l'ha fermata? Perché in quell'attimo non le ha fatto vedere qualcosa di me, qualcosa di splendido, il ricordo più bello, uno spiraglio d'amore trascorso? Qualunque cosa che potesse non dar vita a un estraneo futuro, troppo tardi, a quel bacio ormai nato.

Step sente un brivido caldo per tutto il corpo, trema leggermente. Poi scende dalla moto e si mette a passeggiare. Qualcosa di un negozio gli piace. Entra a comprarla. Quando esce, si sente morire. Una Thema passa veloce davanti a lui. Ma non così veloce perché i loro sguardi non possano incontrarsi. In quell'attimo si parlano di tutto, soffrono di molto, questa volta di nuovo insieme. Babi è lì, dietro quel vetro elettrico. Si inseguono ancora un po' con i loro vecchi ricordi, con una nuova tristezza. Poi lei sparisce nel comprensorio. Perché? Dove sono finiti tutti quei pomeriggi, quelle notti clandestine quando i suoi erano fuori. E ora vicino a lei c'è quello. Chi cazzo è? Che c'entra nella sua vita? Nella nostra vita? Perché? Si siede sulla sua moto. L'avrebbe aspettato. Poi gli viene in mente tutto quello che gli ha sempre detto Babi.

"Io odio i violenti, se continui a fare come ti pare non staremo più insieme, te lo giuro."

"Va bene, cambierò" ha abbozzato.

Ma ora? Ora sono le cose a essere cambiate. Non stanno più insieme ora. Non hanno bisogno di nascondersi adesso. Non deve più essere un altro. Può essere se stesso, come e quando vuole. È libero, ora. Violento e solo. Di nuovo. La Thema si ferma davanti alla sbarra. Aspetta che lentamente si alzi poi esce dal cancello. Step accende la moto e mette la prima. Scende veloce dal marciapiede e segue la macchina. Il tipo ora è solo e guida veloce. Step dà gas. Allo stop tanto dovrà fermarsi. Sotto via Jacini c'è traffico, macchine in fila. Come sempre. La Thema si ferma. Step sorride, si accosta alla macchina. Fa per scendere dalla moto ma in quel momento capisce. A cosa servirebbe colpire la sua faccia, vedere il suo sangue, sentire i suoi gemiti? A cosa servirebbe prenderlo a calci, sfondargli la macchina, rompere i finestrini infilandoci la sua testa? Gli avrebbe forse restituito nuovi giorni felici con lei, i suoi occhi innamorati, il suo entusiasmo? L'avrebbe fatto semplicemente dormire soddisfatto quella sera. Forse neanche quello... Già gli sembra di sentire le sue parole:

"Hai visto? Non mi sbagliavo su di te, sei un violento! Non cambierai mai!".

Allora, senza guardare nella macchina dà gas. La supera tranquillo, libero, sulla sua moto, agile nel traffico di quel giorno di festa. Solo, senza curiosità, senza rabbia.

Continua ad accelerare sentendo il vento freddo sulla faccia, l'aria della notte infilarsi nel suo giubbotto.

Vedi Babi, non è vero quello che pensi. Sono cambiato. E poi si sa, a Natale sono tutti più buoni.

54.

Step entra in casa e attraversa il salotto poi all'improvviso si ferma. Dalla stanza accanto vengono dei rumori, un allegro cantare. Apre la porta della cucina. Paolo è lì, in piedi vicino ai fornelli che traffica con delle pentole.

"Ehi, meno male, temevo non tornassi più! Sei pronto per questo cenone favoloso?"

Step si siede a tavola. Non è in vena di scherzare ma è felice. Suo fratello si è dimenticato della questione della sera prima.

"Come mai sei qui? Non dovevi andare a cena da Manuela?"

"Impegno rimandato. Preferisco stare con mio fratello. Facciamo un patto, però! Anche se il cenone fa schifo, tu lasci stare i miei occhiali..." Paolo tira fuori dal taschino della giacca un paio di occhiali nuovi di zecca. "Non ti dico quanto li ho pagati sennò poi dici che penso sempre ai soldi. Comunque è proprio vero, sotto Natale i negozianti se ne approfittano!"

Paolo posa sul tavolo vicino a Step un'enorme insalata con rughetta, grana e pezzi di funghi chiari.

"Et voilà! Cucina francese!"

Step nota che si è messo un normale grembiule chiaro. Quello a fiori che gli ha regalato Babi è attaccato vicino al lavandino. Si chiede se il fratello ci ha pensato.

"A parte gli scherzi, come mai non sei a cena da Manuela?"

"Ma che è stasera, un interrogatorio? È Natale, dobbiamo essere felici, parliamo d'altro. È una brutta storia."

"Mi dispiace." Step prende un pezzo di grana e se lo mette in bocca.

"Sì, grazie. Cerca però di non finirti l'insalata, eh? Senti, perché non vai di là e cominci ad apparecchiare? La tovaglia è lì sotto."

Step ne prende una a caso.

"No, prendi quella rossa. È più pulita e poi è Natale. A proposito, hanno telefonato papà e mamma... volevano farti gli auguri. Perché non li richiami?"

"Ho provato... è occupato." Step va in salotto.

"Perché non riprovi adesso?"

Step decide di non rispondere.

"Fai come vuoi... Io te l'ho detto." Paolo si brucia un dito per controllare se la pasta è pronta. Anche lui decide di non insistere.

Più tardi, sono seduti uno di fronte all'altro. Un piccolo albero di Natale lampeggia su un mobile là vicino. La televisione è accesa ma senza volume, presentatori natalizi parlano sulla musica allegra dello stereo.

"Cavoli, Paolo, è buonissima questa pasta. Sul serio."

"Ci voleva un po' più di sale."

"No, secondo me va bene così." In un attimo ritorna prigioniero dei ricordi. Babi metteva un altro po' di sale sempre su tutto. Lui la prendeva in giro perché lo faceva comunque, con ogni piatto, ancora prima di assaggiarlo.

"Ma provalo no, può essere che è già salatissimo."

"No, non capisci, a me piace proprio metterci il sale..." Dolce testarda. No, non si capisce. Non si può capire. Com'è successo? Come può non essere più? Come può stare con un altro? Rivede quella macchina dalla guida sicura. Li immagina stare insieme, abbracciati.

Di una cosa sono sicuro. Non potrà amarla come l'amavo io, non potrà adorarla in quel modo, non saprà accorgersi di tutti i suoi dolci movimenti, di quei piccoli segni del suo viso. È come se solo a lui fosse stato concesso vedere, conoscere il vero sapore dei suoi baci, il reale colore dei suoi occhi. Nessun uomo mai potrà vedere ciò che ho visto io. Lui meno di tutti. Lui reale, crudo, inutile, materiale. Lo disegna così, incapace di amarla, desideroso solo del suo corpo, incapace di vederla veramente, di capirla, di rispettarla. Lui non si divertirà a quei dolci capricci. Lui non amerà anche la sua piccola mano, le sue unghie mangiate, i suoi piedi leggermente cicciotti, quel piccolo neo nascosto, non poi così tanto. Forse lo vedrà sì, che terribile sofferenza, ma non sarà mai capace di amarlo. Non in quel modo. La tristezza si impadronisce dei suoi occhi. Paolo lo guarda preoccupato.

"Fa proprio schifo, vero? Se non ti va più, lasciala. C'è un secondo favoloso."

Step alza il viso verso il fratello, scuote la testa cercando di sorridere.

"No, Pa', è buona, sul serio."

"Ne vuoi parlare?"

"No, è una brutta storia."

"Peggio della mia?" Step annuisce. Si sorridono. Uno sguardo fraterno nel vero senso della parola, forse solo allora per la prima volta. Poi all'improvviso, il campanello della porta. Un suono lungo e deciso spezza l'aria, portando con sé gioia e speranza. Step corre verso la porta, l'apre.

"Ciao Step."

"Oh, ciao Pallina." Cerca di nascondere la sua delusione. "Vieni, vuoi entrare?"

"No grazie, sono passata a farti gli auguri. Ti ho portato questo." Gli dà un piccolo pacchetto.

"Lo apro adesso?"

Pallina annuisce. Step lo rigira tra le mani trovando il verso giusto, lo scarta veloce. Una cornice in legno e dentro il regalo più bello che avesse mai potuto desiderare. Lui e Pollo sulla moto, abbracciati, con i capelli corti, le gambe alzate, la risata al vento. Qualcosa gli fa male dentro.

"Pallina, è bellissima. Grazie."

"Dio Step, quanto mi manca."

"Anche a me." Solo allora si accorge di com'è vestita Pallina. Quante volte ha visto quel giubbotto di jeans dietro la sua moto, quante pacche gli ha dato, con amicizia, con forza, con allegria.

"Step, ti posso chiedere una cosa?"

"Tutto quello che vuoi."

"Abbracciami." Step le si avvicina timoroso, allarga le braccia e l'accoglie fra le sue. Pensa al suo amico, a quanto ne era innamorata. "Stringimi forte, più forte. Come faceva lui. Sai mi diceva sempre... Così non mi scappi più. Resterai sempre con me." Pallina appoggia la testa sulla sua spalla. "E invece se n'è andato lui." Comincia a piangere. "Me lo ricordi da morire, Step. Lui ti adorava. Diceva che solo tu lo capivi, che eravate uguali, voi due."

Step guarda lontano. La porta è leggermente sfuocata. La stringe forte, più forte.

"Non è vero, Pallina. Lui era molto meglio di me."

"Si, è vero." Sorride tirando su con il naso. Pallina si stacca da Step. "Be', ora vado a casa."

"Vuoi che ti accompagno?"

"No grazie. C'è giù Dema che mi aspetta."

"Salutamelo."

"Buon Natale Step."

"Buon Natale."

La guarda entrare nell'ascensore. Pallina gli sorride un'altra volta poi chiude le porte e spinge il bottone т. Mentre scende tira fuori dal giubbotto il suo pacchetto di Camel light. Si accende l'ultima sigaretta, quella capovolta. Ma la fuma con tristezza, senza speranza. Sa che il suo unico, vero desiderio, è irrealizzabile.

Step va in camera sua e posa la foto sul comodino poi torna a tavola. Vicino al suo piatto c'è un pacco incartato.

"E questo che cos'è?"

"Il tuo regalo." Paolo gli sorride. "Non lo sai che a Natale ci si scambiano i regali?"

Step comincia ad aprire il pacco. Paolo lo osservava divertito.

"Ho visto che ieri hai bruciato tutti quei disegni e ho pensato che ora non hai più niente da leggere."

Step lo scarta del tutto. Gli viene quasi da ridere.

"Il mio nome è Tex."

Il fumetto che più odia.

"Se non ti piace lo puoi cambiare."

"Scherzi Paolo, grazie. Non ce l'ho sul serio. Aspetta un attimo, anch'io ho qualcosa per te."

Poco dopo torna dalla sua camera con un astuccio. L'ha comprato quel pomeriggio mentre aspettava sotto casa di Babi. Prima di vederla. Preferisce non pensarci.

"Tieni."

Paolo prende il regalo e lo apre. Un paio di Ray-Ban neri Predator appaiono nelle sue mani.

"Sono come i miei. Sono durissimi e non si rompono mai. Anche se qualcuno te li fa cadere per terra." Gli sorride. "Ah, a proposito, non li puoi cambiare."

Paolo se li mette.

"Come ci sto?"

"Benissimo! Cazzo, sembri un duro. Metti quasi paura."

Poi improvvisamente appare nella sua mente, lucida, perfetta, divertente.

"Senti Pa', ho un'idea ma non mi dire di no come al solito. Oggi è Natale, non me lo puoi rifiutare!"

Il vento freddo gli scompiglia i capelli.

"Potresti rallentare, Step?"

"Ma se sto a ottanta."

"In città non bisognerebbe superare i cinquanta."

"Piantala, lo so che ti piace." Step accelera. Paolo lo abbraccia forte. La moto corre veloce per le strade della città, attraversa incroci, supera semafori gialli, silenziosa, agile. I due fratelli sono sopra di lei abbracciati. La cravatta di Paolo si libera dal giubbotto e sventola allegra nella notte i suoi rombi seri. Più in alto sotto i nuovi occhiali scuri, Paolo guarda terrorizzato la strada, pronto a notare qualsiasi pericolo. Davanti a lui Step guida tranquillo. Il vento accarezza i suoi Ray-Ban. Alcune persone posteggiano frettolose in seconda fila davanti a una chiesa. Vanno a messa. Religiosità natalizia, preghiere appesantite dal sapore di panettone. Per un attimo viene anche a lui la voglia di entrare, di chiedere qualcosa, di pregare.

Ma poi si chiede cosa gliene può importare a Dio di uno come me, di uno così. Niente. Dio è felice. Lui ha le stelle. Guarda in alto, nel cielo. Nitide, a migliaia appaiono immobili brillando. Improvvisamente quel blu gli sembra lontano come non mai, irraggiungibile. Allora accelera, mentre il vento gli punge la faccia, mentre gli occhi cominciano lenti a lacrimare e non solo per il freddo. Sente Paolo che si stringe più forte a lui.

"Dai Step, non correre. Ho paura!"

Anch'io ho paura Paolo. Ho paura dei giorni che verranno, di non farcela a resistere, di quello che non ho più, di quello che sarà preda dei venti. Leva un po' di gas. Scala dolcemente. Per un attimo gli sembra di sentire la risata di Pollo. Quella risata forte e allegra. La sua faccia, la sua voce amica.

"Cazzo Step, ci divertiamo, eh?" E giù birra e giù nottate, sempre insieme, sempre allegri con la voglia di vivere, di fare a botte, con una siga a mezzi e tanti sogni. Allora dà di nuovo gas. All'improvviso, di scatto. Paolo urla, mentre la moto si alza. Step continua così, accelerando su una ruota sola, pinnando come ai bei tempi, sorridendo a quel mazzo di fiori fermo sul ciglio della strada.

Lontano, più lontano, sul divano di una casa elegante, due corpi nudi si accarezzano.

"Sei bellissima." Lei sorride vergognandosi, ancora un po' estranea. "Ma cos'è questo?"

Un leggero imbarazzo. "Niente, un tatuaggio."

"È un'aquila, vero?"

"Sì." Poi un'amara bugia. "L'ho fatto con una mia amica."

E in quel momento non c'è nessun gallo a cantare. Ma un senso di tristezza le prende ugualmente il cuore. E un cattivo destino radiofonico si accanisce contro di lei, quasi a punirla. *Beautiful*. La loro canzone. Babi comincia a piangere.

"Perché piangi?"

"Non lo so."

Non trova nessuna risposta. Forse perché non ce ne sono.

Altrove gente gioca urlando e facendo confusione. Fiches colorate cadono su panni verdi. Stanche nonne vengono riaccompagnate a casa. Una ragazza bruna si addormenta romantica stringendo il cuscino. Sogna di incontrare quel ragazzo che ha visto passare.

Dolcemente la ruota torna a terra, così, come si è alzata, senza problemi.

Paolo torna a respirare. Step rallenta. Sorride.

È estate. Sono tutti e due piccoli. Sua madre e suo padre sono lì, felici sotto l'ombrellone. Chiacchierano su due sdraio azzurre, quelle con il nome dello stabilimento sopra. Step esce dall'acqua correndo verso di loro, con i capelli bagnati, con gocce salate che gli scendono giù sulle labbra.

"Mamma, ho fame!"

"Prima cambiati il costume e poi ti do la pizza."

Allora sua madre lo avvolge con un grosso asciugamano. Glielo tiene sulle spalle sorridendo. Lui si sfila ubbidiente il costume. Poi, timoroso di restare nudo, si infila subito quello asciutto. Cerca di non sporcarlo con la sabbia bagnata e più scura che è lì sulle sue caviglie. Non ci riesce. Sorride ugualmente. Sua madre lo bacia. Ha delle labbra morbide e calde e un profumo di sole e di crema. Step corre via felice, con il suo pezzo di pizza bianca in mano. Morbido, ancora caldo, con il bordo croccante, proprio come piace a lui.

Piano piano la moto inizia a curvare. È ora di tornare a casa. È ora di ricominciare, lentamente, senza strappi al motore. Senza troppi pensieri. Con un'unica domanda. Tornerò mai lassù, in quel posto così difficile da raggiungere. Lì, dove tutto sembra più bello. E nello stesso istante in cui se lo chiede, purtroppo, sa già la risposta.

Stampa Grafica Sipiel
Milano, aprile 2005